D0448808

KOLYMA

DU MÊME AUTEUR

*Enfant 44*, Belfond, 2009 ; Pocket, 2010

TOM ROB SMITH

# KOLYMA

*Traduit de l'anglais*
*par France Camus-Pichon*



belfond
12, avenue d'Italie
75013 Paris

Titre original :
*THE SECRET SPEECH*
publié par Simon & Schuster UK Ltd, Londres

Ce livre est une œuvre de fiction. Les noms, les personnages, les lieux et les événements sont le fruit de l'imagination de l'auteur ou utilisés fictivement. Toute ressemblance avec des personnes réelles, vivantes ou mortes, des événements ou des lieux serait pure coïncidence.

Si vous souhaitez recevoir notre catalogue
et être tenu au courant de nos publications,
vous pouvez consulter notre site internet :
www.belfond.fr
ou envoyer vos nom et adresse,
en citant ce livre,
aux Éditions Belfond,
12, avenue d'Italie, 75013 Paris.
Et, pour le Canada,
à Interforum Canada Inc.,
1055, bd René-Lévesque-Est,
Bureau 1100,
Montréal, Québec, H2L 4S5.

ISBN : 978-2-7144-4609-1

*À ma sœur et à mon frère,*
*Sarah et Michael*

# Union soviétique
# Moscou

*3 juin 1949*

DURANT LA GRANDE GUERRE PATRIOTIQUE, il avait fait sauter le pont de Kalach pour protéger Stalingrad, dynamité des usines, les réduisant à des tas de gravats, et mis le feu à des raffineries de pétrole impossibles à défendre, quadrillant l'horizon de colonnes de fumée noire. Tout ce que les envahisseurs de la Wehrmacht auraient pu réquisitionner, il s'était empressé de le détruire. Pendant que ses compatriotes pleuraient de voir leur ville natale s'écrouler autour d'eux, il contemplait ce spectacle de désolation avec un sourire sardonique. L'ennemi n'aurait qu'un champ de ruines à conquérir, une terre brûlée et un ciel plombé par la fumée. Souvent contraint d'improviser avec ce qui lui tombait sous la main – obus, bouteilles de verre, carburant siphonné dans des réservoirs de véhicules sinistrés –, il s'était fait une réputation d'homme sur lequel l'État pouvait compter. Jamais il ne perdait son calme ni ne commettait d'erreurs, même dans des conditions extrêmes : les nuits d'hiver glaciales, l'eau jusqu'à la taille dans des rivières en crue, les tirs ennemis. Pour quelqu'un d'aussi aguerri, la mission du jour aurait dû être une opération de routine. Il n'y avait pas d'urgence, pas de balles sifflant à ses oreilles. Et pourtant il tremblait, lui qui passait pour avoir les mains les plus sûres de la profession. Des gouttes de sueur lui coulaient dans les yeux, l'obligeant à s'essuyer avec un pan de sa chemise. Il avait le trac comme un débutant, comme si c'était la première fois que Jekabs Drozdov, cinquante ans, héros de la guerre, faisait sauter une église.

Il lui restait une charge à placer juste devant lui, dans le sanctuaire où se dressait autrefois l'autel. Le siège de l'évêque, les icônes, les objets du culte : tout avait été enlevé. On avait même gratté les murs décorés à la feuille d'or. L'église n'abritait plus que la dynamite logée dans ses fondations ou fixée aux piliers. Même pillée, entièrement vide, c'était encore un édifice impressionnant. Couronné de vitraux, le dôme central était si vaste et lumineux qu'il semblait faire partie du ciel. Bouche bée, la tête renversée en arrière, Jekabs en admirait le sommet à une cinquantaine de mètres au-dessus de lui. Des rayons de soleil traversaient les vitraux, illuminant les fresques qui seraient bientôt réduites en poussière. La lumière s'étirait en diagonale sur les dalles usées tout près de lui, comme pour le toucher, lui tendre une main à la paume dorée.

— Dieu n'existe pas, marmonna-t-il.

Il répéta ces mots plus fort, leur écho emplissant le dôme :

— Dieu n'existe pas !

C'était une journée d'été : bien sûr qu'il y avait de la lumière ! Elle ne symbolisait rien. Rien de divin. Elle n'avait aucune signification particulière. Il réfléchissait trop, voilà son problème. Il ne croyait même pas en Dieu. Il tenta de se remémorer les nombreux slogans anticléricaux de l'État.

*La religion appartient à l'ère révolue du « Chacun pour soi et Dieu pour tous »*

Cette église n'avait rien de sacré ni de surnaturel. Ce n'était jamais que de la pierre, du verre et du bois – sur cent mètres de long et soixante de large. Improductive, ne rendant aucun service quantifiable, il s'agissait d'une structure archaïque érigée pour des raisons archaïques par une société depuis longtemps disparue.

Jekabs se redressa, passa la main sur les dalles fraîches, polies par les pas des millions de fidèles qui avaient assisté aux offices religieux durant des siècles. Oppressé par la portée de ce qu'il allait faire, il suffoqua comme s'il avait quelque chose de coincé dans la gorge. Cette sensation déplaisante s'estompa. Il était fatigué et surmené, rien de plus. Normalement, pour une démolition à cette échelle, une équipe l'assistait ; la charge de travail était partagée. Cette fois il avait préféré tenir ses collègues à l'écart. Inutile de leur faire porter ce fardeau, de les impliquer sans raison. Tous n'étaient pas aussi lucides que lui. Tous n'avaient pas fait une croix sur leurs convictions religieuses. Il ne voulait pas d'hommes aux motivations contradictoires à ses côtés.

Cinq jours durant, de l'aube au coucher du soleil, il avait placé toutes les charges explosives – disposées de manière à ce que la structure implose, que les dômes s'écroulent sagement l'un sur l'autre. Son travail réclamait méthode et précision, et il tirait une grande fierté de sa compétence. Cette église représentait un défi sans précédent. Une mise à l'épreuve moins morale qu'intellectuelle. Avec un clocher et cinq dômes dorés, dont le plus grand était juché à quatre-vingts mètres de hauteur, une démolition parfaitement maîtrisée lui permettrait de conclure sa carrière en beauté. On lui avait promis une retraite anticipée après cette mission. On lui avait même laissé entendre qu'il pourrait recevoir l'ordre de Lénine, juste rétribution pour une tâche dont personne ne voulait se charger.

Il hocha la tête. Il n'avait rien à faire là. Jamais il n'aurait dû accepter. Il aurait dû feindre la maladie. Ou forcer quelqu'un à placer les derniers bâtons de dynamite. Ce n'était pas un travail digne d'un héros. Mais on prenait beaucoup plus de risques en se dérobant à sa tâche, des risques autrement plus réels qu'une vague superstition. Jekabs avait une famille à protéger – une épouse et une fille qu'il aimait plus que tout au monde.

Lazare était debout dans la foule maintenue à une centaine de mètres du périmètre de sécurité autour de l'église Sainte-Sophie. Son air grave tranchait sur l'excitation et les bavardages de ceux qui l'entouraient – le genre d'individus qui auraient assisté à une exécution publique non par conviction mais pour le spectacle, pour tromper l'ennui. L'atmosphère était festive, les conversations animées. Les enfants se trémoussaient sur les épaules de leurs pères, impatients qu'il se passe enfin quelque chose. Une église ne leur suffisait pas : il fallait qu'elle s'écroule pour les amuser.

Devant la barrière, sur une estrade construite pour l'occasion, une équipe de tournage installait caméras et trépieds, discutant du meilleur angle pour filmer la démolition. Attentifs à la nécessité de cadrer les cinq dômes, ils spéculaient pour savoir si ces derniers se désintégreraient en l'air, ou seulement au contact du sol. Tout dépendrait de la compétence des experts en train de placer les charges à l'intérieur.

Lazare se demanda si cette foule pouvait aussi éprouver de la tristesse. Il regarda autour de lui, à la recherche de compagnons d'infortune : ce couple à l'écart, silencieux tous les deux, le visage blême ; cette femme âgée tout là-bas, une main dans sa poche. Elle y cachait quelque chose, peut-être un crucifix. Lazare aurait voulu séparer la foule en deux, d'un côté les éplorés, de l'autre les badauds. Il aurait voulu rejoindre ceux d'entre eux capables de mesurer ce qui allait être perdu : une église vieille de trois siècles. Construite à l'image de la cathédrale Sainte-Sophie de Gorki, dont elle tenait son nom, elle avait survécu aux révolutions, aux guerres mondiales. Les dégâts infligés par les derniers bombardements étaient une raison de la préserver, pas de la détruire. Lazare avait lu avec mépris l'article de la *Pravda* invoquant « l'ébranlement de la structure ». Un faux prétexte, une cuillerée d'argumentation trompeuse pour faire avaler ce mauvais coup. L'État avait ordonné la destruction de l'édifice, et avec l'accord de l'Église orthodoxe en prime. Les deux complices de ce crime arguaient d'une décision non pas idéologique, mais pragmatique. Ils avaient énuméré une série de facteurs décisifs, comme les dégâts causés par les raids aériens de la Luftwaffe. L'intérieur du bâtiment nécessitait une restauration complète que personne n'avait les moyens de payer. En outre, le terrain, situé en plein centre-ville, permettrait de réaliser un important projet d'urbanisme. À tous les échelons du pouvoir on était d'accord : cette église, loin d'être la plus belle de Moscou, devait être démolie.

Derrière ce pacte honteux se cachait la lâcheté des représentants de l'Église orthodoxe. Après s'être rangés avec leurs ouailles derrière Staline pendant la guerre, ils étaient désormais un instrument du pouvoir, un ministère du Kremlin. Cette démolition illustrait leur soumission. Ils ne l'acceptaient que pour prouver leur allégeance : un acte d'automutilation destiné à montrer que la religion était inoffensive, docile, servile. Inutile de continuer à la persécuter. Lazare comprenait qu'il s'agissait d'un compromis :

ne valait-il pas mieux sacrifier un seul lieu de culte plutôt que de les perdre tous ? Dans sa jeunesse, il avait vu des séminaires transformés en foyers pour ouvriers, des églises en halls d'exposition. Les icônes servaient de bois de chauffage, les prêtres étaient jetés en prison, torturés, exécutés. La poursuite des persécutions ou une soumission aveugle : telle était l'alternative.

Jekabs écoutait la foule assemblée au-dehors, les voix des badauds attendant que le spectacle commence. Il était en retard. Il aurait déjà dû avoir terminé. Depuis cinq minutes, pourtant, il contemplait sans bouger la dernière charge explosive. Derrière lui la porte grinça. Il jeta un coup d'œil par-dessus son épaule. C'était son collègue et ami, debout à la porte comme s'il n'osait pas entrer.

— Jekabs ! Qu'est-ce qui t'arrive ?

L'écho de sa voix se répercuta dans l'église.

— J'ai presque fini, répondit-il.

Après un temps d'hésitation, le nouveau venu ajouta plus doucement :

— Ce soir on boit tous les deux à ton départ en retraite, hein ? Demain matin tu auras mal aux cheveux, mais en fin de journée tu te sentiras beaucoup mieux.

Jekabs sourit à cette tentative de réconfort. Le remords ne serait pas pire qu'une gueule de bois. Il finirait lui aussi par passer.

— Donne-moi cinq minutes.

Il resta seul.

À genoux comme en prière, ruisselant de sueur, les mains moites, il s'essuya le visage. Sans résultat : sa chemise était totalement trempée. *Termine le travail !* Ensuite, plus besoin de se fatiguer. Le lendemain il irait se promener avec sa fille le long de la rivière. Le surlendemain il lui achèterait un jouet, la regarderait sourire. À la fin de la semaine suivante, il aurait oublié cette église, ces cinq dômes dorés, la froideur de ces dalles.

*Termine le travail !*

Il saisit le détonateur, se pencha sur la dynamite.

Tous les vitraux de l'église explosèrent en même temps : l'air s'emplit d'éclats de verre multicolores. Le mur du fond se transforma en nuage de poussière tourbillonnant. Des morceaux de pierre jaillirent vers le ciel et retombèrent en pluie sur le sol, hachant l'herbe menu, glissant vers la foule. La barrière métallique, trop légère pour offrir une réelle protection, se renversa bruyamment. Autour de Lazare les gens s'écroulaient, fauchés net. Sur les épaules de leurs pères, les enfants portaient les mains à leur visage lacéré par les pierres et les bouts de verre. Pareille à un immense banc de poissons, la foule reflua d'un bloc, chacun s'accroupissant derrière son voisin de peur d'être transpercé par d'autres débris. Les spectateurs avaient été pris de court : beaucoup ne regardaient même pas dans la bonne direction. Les caméras n'étaient pas encore installées. Il restait des ouvriers à l'intérieur du périmètre de sécurité, tout aussi sous-estimé que la force de l'explosion.

Sonné, Lazare fixait les volutes blanchâtres, attendant que la poussière se dépose. À mesure que le nuage se dissipait, un trou apparut dans le mur, haut comme deux hommes et aussi large. On aurait dit qu'un géant avait enfoncé par inadvertance le bout de sa botte dans l'église et retiré précipitamment son pied, épargnant le reste de l'édifice. Lazare leva les yeux vers les dômes dorés. Tout le monde l'imita, la même question à l'esprit : allaient-ils s'effondrer ?

Du coin de l'œil, Lazare voyait l'équipe de tournage mettre les caméras en route à toute vitesse, essuyer la poussière sur l'objectif, abandonner les trépieds dans un effort désespéré pour filmer quelques images. S'ils rataient cet événement pour quelque raison que ce soit, tous pouvaient craindre pour leur vie. Malgré le danger aucun d'eux ne s'enfuit : ils restaient figés, à l'affût du moindre mouvement : inclinaison, secousse, simple vibration.

Les cinq dômes tinrent bon, dominant de toute leur hauteur le chaos en contrebas. Tandis que l'église restait debout, dans la foule des dizaines de blessés gémissaient, en sang. À l'image du ciel qui s'était assombri, Lazare sentit l'atmosphère changer. Des doutes se firent jour. Un pouvoir surnaturel était-il intervenu pour empêcher ce crime ? Quelques spectateurs s'éloignèrent lentement, suivis par d'autres, de plus en plus nombreux et pressés de partir. Plus personne ne voulait assister au spectacle. Lazare se retint de rire. Alors que la foule se dispersait, l'église avait survécu ! Il se tourna vers les deux époux silencieux, espérant partager ces instants avec eux.

L'homme debout derrière Lazare était si proche qu'ils se touchaient presque. Lazare ne l'avait pas entendu arriver. Il souriait, mais son regard était glacial. Il ne portait pas d'uniforme, ne présenta aucun papier d'identité. Il ne faisait pourtant aucun doute qu'il appartenait aux forces de sécurité. C'était un officier de la police secrète, un agent du MGB – déduction basée non pas sur son apparence, mais sur ce qui lui manquait. Partout gisaient des blessés. Or cet inconnu ne s'intéressait pas à eux. Il s'était planté dans la foule pour surveiller les réactions des gens. Et Lazare venait de rater le test : il avait manifesté sa tristesse quand il aurait dû se réjouir, s'était réjoui quand il aurait dû s'attrister.

L'homme s'adressa à lui avec un sourire pincé, le fixant de ses yeux impassibles.

— Simple contretemps – un accident de parcours auquel il sera facile de remédier. Vous devriez rester : peut-être la démolition aura-t-elle quand même lieu aujourd'hui. Vous voulez rester, n'est-ce pas ? Et regarder l'église s'écrouler ? Ce sera spectaculaire.

— Bien sûr.

Réponse prudente, qui était aussi la vérité : il voulait bien rester ; en revanche il ne voulait pas voir l'église s'écrouler, même s'il ne l'aurait avoué sous aucun prétexte.

— Ce site deviendra l'une des plus grandes piscines couvertes au monde, reprit l'homme. Pour la santé de nos enfants. C'est une chose importante, la santé de nos enfants. Comment vous appelez-vous ?

La plus ordinaire des questions et la plus terrifiante.

— Lazare.

— Profession ?

Impossible de singer une conversation anodine : c'était un véritable interrogatoire. Soumission ou persécution, pragmatisme ou grands principes : Lazare devait choisir. Et il avait bel et bien le choix, contrairement à beaucoup de ses frères de religion qui étaient très reconnaissables. Rien ne l'obligeait à avouer qu'il était prêtre. Vladimir Lvov, l'ancien père procureur du saint-synode, avait décrété que les prêtres n'avaient nul besoin de se distinguer par leur habit et qu'ils pouvaient désormais « abandonner la soutane, se couper les cheveux et se transformer en mortels ordinaires ». Lazare approuvait. Avec sa barbe bien taillée et l'apparence de monsieur tout le monde, il pouvait mentir à cet agent. Taire son état en espérant que ce mensonge le protégerait. Il travaillait dans une usine de chaussures ou comme ébéniste – n'importe quoi sauf la vérité. L'agent attendait sa réponse.

*Le même jour*

DURANT LES SEMAINES SUIVANT LEUR RENCONTRE, Anisya ne s'était pas posé beaucoup de questions. Maxime, vingt-quatre ans seulement, était diplômé de la faculté de théologie de Moscou, fermée depuis 1918 et récemment réouverte dans le cadre de la réhabilitation des institutions religieuses. De six ans son aînée, mariée, inaccessible, Anisya, exerçait un attrait irrésistible sur ce jeune homme à l'expérience sexuelle sans doute limitée, voire inexistante. Timide et introverti, Maxime ne fréquentait personne à l'extérieur de l'église, et il avait peu d'amis ou de proches, aucun du moins habitant la ville. Rien d'étonnant à ce qu'il soit plus ou moins tombé amoureux d'elle. Elle avait toléré ses regards appuyés, s'était peut-être même sentie flattée. Mais en aucun cas elle ne l'avait encouragé. Il avait mal interprété son silence, y voyant une incitation à faire sa cour. D'où l'assurance avec laquelle il venait de lui prendre la main et de lui dire :

— Quitte-le. Viens vivre avec moi.

Elle pensait que jamais il n'aurait le courage de mettre à exécution ce qui n'était qu'un rêve d'enfant : partir avec elle. Elle s'était trompée.

Curieusement, il avait choisi l'église du mari d'Anisya pour passer du fantasme à une demande explicite : du haut de leurs fresques plongées dans la pénombre, anges et démons, disciples et prophètes observaient ces avances illicites. Maxime compromettait tout ce pour quoi il avait étudié, encourant la disgrâce et le bannissement de sa communauté religieuse sans espoir de rédemption. Son plaidoyer était si absurde et incongru qu'Anisya répondit de la pire façon : par un petit rire surpris.

Avant que Maxime ait pu réagir, la lourde porte en chêne se referma bruyamment. Anisya sursauta, se retourna et vit Lazare – son mari depuis dix ans – accourir d'un pas si précipité qu'elle se demanda s'il ne croyait pas la surprendre en flagrant délit d'adultère. Elle s'écarta de Maxime avec une soudaineté ne pouvant qu'accroître les soupçons. Mais, à son approche, elle s'aperçut que Lazare avait d'autres soucis. Le souffle court, il prit dans les siennes sa main qui, quelques instants plus tôt, était dans celles de Maxime.

— On m'a repéré dans la foule. Un agent m'a interrogé.

Il parlait à toute vitesse, un flot de paroles dont l'urgence faisait passer au second plan la proposition de Maxime.

— On t'a suivi ?

Il acquiesça d'un signe de tête.

— Je me suis réfugié dans l'appartement de Natasha Niurina.

— Que s'est-il passé ?

— Il a attendu dehors. J'ai dû sortir par-derrière.

— Ils vont arrêter Natasha et l'interroger ?

Lazare enfouit son visage dans ses mains.

— Je me suis affolé. Je ne voyais pas d'autre endroit où me cacher. Je n'aurais jamais dû aller chez elle.

Anisya le prit par les épaules.

— Si leur seul moyen de remonter jusqu'à nous est d'arrêter Natasha, ça nous laisse un peu de temps.

Lazare hocha la tête.

— J'ai donné mon nom.

Elle comprit qu'il refusait de mentir. Jamais, ni pour elle ni pour quiconque, il ne sacrifierait ses principes. Ils comptaient plus que leur vie. Il n'aurait pas dû assister à cette démolition : elle l'avait prévenu qu'il prenait des risques inutiles. La foule serait forcément surveillée et il ne passerait pas inaperçu. Comme toujours il avait ignoré ses mises en garde, faisant mine d'écouter ses conseils, sans les suivre. Ne l'avait-elle pas supplié de ménager les autorités religieuses ? Pouvaient-ils vraiment se mettre à dos à la fois l'Église et l'État ? Mais il se refusait à tout compromis : il préférait donner son opinion, au risque de s'isoler, critiquer ouvertement la récente collusion entre évêques et hommes politiques. Obstiné, autoritaire, il exigeait d'elle un soutien inconditionnel. Elle admirait cet homme intègre, mais lui ne l'admirait pas. Elle n'avait que vingt ans à leur mariage. Lui en avait déjà trente-cinq. Elle se demandait parfois s'il ne l'avait pas épousée parce que le fait d'être prêtre blanc – un prêtre marié au service de l'Église – constituait une prise de position réformiste. Cette idée lui plaisait, s'accordant bien avec ses convictions philosophiques. Anisya s'attendait depuis longtemps à trouver un jour l'État sur leur route. Mais maintenant que ce jour était venu, elle se sentait flouée. Elle payait pour les opinions de son mari, sur lesquelles elle n'avait jamais eu son mot à dire.

Lazare posa la main sur l'épaule de Maxime.

— Tu ferais mieux de retourner au séminaire et de nous dénoncer. Puisqu'on sera arrêtés de toute façon, ça te permettrait de prendre tes distances. Tu es jeune, Maxime. Personne ne t'en voudra si tu pars.

Venant de Lazare, la proposition était à double tranchant. Lui-même méprisait ce genre de pragmatisme, uniquement bon pour les lâches. Son sentiment de supériorité avait quelque chose d'écrasant. Loin d'offrir une échappatoire à Maxime, Lazare lui tendait un piège.

Anisya intervint, s'efforçant de rester aimable :

— Il faut partir, Maxime.

— Je préfère rester, répliqua-t-il sèchement.

Vexé par le petit rire d'Anisya quelques minutes plus tôt, il s'entêtait. Parlant de manière ambiguë pour que son mari ne comprenne pas, celle-ci insista :

— Je t'en prie, Maxime, oublie tout ce qui s'est passé : tu n'as rien à gagner en restant ici.

Maxime secoua la tête.

— Ma décision est prise.

Anisya surprit le sourire de Lazare. Aucun doute : son mari appréciait Maxime. Il l'avait pris sous son aile sans se rendre compte des sentiments de son protégé pour elle, ne voyant que ses lacunes en philosophie et son ignorance des Écritures. Il se félicitait du choix de Maxime, croyant y être pour quelque chose. Anisya se rapprocha de Lazare.

— On ne peut pas le laisser risquer sa vie.

— On ne peut pas non plus l'obliger à partir.

— Ce combat n'est pas le sien, Lazare.

Ce n'était pas non plus celui d'Anisya.

— Il s'y associe. Je respecte sa décision. Tu dois la respecter aussi.

— C'est absurde !

En faisant de Maxime un martyr comme lui-même, Lazare sacrifiait son disciple et humiliait Anisya.

— Ça suffit ! lança-t-il. Le temps presse ! Tu te soucies de la sécurité de Maxime. Moi aussi. Mais s'il veut rester, qu'il reste.

Lazare courut vers l'autel, le débarrassa fébrilement de ce qui le recouvrait. Tous ceux qui fréquentaient cette église étaient en danger. Il ne pouvait pas grand-chose pour sa femme ni pour Maxime : trop proches de lui. Mais ses paroissiens, ces gens qui lui avaient confié leurs secrets, leurs peurs : il fallait à tout prix préserver leur anonymat.

Une fois l'autel entièrement dépouillé, Lazare le prit par un côté.

— Poussez !

Perplexe, mais obéissant, Maxime poussa de toutes ses forces. Le socle de pierre pivota lentement sur les dalles, laissant apparaître un trou : une cachette qui datait d'une vingtaine d'années, de la pire vague de persécutions contre l'Église. On avait enlevé les dalles, et la terre ainsi mise à nu avait été soigneusement creusée, puis étayée pour créer une cache d'un mètre de profondeur sur deux mètres de large. Elle contenait une malle métallique. Lazare se baissa pour l'empoigner, imité par Maxime qui saisit l'autre extrémité, hissant la malle hors du trou et la déposant sur le sol.

Anisya souleva le couvercle. Maxime s'accroupit près d'elle, incapable de dissimuler sa stupéfaction :

— Une œuvre musicale ?

La malle était remplie de partitions manuscrites. Lazare expliqua :

— Le compositeur assistait aux offices religieux dans cette église – un jeune homme guère plus vieux que toi, étudiant au conservatoire de Moscou. Un soir il est venu nous voir, terrifié à l'idée d'être arrêté. Redoutant que ses compositions soient détruites, il nous les a confiées. La plupart d'entre elles étaient considérées comme antisoviétiques.

— Pourquoi ?

— Je n'en sais rien. Il ne le savait pas davantage. Il n'avait nulle part où aller, pas de famille ni d'amis vers qui se tourner. Alors il s'en est remis à nous. On a accepté de se charger de son œuvre. Il a disparu peu après.

Maxime parcourut les partitions.

— Cette musique… elle vaut quelque chose ?

— On n'en a pas entendu une seule note. On n'ose pas la montrer à quiconque ni la faire jouer. Les gens pourraient se poser des questions.

— Tu ignores totalement à quoi elle ressemble ?

— Je n'ai pas étudié le solfège. Ma femme non plus. Mais là n'est pas la question, Maxime. Ma promesse d'aider ce jeune homme n'avait rien à voir avec les mérites de son œuvre.

— Vous risquez tous les deux votre vie. Si cette musique ne vaut rien…

— On ne protège pas ces partitions, mais leur droit d'exister, rectifia Lazare.

Son aplomb exaspérait Anisya. C'était à elle que le jeune compositeur s'était adressé, pas à son mari. Et c'était elle qui avait convaincu Lazare de se charger de ces partitions. Dans son récit, celui-ci avait tu ses doutes, ses inquiétudes – réduisant le rôle d'Anisya à celui de simple témoin. Avait-il seulement conscience qu'il réécrivait l'histoire en sa faveur, se donnant le beau rôle ?

Lazare récupéra l'ensemble des partitions, environ deux cents feuillets. Parmi eux se trouvaient des documents relatifs au fonctionnement de l'église, ainsi que plusieurs icônes, remplacées sur les murs par des reproductions. Il fit précipitamment trois liasses, veillant de son mieux à maintenir ensemble les feuillets d'une même œuvre. L'idée était que chacun d'eux emporte clandestinement une liasse. Ainsi, il y avait une chance pour qu'au moins une partie de l'œuvre soit sauvée. Le plus difficile serait de trouver trois cachettes différentes, trois personnes prêtes à sacrifier leur vie pour ces partitions alors qu'elles n'avaient jamais rencontré le compositeur ni entendu sa musique. Lazare savait que beaucoup de ses fidèles seraient prêts à coopérer. Mais la plupart d'entre eux étaient déjà surveillés. Il aurait fallu l'aide d'un Soviétique modèle, dont on n'irait jamais fouiller l'appartement. Or, si une telle personne existait, jamais elle ne voudrait les aider.

Anisya suggéra deux ou trois noms :

— Martemian Syrtsov ?

— Trop bavard.

— Artiom Nakhaev ?

— Il acceptera, puis s'affolera, perdra les pédales et brûlera les partitions.

— Niura Dmitrieva ?

— Elle dira oui, puis nous maudira de l'avoir sollicitée. Elle en perdra le sommeil. Et l'appétit.

Finalement ils ne tombèrent d'accord que sur deux noms. Lazare décida de laisser le dernier tiers des partitions dans l'église avec les grandes icônes, les rangea à l'intérieur de la malle et remit l'autel en place. Comme c'était lui qui risquait le plus d'être suivi, Anisya et Maxime devaient chacun emporter une liasse aux deux adresses en question. Ils partiraient séparément. Anisya était prête :

— J'y vais en premier.

Maxime secoua la tête.

— Non, moi d'abord.

Elle devina la raison de son insistance : s'il réussissait, la voie serait libre pour elle.

Ils ouvrirent la porte principale, soulevant la lourde planche placée en travers. Anisya sentit Maxime hésiter, sûrement conscient du danger. Lazare échangea une poignée de main avec lui. Maxime contempla Anisya par-dessus l'épaule de son mari. Puis il s'approcha d'elle. Elle le serra dans ses bras avant de le regarder s'éloigner dans la nuit.

Lazare referma la porte et rappela leur plan :

— On attend dix minutes.

Seule avec lui, la jeune femme se tenait près du chœur. Il la rejoignit. À sa grande surprise, il la prit par la main au lieu de se mettre à prier.

Dès que les dix minutes furent écoulées, ils retournèrent vers la porte. Lazare souleva la planche. Anisya avait mis les partitions dans un sac qu'elle portait en bandoulière. Elle sortit de l'église. Ils s'étaient fait leurs adieux. Elle se retourna, regarda Lazare refermer la porte derrière elle, entendit la planche se remettre en place. Elle se dirigea vers la rue, à l'affût de visages aux fenêtres, d'un mouvement dans l'obscurité. Soudain, une main lui saisit le poignet. Elle sursauta, pivota.

— Maxime ?

Que faisait-il là ? Où étaient les partitions qu'il aurait dû avoir sur lui ? Derrière l'église une voix impatiente s'éleva :

— Leo ?

Anisya aperçut une silhouette en uniforme sombre : un agent du MGB. D'autres hommes le suivaient, agglutinés comme des cafards. Toutes ses interrogations se concentrèrent sur ce prénom : *Leo*. En tirant sur ce fil, le tissu de mensonges se détricota. Voilà donc pourquoi Maxime n'avait ni famille ni amis en ville, pourquoi il restait muet durant les cours avec Lazare, ne connaissant rien aux Écritures ni à la philosophie. Voilà aussi pourquoi il tenait à quitter l'église le premier : non pas pour protéger Anisya, mais pour prévenir son équipe et préparer leur arrestation. C'était un tchékiste, un membre de la police secrète. Il les avait abusés, elle et son mari. Il s'était insinué dans leur vie pour réunir un maximum de renseignements sur eux et leurs sympathisants, pour porter un coup fatal aux dernières poches de résistance à l'intérieur de l'Église. Ses tentatives de séduction n'étaient-elles qu'un objectif fixé par ses supérieurs ? Ceux-ci, identifiant Anisya comme une femme influençable, crédule, avaient-ils donné pour consigne à ce bel officier de se créer un personnage – Maxime – pour mieux la manipuler ?

Il s'adressa à elle calmement, aimablement, comme si rien n'avait changé entre eux :

— Anisya, je te donne encore une chance. Viens avec moi. J'ai tout réglé. Tu ne les intéresses pas. C'est Lazare qu'ils veulent.

Le son de sa voix, mélange de tendresse et de sollicitude, était insupportable. La proposition qu'il lui avait faite plus tôt de partir avec lui n'avait rien de chimérique ni de romantique. C'était un calcul d'agent secret. Il poursuivit :

— Suis le conseil que tu m'as donné. Dénonce Lazare. Je peux mentir pour te sauver. Je peux te protéger. C'est lui qu'ils veulent. Tu n'obtiendras rien en lui restant fidèle.

Leo avait peu de temps devant lui. Il fallait qu'Anisya comprenne : il représentait son unique planche de salut, quoi qu'elle pense de lui. Elle ne gagnerait rien en se cramponnant à ses principes. L'officier supérieur Nikolaï Borissov s'approcha. À quarante ans il avait un corps d'haltérophile vieillissant, encore musclé, mais empâté par la boisson.

— Elle accepte de coopérer ?

Leo tendit la main vers Anisya, la suppliant du regard de lui remettre le sac.

— Je t'en prie…

En guise de réponse, elle hurla de toutes ses forces :

— Lazare !

Nikolaï s'avança et la gifla. Il interpella ses hommes :

— Allez-y !

Ils défoncèrent la porte de l'église à coups de hache.

La haine se lisait sur le visage d'Anisya. Nikolaï lui arracha son sac.

— Il voulait te sauver la vie, sale ingrate !

Elle se pencha vers Leo, lui chuchota à l'oreille :

— Tu croyais vraiment que je finirais par t'aimer, n'est-ce pas ?

Des officiers lui saisirent les bras. Entraînée de force, elle lui sourit avec mépris.

— Jamais personne ne t'aimera. Personne !

Leo tourna les talons, impatient qu'on l'emmène. Nikolaï le consola d'une tape sur l'épaule.

— De toute façon, on aurait eu du mal à expliquer qu'elle n'avait pas trahi. C'est mieux comme ça. Pour toi aussi. Il y a d'autres femmes, Leo. Une de perdue, dix de retrouvées.

Leo venait d'effectuer sa première arrestation.

Anisya avait tort. Quelqu'un aimait déjà Leo : l'État. Il ne voulait pas de l'amour d'une traîtresse : cela ne valait rien. Le mensonge et la traîtrise, c'étaient ses armes à lui, l'officier. Lui seul avait le droit de s'en servir. Le salut de son pays passait par là. Soldat avant d'entrer au MGB, Leo avait appris que tous les moyens étaient bons pour vaincre le fascisme. On pouvait excuser même les actes les plus horribles s'ils servaient la cause du peuple.

Il pénétra dans l'église. Au lieu d'essayer de fuir, Lazare, à genoux en prière près de l'autel, attendait son heure. À la vue de Leo, il perdit de sa superbe. En quelques instants il parut vieillir de plusieurs années.

— Maxime ?

Pour la première fois depuis qu'ils se connaissaient, c'était à son disciple de fournir les explications.

— Je m'appelle Leo Stepanovitch Demidov.

Lazare en resta muet.

— Tu m'avais été recommandé par le patriarche..., dit-il enfin.

— Le patriarche Krassikov est un bon citoyen.

Lazare hochait la tête, incrédule. Le patriarche servait d'informateur. Son protégé n'était qu'un espion envoyé par la plus haute instance religieuse. Lui-même avait été sacrifié par l'État au même titre que l'église Sainte-Sophie. Il était le dindon de la farce, incitant les autres à la prudence alors même qu'auprès de lui, prenant des notes, se trouvait un officier du MGB.

Nikolaï s'avança.

— Où sont les derniers documents ?

Leo désigna l'autel :

— Là-dessous.

Trois agents firent pivoter l'autel et la malle apparut.

— Il a donné d'autres noms ? interrogea Nikolaï.

— Martemian Syrtsov. Artiom Nakhaev. Niura Dmitrieva. Moiseï Semashko, répondit Leo.

Il surprit l'expression de Lazare : la stupeur avait fait place au mépris. Leo s'approcha de lui.

— Baisse les yeux !

Lazare ne cilla pas. Leo appuya sur son crâne.

— J'ai dit : « Baisse les yeux ! »

Lazare redressa la tête. Cette fois, Leo le frappa au visage. Lentement, la lèvre en sang, Lazare redressa de nouveau la tête et jeta à Leo un regard où la défiance le disputait au dégoût.

— Je suis un bon officier, répondit Leo comme s'il lisait une question dans les yeux de Lazare.

Attrapant son ancien mentor par les cheveux, il ne s'arrêta plus, enchaînant les coups de poing d'un geste répétitif comme un soldat mécanique remonté à fond, jusqu'à ce que ses jointures lui fassent mal et que Lazare ait la joue en charpie. Lorsqu'il finit par se calmer, le prêtre s'écroula sur le sol ; une flaque rouge en forme de bulle de bande dessinée lui sortait de la bouche.

Nikolaï prit Leo par l'épaule tandis que Lazare, transporté à l'extérieur, laissait derrière lui une traînée sanguinolente allant de l'autel à la porte. Il alluma une cigarette.

— L'État a besoin de gens comme nous.

Hébété, Leo essuya ses mains ensanglantées sur son pantalon.

— Avant de partir, j'aimerais inspecter l'église.

Nikolaï le prit au mot.

— Un perfectionniste… C'est bien. Mais dépêche-toi, ce soir on se prend une cuite. Voilà deux mois que tu n'as pas bu un verre ! Tu vis comme un moine !

Riant à sa propre plaisanterie, il donna à son collègue une tape dans le dos avant de quitter l'église. Resté seul, Leo alla jusqu'à l'autel qui n'avait pas été remis en place et contempla le trou. Coincée entre la malle et la paroi de terre se trouvait une unique feuille de papier. Leo se baissa pour la ramasser. C'était une page de musique. Il parcourut les portées. Préférant ignorer ce qui était à jamais perdu, il approcha la feuille de la flamme d'un cierge et regarda le papier se consumer.

# SEPT ANS PLUS TARD

# Moscou

## *12 mars 1956*

À LA TÊTE D'UNE PETITE IMPRIMERIE spécialisée dans les publications universitaires, Suren Moskvin avait la réputation de fabriquer des ouvrages bon marché qui noircissaient les doigts et dont les pages trop fines se décollaient en quelques heures. Il n'était ni paresseux ni incompétent. Au contraire, il commençait tôt le matin et travaillait tard le soir. La piètre qualité de ses livres n'était imputable qu'aux matières premières fournies par l'État. Malgré la surveillance qui était exercée sur le contenu des ouvrages universitaires, ceux-ci ne représentaient pas une priorité. Tributaire d'un système de quotas, Suren devait imprimer sur du mauvais papier un maximum de livres en un minimum de temps. Les termes de l'équation ne changeaient jamais, et il souffrait de voir sa réputation tombée si bas. C'était devenu un sujet de plaisanterie : avec les doigts tachés d'encre, ironisaient étudiants et professeurs, on était forcément marqué par les livres de Moskvin. Discrédité, ce dernier avait de plus en plus de mal à se lever le matin. Il perdait l'appétit et buvait toute la journée, cachant les bouteilles dans les tiroirs, derrière les rayonnages. À cinquante-cinq ans, il avait au moins appris quelque chose sur lui-même : il ne supportait pas d'être humilié publiquement.

Alors qu'il inspectait les linotypes en ruminant ses échecs, il aperçut un jeune homme debout à la porte. Il l'interpella :

— Oui ? C'est à quel sujet ? Ça ne se fait pas d'arriver comme ça sans prévenir.

L'inconnu s'avança, vêtu de la tenue typique des étudiants : long manteau et écharpe noire. Il brandissait un livre. Suren le lui arracha, se préparant à entendre de nouvelles récriminations. Il jeta un coup d'œil à la couverture : *L'État et la Révolution*, de Lénine. Ils l'avaient réimprimé la semaine dernière seulement, mis en vente un ou deux jours plus tôt, et ce jeune homme était apparemment le premier à avoir repéré un problème. Une erreur dans un texte fondateur constituait une grave offense : sous Staline, cela suffisait à vous faire arrêter. L'étudiant se pencha et ouvrit le livre. Une photo en noir et blanc ornait la page de titre.

— D'après la légende c'est celle de Lénine, mais… comme vous pouvez le voir…

L'homme, qui ne ressemblait en rien à Lénine, était adossé à un mur nu, entièrement blanc. Il avait les cheveux en désordre, l'air hagard.

Suren referma brutalement l'ouvrage et se tourna vers l'étudiant :

— Vous croyez que j'aurais pu tirer ce texte à mille exemplaires en me trompant de photo ? Qui êtes-vous ? Comment vous appelez-vous ? Pourquoi faites-vous cela ? Mes problèmes sont dus à la mauvaise qualité de mes fournitures, pas à ma négligence !

Sous la menace du livre braqué sur lui, l'étudiant recula et son écharpe se dénoua, laissant apparaître le haut d'un tatouage. À sa vue, Suren se figea. Bizarre… À l'exception des *vorys*, les professionnels du crime, personne n'arborait ce signe de reconnaissance.

La colère de Suren était retombée : l'inconnu en profita pour quitter les lieux. L'imprimeur le suivit du regard sans conviction, l'ouvrage à la main, regardant sa mystérieuse silhouette disparaître dans la nuit. Avec un sentiment de malaise, il ferma la porte à clé. Quelque chose le troublait. Cette photo… Il enleva ses lunettes, rouvrit le livre, étudia le visage de près. Ces yeux terrifiés… Tel un vaisseau fantôme sortant lentement du brouillard, l'identité de l'homme se précisa. Son visage lui était familier. Il avait les cheveux en désordre et l'air hagard parce qu'il venait d'être arrêté, tiré du lit en pleine nuit. Suren reconnut la photo : c'était lui qui l'avait prise.

Il n'avait pas toujours dirigé une imprimerie. Il avait d'abord travaillé pour le MGB. Vingt ans de bons et loyaux services, une carrière dans les services secrets plus longue que celle de la plupart de ses supérieurs. Chargé de tâches sans gloire – nettoyer les cellules, photographier les détenus –, son rang subalterne avait représenté un atout et il avait eu la sagesse de ne pas réclamer plus de responsabilités, se faisant oublier, échappant aux purges qui avaient eu lieu dans les échelons supérieurs. On lui avait parfois demandé des choses difficiles. Il avait fait son devoir sans faillir. À l'époque on le craignait. On ne se moquait pas de lui. Personne n'aurait osé. Il avait pris sa retraite pour raisons de santé. Malgré une pension généreuse et un logement confortable, il n'avait pas supporté l'oisiveté. Passant ses journées au lit, il revivait le passé, revoyait des visages comme celui de la photo du livre. La solution était de s'occuper, d'avoir des réunions et des rendez-vous. Il avait besoin de travailler. Il ne voulait pas être la proie des souvenirs.

Il referma le livre, le glissa dans sa poche. Pourquoi fallait-il que cela arrive aujourd'hui ? Impossible de croire à une simple coïncidence. Malgré son incapacité à produire un livre ou une revue de qualité, on lui avait contre toute attente demandé de publier un important document officiel. On lui en avait caché la nature. L'origine prestigieuse de la commande garantissait toutefois des fournitures de première qualité : encre et papier dignes de ce nom. On lui donnait enfin l'occasion d'imprimer quelque chose dont il pourrait être fier. Le document devait être livré le soir même. Et au moment précis où la chance semblait lui sourire, voilà qu'un inconnu qui souhaitait régler ses comptes tentait de le déstabiliser.

Il quitta l'atelier et se hâta de rejoindre son bureau, ramenant sur le côté ses fins cheveux grisonnants. Il portait son meilleur costume – il n'en possédait que deux : un pour tous les jours, l'autre pour les grandes occasions. Ce jour-là en était une. Il n'avait eu aucun mal à se lever. Réveillé avant sa femme, il s'était rasé en chantonnant, puis avait pris un petit déjeuner complet pour la première fois depuis des semaines. Arrivé en avance à l'imprimerie, il avait sorti la bouteille de vodka de son tiroir et l'avait vidée dans l'évier avant de passer la journée à balayer, lessiver, dépoussiérer, débarrasser les linotypes de leurs taches de graisse. Ses fils, étudiants tous les deux, lui avaient rendu visite, impressionnés par la transformation. Suren leur avait rappelé que c'était une question de principe : on devait maintenir son lieu de travail impeccable. C'est là qu'on se forgeait une identité, une personnalité. Ils l'avaient embrassé avant de partir, lui souhaitant bonne chance pour sa mystérieuse commande. Après ses nombreuses années dans les services secrets et ses récents déboires, ses fils pouvaient enfin être fiers de lui.

Il jeta un coup d'œil à sa montre. Dix-neuf heures. On allait lui apporter ce document d'une minute à l'autre. Il devait oublier cet inconnu et cette photo : c'était sans importance. Il ne fallait pas se laisser distraire. Soudain, il regretta d'avoir vidé la vodka dans l'évier. Une bonne rasade l'aurait calmé. Mais son haleine l'aurait trahi. Mieux valait s'en être débarrassé et avoir le trac, preuve qu'il prenait son travail au sérieux. Il alla chercher la bouteille de kvas, moins alcoolisée [1]. Il faudrait s'en contenter.

Dans sa précipitation, tremblant sous l'effet du manque d'alcool, il renversa un plateau de caractères d'imprimerie qui se vida de son contenu. Les caractères roulèrent sur le sol dallé.

*Clink-clink.*

Suren se raidit. Il n'était plus dans son bureau, mais dans un étroit couloir aux murs de brique, avec une rangée de portes métalliques d'un côté. Il revoyait les lieux : la prison Oriol, où il était gardien quand la Grande Guerre patriotique avait éclaté. Obligés de battre en retraite à l'approche de l'armée allemande, ses collègues et lui avaient reçu l'ordre de liquider tous les détenus, de ne laisser derrière eux aucune recrue pouvant sympathiser avec l'envahisseur nazi. Sous le feu des Stuka et des Panzer, ils avaient été confrontés à un problème logistique : comment nettoyer en quelques minutes vingt cellules contenant des centaines de prisonniers politiques ? Pas le temps d'abattre ces derniers ni de les pendre. C'est lui qui avait eu l'idée d'utiliser des grenades, deux par cellule. Il était allé au bout du couloir, avait ouvert le judas et en avait lancé deux à l'intérieur. *Clink-clink* : le son des grenades sur le sol en béton. Il avait aussitôt refermé le

1. *Kvas* : boisson à base de seigle fermenté. *(Toutes les notes sont de la traductrice.)*

judas et couru à l'autre extrémité du couloir, imaginant les hommes qui tentaient de les saisir de leurs doigts poisseux pour les jeter à l'extérieur.

Suren porta les mains à ses oreilles comme si ce geste pouvait faire taire ses souvenirs. Mais le bruit continuait, de plus en plus fort, les grenades tombant sur le béton, cellule après cellule.

*Clink. Clink. Clink. Clink.*

— Assez ! cria-t-il.

Enlevant les mains de ses oreilles, il s'aperçut qu'on frappait à la porte.

*13 mars*

LA GORGE DE LA VICTIME ÉTAIT LACÉRÉE par une série d'entailles irrégulières. L'absence de blessure au-dessus et en dessous du cou, ou de ce qu'il en restait, donnait une impression contradictoire de sauvagerie et de sang-froid. Compte tenu de la férocité de l'attaque, il ne s'était pas écoulé beaucoup de sang, à droite et à gauche des incisions, deux flaques pas plus grandes que des ailes d'angelot. Le meurtrier avait apparemment plaqué sa victime au sol, continuant à la frapper longtemps après sa mort.

Le cadavre de Suren Moskvin, cinquante-cinq ans, directeur d'une petite imprimerie, avait été retrouvé en début de matinée quand ses fils, Vsevolod et Akvsenti, étaient arrivés sur les lieux, inquiets que leur père ne soit pas rentré. Anéantis, ils avaient contacté la milice, qui découvrit un bureau saccagé : tiroirs arrachés, sol jonché de papiers, armoires métalliques forcées. Elle conclut à un cambriolage ayant mal tourné. Ce fut seulement en fin d'après-midi, environ sept heures après la découverte initiale, qu'elle se décida à contacter la brigade des homicides, dirigée par Leo Stepanovitch Demidov, ancien agent du MGB.

Leo avait l'habitude de ce genre de retard. Il avait créé la brigade des homicides trois ans auparavant, usant de sa notoriété après avoir élucidé les meurtres de quarante-quatre enfants. Depuis sa création, les rapports entre cette organisation et la milice étaient tendus. La coopération était anarchique. La plupart des officiers de la milice et du KGB considéraient l'existence même d'une telle brigade comme une critique implicite et inadmissible de leur travail et de celui de l'État. À vrai dire, ils n'avaient pas tort. Leo l'avait constituée en réaction contre son travail comme agent du MGB. Il avait arrêté nombre de civils au cours de sa carrière précédente – arrestations qui reposaient uniquement sur des listes de noms dactylographiés transmises par ses supérieurs. À l'inverse, la brigade des homicides recherchait une vérité basée sur des faits, pas sur des griefs politiques. Leo devait remettre à ses supérieurs les pièces à conviction relatives à chaque affaire. À eux de décider ce qu'ils en feraient. Il espérait pouvoir un jour rééquilibrer le bilan de ses arrestations, le nombre des coupables dépassant celui des innocents. Même selon ses estimations les plus optimistes, il était encore loin du compte.

En contrepartie de la liberté dont il jouissait, Leo devait travailler dans le plus grand secret. Sous l'autorité directe des hauts fonctionnaires du ministère de l'Intérieur, la brigade opérait comme une sous-section du Bureau principal des enquêtes criminelles. La population devait continuer à croire à une marche en avant de la société, la baisse de la criminalité constituant l'un des fondements de cette croyance. Toute preuve du contraire était soigneusement cachée à l'opinion publique. Aucun citoyen ne pouvait contacter la brigade des homicides car nul n'en connaissait l'existence. Aussi Leo ne pouvait-il pas lancer à la radio d'appels à témoin, ce qui équivaudrait à admettre officiellement qu'il y avait toujours des crimes. Sa liberté était donc relative, et après avoir fait tout ce qui était en son pouvoir pour laisser derrière lui sa carrière au MGB, il se retrouvait à la tête d'une autre forme de police secrète.

Peu convaincu par les premières explications de la mort de Moskvin, il étudiait la scène du crime. Son regard s'attarda sur la chaise placée devant la table de travail. Son assise était légèrement de travers. Il s'approcha, s'accroupit, passa l'index sur une mince fissure dans le bois d'un des pieds. Lorsqu'il en éprouva la solidité en l'inclinant, le pied céda aussitôt. Cette chaise était cassée. Si on s'était assis dessus, elle n'aurait pas résisté. Et pourtant on l'avait mise devant la table comme si de rien n'était.

Se concentrant sur le cadavre, il prit les mains de la victime dans les siennes. Ni coupures ni griffures : aucun preuve que l'homme s'était défendu. À genoux, Leo se pencha sur son cou.

La chair était presque entièrement à vif, sauf sur la nuque, en contact avec le sol, à l'abri des coups répétés. Leo prit un couteau, le glissa sous le cou de la victime et redressa la lame, mettant en évidence un petit morceau de peau intact, mais tuméfié. Il retira le couteau, et il allait se relever lorsqu'il remarqua la poche du costume de l'homme. Il en sortit un mince ouvrage : *L'État et la Révolution*, de Lénine. Avant même de l'ouvrir, il constata que la reliure présentait une anomalie : on avait collé une page supplémentaire. Regardant la page en question, il y découvrit la photo d'un homme échevelé. À défaut de pouvoir l'identifier, il reconnut le mur tout blanc à l'arrière-plan, l'air désorienté du suspect. Il s'agissait d'un cliché destiné à l'identité judiciaire.

Perplexe devant le caractère délibéré de l'anomalie, Leo se releva enfin. Timur Nesterov pénétra dans la pièce et jeta un coup d'œil au livre.

— Quelque chose d'important ?

— Pas sûr.

Timur était le plus proche collègue de Leo et son meilleur ami. C'était une amitié discrète. Ils ne buvaient pas ensemble, ne blaguaient pas et parlaient peu, sauf de leur travail – un partenariat ponctué de longs silences. Un cynique aurait mis cette distance sur le compte du ressentiment. De presque dix ans le cadet de Timur, Leo était à présent son supérieur après avoir été son subordonné et le vouvoyait encore. Objectivement, il avait davantage bénéficié de leur réussite commune. Certains l'accusaient d'être un profiteur doublé d'un arriviste. Mais Timur ne manifestait aucune jalousie. Il ne se formalisait pas de son grade subalterne. Il était fier de son nouveau poste. Sa famille ne manquait de rien. À son arrivée à Moscou, il s'était enfin vu attribuer, après des années d'attente, un appartement moderne avec l'eau chaude et l'électricité vingt-quatre heures sur vingt-quatre. Quoi qu'un observateur extérieur ait pu penser de leurs rapports, les deux hommes se faisaient totalement confiance.

Timur désigna l'atelier où trônaient les linotypes, pareilles à des insectes mécaniques géants.

— Les deux fils sont là.

— Faites-les entrer.

— Avec le corps de leur père dans la pièce ?

— Oui.

La milice leur avait donné l'autorisation de rentrer chez eux avant que Leo ait pu les interroger. Il s'excuserait de les obliger à revoir le cadavre de leur père, mais il ne voulait pas se contenter d'informations de seconde main.

Vsevolod et Akvsenti – tous deux âgés d'une vingtaine d'années – apparurent à la porte, côte à côte. Leo se présenta :

— Je suis l'officier Leo Demidov. Je comprends combien c'est difficile pour vous.

Ils ne regardaient leur père ni l'un ni l'autre, ne quittant pas Leo des yeux. L'aîné, Vsevolod, prit la parole :

— On a déjà répondu aux questions de la milice.

— Les miennes ne prendront pas beaucoup de temps. Cette pièce est-elle dans l'état où vous l'avez trouvée ce matin ?

— Oui, dans le même état.

Vsevolod était seul à répondre. Akvsenti restait muet, levant furtivement les yeux de temps à autre. Leo poursuivit :

— Cette chaise se trouvait-elle devant la table ? Elle aurait pu être renversée, au cours d'une bagarre, peut-être ?

— Une bagarre ?

— Entre votre père et le meurtrier.

Silence. Leo reprit :

— Cette chaise est cassée. Asseyez-vous dessus et elle cédera sous votre poids. Bizarre d'avoir mis une chaise cassée devant la table alors qu'on ne peut pas s'asseoir dessus.

Les deux jeunes gens se tournèrent vers le siège.

— C'est pour parler d'une chaise que vous nous avez fait revenir ? lança Vsevolod.

— Elle a son importance. Je pense que votre père s'en est servi pour se pendre.

L'hypothèse aurait dû leur sembler grotesque. Ils auraient dû s'indigner. Or ils se taisaient. Sentant qu'il avait visé juste, Leo revint à la charge :

— Je pense que votre père s'est pendu, peut-être à une solive de l'atelier. Il est monté sur la chaise et l'a ensuite fait tomber d'un coup de pied. Vous avez découvert son cadavre ce matin. Vous l'avez traîné jusqu'ici, avez remis la chaise à sa place sans vous apercevoir qu'elle était cassée. L'un de vous – à moins que vous n'ayez agi ensemble – lui a tailladé la gorge pour tenter de masquer les tuméfactions dues au frottement de la corde. Le bureau saccagé devait faire croire à un cambriolage.

Les deux frères étaient des étudiants promis à un brillant avenir. Le suicide de leur père risquait de compromettre leur carrière, d'anéantir leurs projets. Suicide, tentative de suicide, dépression, même le simple fait d'exprimer le désir d'en finir pouvait passer pour une condamnation de l'État. Au même titre que le meurtre, le suicide n'avait pas sa place dans la marche en avant vers une société radieuse.

Les deux jeunes gens se demandaient visiblement s'ils pouvaient nier ces allégations. Leo se radoucit :

— L'autopsie révélera une fracture de la nuque. Je dois enquêter sur le geste de votre père aussi méthodiquement que s'il s'agissait d'un meurtre. Je m'intéresse aux raisons de ce suicide, pas à votre désir bien compréhensible de le maquiller en crime.

Akvsenti, le fils cadet, parla pour la première fois.

— C'est moi qui lui ai tailladé la gorge... Je décrochais son cadavre. J'ai mesuré les conséquences de son geste pour nous.

— Savez-vous ce qui a pu le conduire à une telle extrémité ?

— Il buvait. Son travail le déprimait.

Ils disaient la vérité, mais elle était incomplète, par ignorance ou par calcul. Leo insista :

— Un homme de cinquante-cinq ans ne met pas fin à ses jours parce que ses lecteurs ont les doigts tachés d'encre. Votre père a survécu à des épreuves bien pires que celle-ci.

L'aîné laissa éclater sa colère :

— Je viens de passer quatre ans à étudier pour devenir médecin. En pure perte : aucun hôpital ne voudra de moi maintenant.

Leo les entraîna vers l'atelier, le plus loin possible du cadavre.

— Vous ne vous êtes interrogés sur l'absence de votre père que ce matin. Vous deviez vous attendre à ce qu'il travaille tard, sinon vous vous seriez inquiétés dès hier soir. Alors pourquoi ne reste-t-il aucune page prête à imprimer ? Il y a quatre linotypes. Aucune matrice n'est en place. Rien n'indique un travail en cours.

Ils s'approchèrent des énormes machines. Sur le devant se trouvait une sorte de clavier. Leo s'adressa aux deux frères :

— Dans l'immédiat, vous avez besoin de vous faire des amis. Je peux étouffer le suicide de votre père. Et insister auprès de mes supérieurs pour que son geste ne nuise pas à votre carrière. Les temps ont changé : vous ne ferez pas nécessairement les frais de ses erreurs. Mais mon aide a un prix. Dites-moi exactement ce qui s'est passé. Sur quoi votre père travaillait-il ?

Le fils cadet eut un haussement d'épaules.

— Une sorte de document officiel. On ne l'a pas lu. On a détruit toutes les pages qu'il avait composées. Il n'avait pas terminé. On a pensé qu'il était déprimé parce qu'il allait encore imprimer un texte dans des conditions impossibles. On a brûlé l'original puis on a fondu les matrices. Il ne reste rien. C'est la vérité.

Refusant de s'avouer vaincu, Leo désigna les machines.

— Sur laquelle travaillait-il ?

— Sur celle-ci.

— Montrez-moi comment ça marche.

— Mais on a tout détruit.

— S'il vous plaît.

Du regard, Akvsenti quêta l'accord de son frère. Vsevolod acquiesça en silence.

— On commence par composer le texte. À l'arrière, la machine aligne les caractères. Chaque ligne se compose de caractères assemblés et d'espaces. Dès qu'une ligne est complète elle est coulée dans un alliage à base de plomb. On appelle ça des lignes-blocs. On les dispose ensuite sur ce plateau, jusqu'à ce qu'on obtienne une page de texte. On encre la page et on la recouvre de papier : le texte est imprimé. Mais, comme on vous l'a dit, on a fondu toutes les matrices. Il ne reste rien.

Leo fit le tour de la machine. Il parcourut des yeux le processus de fabrication, les caractères de la casse.

— Si je tape, les caractères sont assemblés sur cette grille ?

— Oui.

— On n'a aucune ligne-bloc complète. Vous les avez détruites. Mais sur la grille, le fragment d'une ligne n'a pas été terminé.

Leo désignait une rangée incomplète de caractères.

— Votre père en était au milieu d'une ligne.

Les deux fils scrutèrent l'intérieur de la machine. Leo avait raison.

— Je voudrais imprimer ces mots.

L'aîné tapa sur la barre d'espace.

— Si on termine la ligne, on pourra la couler.

Il ajouta des espaces jusqu'à ce qu'elle soit complète. Une pompe libéra du plomb fondu dans le moule et éjecta une mince ligne-bloc : les derniers mots composés par Suren Moskvin avant qu'il mette fin à ses jours.

La ligne-bloc gisait sur la tranche, ses lettres invisibles.

— Ça brûle ? demanda Leo.

— Non.

Il la ramassa, la posa sur le plateau. Il encra la surface, la recouvrit d'une feuille de papier et appuya fort.

*Le même jour*

ASSIS À LA TABLE DE LA CUISINE, Leo contemplait la feuille de papier. Quatre mots, voilà tout ce qui restait du document qui avait conduit Suren Moskvin à en finir :

*Sous la torture, Eikhe*

Leo les avait lus et relus sans pouvoir les quitter des yeux. Même sortis de leur contexte, ils l'hypnotisaient. Rompant le charme, il écarta la feuille, attrapa sa mallette et la posa sur la table. À l'intérieur se trouvaient deux dossiers confidentiels. Pour y avoir accès, il lui avait fallu une autorisation. Pas de problème pour le premier, celui de Suren Moskvin. Le second, en revanche, avait suscité des questions. C'était celui de Robert Eikhe.

En ouvrant la première chemise, il se sentit oppressé par le poids du passé de Moskvin, le nombre de pages accumulées sur lui. Ancien officier de la Sécurité d'État, tchékiste comme Leo, Moskvin était resté en place bien plus longtemps : il avait gardé son poste alors que des milliers d'officiers avaient été passés par les armes. Le dossier comportait une liste : celle des dénonciations opérées par Moskvin durant toute sa carrière :

*Nestor Iurovsky. Voisin. Exécuté*
*Rozalia Reisner. Amie. 10 ans*
*Iakov Blok. Commerçant. 5 ans*
*Karl Uritsky. Collègue. Gardien de prison. 10 ans*

Dix-neuf ans de service, deux pages de dénonciations, près de cent noms – et pourtant il n'avait livré qu'un seul membre de sa famille :

*Iona Radek. Cousine. Exécutée*

Leo reconnut la technique : des dates irrégulières, plusieurs le même mois, puis plus rien pendant un trimestre. Derrière cet ordre chaotique se cachaient de savants calculs. La dénonciation de la cousine de Moskvin obéissait sûrement à une stratégie. Il ne voulait pas donner l'impression que sa loyauté envers l'État s'arrêtait à sa famille. Pour rendre sa liste plus crédible, il avait sacrifié sa cousine : preuve qu'il ne livrait pas seulement des gens dont le sort lui était indifférent. Avec un instinct de survie si développé, cet homme faisait un piètre candidat au suicide.

Vérifiant où et quand Moskvin avait travaillé, Leo se redressa, stupéfait. Ils avaient été collègues à la Loubianka sept ans plus tôt. Leurs routes ne s'étaient pourtant jamais croisées, du moins pas dans ses souvenirs. Enquêteur, Leo procédait aux arrestations, effectuait des filatures. Moskvin n'était qu'un gardien de prison chargé d'accompagner et de surveiller les détenus. Leo avait toujours évité les salles d'interrogatoire au sous-sol, comme si les planchers pouvaient le protéger des actes commis jour après jour dans les entrailles du bâtiment. Si le suicide de Moskvin était l'aveu de sa culpabilité, comment expliquer une réaction aussi extrême après tout ce temps ? Leo referma le dossier et passa au suivant.

Celui de Robert Eikhe était plus épais, plus lourd, avec les mots SECRET DÉFENSE en travers de la couverture, et les pages entourées d'une ficelle comme si elles renfermaient quelque chose de nuisible. Leo défit le nœud. Le nom lui semblait familier. En feuilletant le dossier, il découvrit que Eikhe était entré au Parti dès 1905 – avant la Révolution –, époque où un communiste risquait l'exil ou l'exécution. Ancien candidat au Politburo, son parcours était irréprochable. Il avait pourtant été arrêté le 29 avril 1938. À l'évidence, ce n'était pas un traître. Or il avait avoué : sa confession figurait dans le dossier, détaillant page après page ses activités antisoviétiques. Leo avait rédigé trop de confessions préparées à l'avance pour ne pas voir dans celle-ci l'œuvre d'un agent de la Sécurité, ponctuée d'expressions éculées : la marque du jargon de la maison, de ces textes sur mesure que n'importe qui pouvait un jour avoir à signer. Un peu plus loin, Leo tomba sur une proclamation d'innocence écrite par Eikhe pendant sa détention. Contrairement à celui de la confession, son style était authentique et poignant : Eikhe louait le Parti de manière attendrissante, rappelait sa fidélité à l'État, attirait timidement l'attention sur l'injustice de son arrestation. Le souffle court, Leo lut :

*Incapable de supporter les tortures infligées par Nikolaïev et Ushakov – surtout par ce dernier, qui,sachant que mes côtes cassées n'étaient pas correctement remises, m'a causé les plus grandes souffrances –, j'ai été contraint de m'accuser et de livrer d'autres noms.*

Leo connaissait la suite.
Le 4 février 1940, Eikhe avait été abattu.

Debout, Raïssa observait son mari. Plongé dans la lecture de dossiers confidentiels, il n'avait pas remarqué sa présence. Le spectacle offert par Leo – pâle, tendu, courbé sur ces documents secrets, le sort d'autrui entre ses mains – semblait tout droit sorti de leur éprouvant passé. Elle fut tentée de réagir comme elle l'avait fait tant de fois : en s'éloignant de lui et en l'ignorant. Les mauvais souvenirs remontaient, aussi incoercibles qu'une nausée. Elle lutta contre cette sensation. Leo n'était plus le même homme. Elle-même n'avait plus le sentiment de s'être mariée contre son gré. S'approchant, elle lui posa la main sur l'épaule, façon de réaffirmer qu'elle avait appris à l'aimer.

Il sursauta. Il n'avait pas vu sa femme entrer dans la pièce. Pris de court, il se sentit vulnérable. Il se leva bruyamment de sa chaise. Croisant le regard de Raïssa, il perçut son appréhension. Il ne voulait plus la voir en proie à ce genre d'inquiétude. Il aurait dû l'informer de ce qu'il était en train de faire. Il reprenait ses mauvaises habitudes, s'enfermait à nouveau dans le silence et le secret. Il enlaça Raïssa. Tandis qu'elle nichait la tête au creux de son épaule, il devina qu'elle jetait un coup d'œil aux dossiers.

— Un homme vient de se suicider, un ancien agent du MGB, expliqua-t-il.

— Quelqu'un que tu connaissais ?

— Pas que je sache.

— Tu dois faire une enquête ?

— Un suicide est considéré comme...

Elle l'interrompit :

— Je veux dire... c'est vraiment à toi de faire ça ?

Raïssa aurait préféré qu'il confie l'affaire à un collègue, qu'il n'ait plus rien à voir avec le MGB, même indirectement. Il se dégagea.

— Ça ne prendra pas beaucoup de temps.

Elle hocha lentement la tête avant de changer de sujet.

— Les filles sont couchées. Tu veux leur lire une histoire ? Tu es peut-être trop occupé ?

— Non, pas du tout.

Il remit les dossiers dans sa mallette. Avant de s'éloigner, il se pencha pour embrasser sa femme, baiser qu'elle arrêta de son index dressé en le regardant droit dans les yeux. Puis elle retira son index sans rien dire et posa ses lèvres sur celles de Leo, qui eut l'impression de lui faire la plus solennelle des promesses.

Une fois dans leur chambre, il rangea comme d'habitude les dossiers dans un tiroir. Se ravisant, il les ressortit et les laissa en évidence sur la table de chevet, au cas où Raïssa souhaiterait les parcourir. Il retraversa le couloir pour se rendre dans la chambre de ses filles, essayant d'effacer de son visage toute trace de tension. Avec un large sourire, il ouvrit la porte.

Leo et Raïssa avaient adopté deux sœurs. Zoya avait désormais quatorze ans, et Elena, sept. Leo s'approcha du lit de la cadette, s'assit au bord, prit un livre d'histoires dans la bibliothèque. Il l'ouvrit et commença à lire à voix haute. Zoya l'interrompit presque aussitôt :

— On connaît cette histoire.

Elle laissa passer quelques secondes avant d'ajouter :

— On l'avait détestée la première fois.

C'était celle d'un jeune garçon qui voulait devenir mineur pour imiter son père, qui avait péri lors d'une catastrophe. La mère du garçonnet redoutait de le voir choisir à son tour une profession si dangereuse. Zoya avait raison. Leo leur avait déjà lu cette histoire. Elle résuma le dénouement d'un ton méprisant :

— Le fils finit par extraire plus de charbon qu'aucun autre mineur avant lui, il devient un héros national et dédie son prix à la mémoire de son père.

Leo referma le livre.

— Tu as raison, ce n'est pas passionnant. Mais si tu peux exprimer tes opinions librement dans cette maison, Zoya, méfie-toi à l'extérieur. Il est dangereux de faire des critiques, même sur des sujets aussi anodins qu'une histoire pour enfants.

— Vous allez m'arrêter ?

Zoya n'avait jamais accepté Leo comme père adoptif. Pas plus qu'elle ne lui avait pardonné la mort de ses parents. Leo ne se présentait d'ailleurs jamais comme le père des deux sœurs. Zoya, de son côté, le vouvoyait, mettant entre eux le plus de distance possible. Elle saisissait la moindre occasion de lui rappeler qu'elle vivait sous son toit par commodité, qu'il n'était qu'un moyen au service d'une fin : offrir à sa petite sœur tout le confort matériel, lui épargner l'orphelinat. Elle veillait malgré tout à ne jamais se laisser impressionner, ni par l'appartement ni par les sorties en famille, excursions ou repas au restaurant. Aussi maussade que belle, rien ne semblait pouvoir l'adoucir. Elle mettait un point d'honneur à afficher un mécontentement permanent. Leo ne voyait pas comment l'en distraire, espérant juste que leurs relations finiraient par s'améliorer. Il attendrait le temps qu'il faudrait.

— Non, Zoya, je n'arrête plus les gens. Et je ne le ferai plus jamais.

Il se baissa pour ramasser un numéro de *Dietskaïa Literatura*, magazine pour enfants diffusé dans tout le pays. Zoya ne lui laissa pas le temps de commencer à lire :

— Pourquoi vous n'inventez pas une histoire ? On préférerait ça, hein, Elena ?

À son arrivée à Moscou, Elena, âgée de quatre ans, était encore assez jeune pour s'adapter aux changements survenus dans son existence. Contrairement à sa sœur aînée, elle s'était fait des amis et travaillait bien en classe. Sensible à la flatterie, elle quêtait les compliments des enseignants et cherchait à satisfaire tout le monde, y compris ses parents adoptifs.

L'inquiétude se lut sur son visage. Au ton de sa sœur, elle comprit qu'elle était censée exprimer son approbation. Gênée de devoir prendre parti, elle se contenta d'un signe de tête. Leo, pressentant des complications, répondit :

— Il y a beaucoup d'histoires qu'on n'a pas encore lues. J'en trouverai bien une qui nous plaira.

Zoya ne lâcha pas prise :

— Elles se ressemblent toutes. Racontez-nous, en une nouvelle. Inventez-en une.

— Je ne suis pas sûr d'y arriver.

— Vous ne voulez même pas essayer ? Mon père inventait toutes sortes d'histoires. Situez-la dans une ferme isolée, au cœur de l'hiver, quand un tapis de neige recouvre le sol. La rivière voisine est gelée. Voilà comment l'histoire pourrait commencer : « Il était une fois deux fillettes, deux sœurs… »

— Zoya, je t'en supplie.

— « Ces deux sœurs vivaient avec leurs parents et elles étaient aussi heureuses qu'on peut l'être. Jusqu'au jour où un homme en uniforme vint les arrêter et… »

Leo l'interrompit.

— Ça suffit, Zoya.

L'adolescente jeta un coup d'œil à sa cadette. Elena pleurait. Leo se leva.

— Vous êtes fatiguées, toutes les deux. Demain, je trouverai un meilleur livre. Promis.

Il éteignit la lumière et ferma la porte. Dans le couloir il se rassura en se disant que les choses finiraient bien par s'arranger. Tout ce qu'il fallait à Zoya, c'était encore un peu de temps.

Immobile sur son lit, Zoya écoutait la respiration de sa sœur endormie, son souffle lent et régulier. Lorsqu'elles étaient encore à la ferme avec leurs parents, ils vivaient à quatre dans une pièce exiguë aux épais murs de terre, avec un feu de bois pour se chauffer. Les fillettes dormaient côte à côte sous leurs couvertures rêches, ourlées à la main. La respiration de sa cadette donnait alors à Zoya un sentiment de sécurité : elle signifiait que leurs parents étaient à proximité. Rien de tel dans cet appartement, avec Leo dans la chambre voisine.

L'adolescente avait toujours du mal à trouver le sommeil. Elle restait éveillée des heures durant, ressassant les mêmes pensées jusqu'à ce que la fatigue ait raison d'elle. Elle était seule à chérir la vérité, seule à refuser d'oublier. Elle se leva sans bruit. Le silence de l'appartement n'était troublé que par le souffle d'Elena. Les yeux habitués à l'obscurité, Zoya alla à pas de loup jusqu'à la porte. Elle longea le couloir en se tenant d'une main au mur. Dans la cuisine la lumière de l'éclairage public entrait par la fenêtre. Furtivement, comme une voleuse, elle ouvrit un tiroir et saisit un couteau par le manche. Elle fut surprise par son poids.

*La même nuit*

LA LAME DU COUTEAU PLAQUÉE CONTRE SA JAMBE, Zoya se dirigea vers la chambre de Leo. Elle poussa lentement la porte, jusqu'à pouvoir se glisser à l'intérieur. Elle avança en silence sur le parquet. Les rideaux tirés, l'obscurité était totale, mais Zoya connaissait les lieux : elle savait comment atteindre Leo, endormi de l'autre côté du lit.

Penchée sur lui, elle brandit le couteau. Même sans le voir, elle devinait les contours de son corps. Elle ne voulait pas viser le ventre : les couvertures risquaient d'arrêter la lame. Elle la lui enfoncerait dans la gorge le plus profondément possible, avant qu'il ait une chance de la neutraliser. Tenant le couteau à bout de bras, elle l'abaissa d'un geste sûr. À l'extrémité de la lame, elle sentit le bras de Leo, son épaule ; elle remonta vers sa tête, tâtonna avec la pointe de l'arme improvisée jusqu'à ce qu'elle rencontre sa peau. Là, elle n'avait plus qu'à empoigner le manche à deux mains et frapper.

Zoya répétait ce rituel à intervalles irréguliers, parfois toutes les semaines, parfois en laissant passer plus d'un mois. Elle avait commencé trois ans plus tôt, peu après son départ de l'orphelinat avec sa sœur et leur installation dans cet appartement. Elle était alors fermement décidée à tuer Leo. Dans la journée, il les avait emmenées au zoo. Ni Elena ni elle n'y étaient jamais allées, et la découverte de ces animaux exotiques l'avait distraite. Pendant cinq ou dix minutes, elle avait profité de la visite. Elle avait souri. Leo n'avait rien vu, elle en était sûre, mais quelle importance ?

À les observer, Raïssa et lui, ce couple radieux en train de jouer au père et à la mère de famille, de faire semblant, de mentir, elle avait compris qu'ils voulaient prendre la place de ses parents. Et elle n'avait rien fait pour les en empêcher. Dans le tram, sur le chemin du retour, le poids du remords l'avait fait vomir. Leo et Raïssa avaient incriminé les confiseries et les cahots du tram. Cette nuit-là, fiévreuse, elle avait pleuré dans son lit et s'était gratté les jambes jusqu'au sang. Comment avait-elle pu si facilement trahir le souvenir de ses parents ? Leo croyait pouvoir acheter son amour avec des vêtements neufs, des mets raffinés, des visites au zoo et du chocolat. Pathétique... Elle s'était promis que cette défaillance ne se reproduirait pas. Il existait un moyen de s'en prémunir : elle était allée chercher un couteau et avait résolu de le tuer. Comme à présent elle était restée là, immobile, prête à le poignarder.

Le souvenir qui l'avait conduite dans cette chambre, celui de ses parents, était l'une des raisons pour lesquelles elle avait renoncé. Ils n'auraient pas voulu qu'elle ait le sang de cet homme sur les mains. Ils souhaitaient qu'elle s'occupe de sa sœur. Docilement, pleurant sans bruit, elle avait épargné Leo. De temps à autre, elle revenait sur la pointe des pieds, armée de son couteau, non parce qu'elle avait changé d'avis, par désir de vengeance ou de meurtre, mais par fidélité au souvenir de ses parents, sa manière à elle de dire qu'elle ne les oubliait pas.

Le téléphone sonna. Zoya sursauta et battit en retraite, lâchant le couteau qui tomba bruyamment sur le sol. Elle se mit à genoux, le chercha fébrilement dans le noir. Leo et Raïssa s'agitaient, le lit grinçait. Ils allaient bientôt allumer. À tâtons, Zoya inspecta le parquet, affolée. De nouveau la sonnerie, elle n'avait plus le choix : abandonnant l'arme derrière elle, elle fit le tour du lit, courut vers la porte et se glissa dans l'entrebâillement au moment où la pièce s'éclairait.

Leo se redressa, l'esprit embrumé par le sommeil, mêlant rêve et réalité : il y avait eu de l'agitation, une silhouette – ou peut-être rien. Le téléphone sonnait. C'était toujours pour son travail. Leo jeta un coup d'œil à sa montre : presque minuit. Il regarda Raïssa. Réveillée, elle attendait qu'il aille répondre. Il se leva en marmonnant des excuses. La porte était entrouverte. Ne la fermaient-ils pas avant de se coucher ? Sans doute pas. Peu importait, et il partit vers le couloir.

Il décrocha. À l'autre bout du fil, une voix sonore, insistante :

— Leo ? C'est Nikolaï.

Nikolaï ? Ce prénom ne lui disait rien. Il attendit. Devant ce silence, son interlocuteur reprit :

— Nikolaï ! Ton ancien supérieur ! Ton ami ! Tu as donc oublié, Leo ? C'est moi qui t'ai confié ta première mission ! Ce prêtre, tu te rappelles ?

Leo se rappelait. Il était sans nouvelles de Nikolaï depuis une éternité. Cet homme n'avait plus rien à voir avec son existence présente, et il lui en voulut d'avoir appelé.

— Il est tard, Nikolaï.

— Tard ? Que t'est-il arrivé ? C'est l'heure à laquelle on se mettait au travail.

— Plus maintenant.

— Non, en effet.

Nikolaï se tut quelques instants avant d'ajouter :

— Il faut que je te voie.

Il cherchait ses mots. Il était ivre.

— Pourquoi ne pas en parler demain, après une bonne nuit de sommeil ?

— Non, maintenant.

Sa voix se brisa. Il était au bord des larmes.

— Que se passe-t-il ?

— Viens me rejoindre. Je t'en supplie.

Leo eut envie de refuser.

— Où ça ?

— À ton bureau.

— Je suis là dans une demi-heure.

Il raccrocha. Son agacement était tempéré par un sentiment de malaise. Nikolaï n'aurait pas repris contact sans raison valable. Lorsqu'il regagna sa chambre, Raïssa était assise dans le lit. Leo eut un haussement d'épaules :

— Un ancien collègue. Il veut qu'on se voie. Apparemment, ça ne peut pas attendre.

— Un collègue de quelle époque ?

— De…

Leo n'eut pas besoin de terminer.

— Et il appelle comme ça, sans prévenir ?

— Il était soûl. Je vais lui parler.

— Leo… ?

Il répondit avant qu'elle puisse en dire plus :

— Ça ne me plaît pas plus qu'à toi.

Il récupéra ses vêtements, s'habilla rapidement. Alors qu'il nouait ses lacets, prêt à partir, il aperçut quelque chose sous le lit, un objet reflétant la lumière. Par curiosité il se pencha en avant.

— Qu'y a-t-il ? demanda Raïssa.

C'était un grand couteau de cuisine. Juste à côté, une encoche sur le parquet.

— Leo ?

Il aurait dû lui montrer sa découverte.

— Oh, rien.

Alors qu'elle se penchait à son tour pour voir, il se releva, cacha le couteau derrière son dos et éteignit la lampe.

Dans le couloir il posa la lame à plat sur sa paume. Il jeta un coup d'œil vers la chambre de ses filles, s'approcha de la porte et la poussa doucement. La pièce était plongée dans l'obscurité. Les deux sœurs dormaient. Tandis qu'il refermait la porte sans bruit, il sourit en entendant la respiration paisible d'Elena. Immobile, il tendit l'oreille. Aucun son ne provenait de l'autre partie de la chambre, où se trouvait Zoya. Celle-ci retenait son souffle.

*14 mars*

CONDUISANT TROP VITE, Leo dérapa sur le verglas dans un virage. Il leva le pied de l'accélérateur et rétablit sa trajectoire. Énervé, le dos moite, il atteignit avec soulagement les bureaux de la brigade des homicides. Il se gara, posa le front sur le volant pour se calmer. Son haleine blanchissait l'air de l'habitacle non chauffé. Il était une heure du matin et des plaques de neige recouvraient les rues désertes. Il se mit à grelotter, ayant oublié d'emporter des gants ou un bonnet dans sa hâte à quitter l'appartement, impatient d'être dehors, d'échapper aux questions qui l'assaillaient : pourquoi la porte de leur chambre était-elle entrebâillée ? Pourquoi l'aînée de ses filles faisait-elle semblant de dormir ? Pourquoi avait-il découvert un couteau sous le lit ?

Il y avait sûrement une explication évidente, triviale. Peut-être avait-il laissé la porte ouverte. À moins que sa femme ne soit allée aux toilettes et ait oublié de fermer la porte en revenant. Quant à soupçonner Zoya d'avoir fait semblant de dormir… Il avait pu se tromper. D'ailleurs, pourquoi aurait-elle dû dormir ? Il était logique qu'elle soit éveillée : tirée du sommeil par la sonnerie du téléphone, elle restait allongée, essayant de se rendormir, légitimement contrariée. S'agissant du couteau… Il ne savait pas, ne comprenait pas, mais il y avait forcément une raison anodine, même s'il ignorait laquelle.

Il descendit de voiture, ferma la portière et se dirigea vers les bureaux de sa brigade. Situés à Zamoskvoretchie, au sud du fleuve, dans une zone industrielle, ils se trouvaient au-dessus d'une immense boulangerie. Passablement ironique, le choix de ces locaux rappelait que le travail de son équipe devait rester invisible. Ils étaient connus sous le nom d'« Usine de boutons 14 », amenant Leo à se demander ce que fabriquaient les treize autres usines.

Dans le hall d'entrée délabré, au sol zébré de traces de pas poudrées de farine, Leo gravit l'escalier en se remémorant les événements de la nuit. Il avait pu résoudre deux des trois énigmes, mais la dernière – la présence du couteau – résistait à toute tentative d'explication. Bon, ça attendrait jusqu'au matin, où il pourrait en discuter avec Raïssa. Dans l'immédiat, le coup de fil inattendu de Nikolaï le préoccupait davantage. Pourquoi un homme à qui il n'avait pas parlé depuis six ans l'appelait-il en pleine nuit, ivre, le suppliant de le rencontrer ? Il n'y avait ni sympathie particulière ni amitié entre eux, rien sauf cette fameuse année 1949, sa première en tant qu'agent du MGB.

Nikolaï l'attendait en haut des marches, affalé dans le couloir comme un vagabond. À l'arrivée de Leo, il se leva. Son manteau bien coupé, peut-être même de marque étrangère, aurait eu besoin d'un bon nettoyage. Son ventre dépassait de sa chemise déboutonnée. Trop gros, les cheveux clairsemés, il avait l'air vieux et fatigué, les traits tirés, les yeux cernés. Il empestait le tabac, la transpiration et l'alcool, auxquels se mêlait l'odeur aigrelette du pain en train de lever ou de cuire. Leo lui tendit la main. Nikolaï la repoussa et prit son ancien subordonné dans ses bras, se cramponnant à lui comme si Leo le sauvait de l'abîme. Cette étreinte avait quelque chose de pitoyable chez un homme autrefois connu pour être sans pitié.

Leo fut soudain distrait par le souvenir de l'encoche sur le parquet de sa chambre. Comment avait-il pu oublier ce détail ? Sans doute parce qu'il était sans importance. Cette encoche pouvait avoir plusieurs causes. Elle avait pu lui échapper depuis un certain temps, simple éraflure due au déplacement d'un meuble. Tout au fond de lui, il savait pourtant qu'il y avait un lien entre la présence de l'encoche et celle du couteau.

Nikolaï tenait des propos décousus d'une voix pâteuse. Leo l'avait écouté d'une oreille distraite en ouvrant les locaux de la brigade avant de le précéder dans son bureau. Assis en face de lui, les coudes sur la table et les mains jointes, il regardait son ancien supérieur parler sans vraiment entendre ce qu'il disait, ne saisissant que quelques bribes – sur un envoi intempestif de photos.

— Ce sont celles d'hommes et de femmes que j'ai arrêtés...

Leo n'enregistrait pas ce que racontait Nikolaï. Une affreuse prise de conscience s'opérait en lui, chassant toute autre pensée. On avait lâché le couteau, sa pointe éraflant le parquet avant qu'il glisse sous le lit ; on l'avait lâché parce que la personne qui le tenait s'était affolée à cause d'un bruit soudain – d'une sonnerie de téléphone imprévue. Cette personne avait fui la pièce en laissant la porte entrouverte, oubliant de la refermer dans sa précipitation.

*Elle.*

Même avec toutes les pièces du puzzle en place, Leo peinait à formuler la seule conclusion logique : c'était Zoya qui tenait le couteau.

Il se leva, alla jusqu'à la fenêtre, l'ouvrit toute grande. Une bouffée d'air glacial lui fouetta le visage. Alors qu'il ignorait depuis combien de temps il était immobile à contempler le ciel étoilé, derrière lui un bruit lui rappela qu'il n'était pas seul. Il se retourna, prêt à s'excuser, mais se ravisa. Nikolaï, l'homme qui lui avait enseigné que la cruauté était un mal nécessaire, sanglotait.

— Leo ? Tu ne m'écoutes même pas.

Les joues ruisselantes de larmes, il se mit à rire, d'un rire qui ramena Leo plusieurs années en arrière, à leurs soirées de beuverie, lorsqu'ils fêtaient les arrestations. Mais cette fois c'était un rire amer. L'assurance et les fanfaronnades avaient disparu.

— Tu veux tourner la page, hein, Leo ? Ce n'est pas moi qui te le reprocherai. Je paierais cher pour pouvoir tout oublier. Quel merveilleux rêve ce serait...

— Désolé, Nikolaï, j'ai l'esprit ailleurs. Un problème familial.

— Tu as suivi mes conseils... C'est bien d'avoir une famille. C'est essentiel. Un homme n'est rien sans l'amour de sa famille.

— On ne pourrait pas reprendre cette conversation demain matin ? Quand on aura récupéré ?

Nikolaï fit oui et se leva. À la porte il s'arrêta, fixa des yeux le sol à ses pieds :

— J'ai… honte.

— Ne t'en fais pas. Il nous arrive à tous de boire un verre de trop. On parlera demain.

Nikolaï le dévisagea. Leo crut qu'il allait se remettre à rire, mais cette fois il tourna les talons et se dirigea vers l'escalier.

Leo se félicita d'être enfin seul et de pouvoir se concentrer. Impossible de continuer à nier l'évidence. Sa présence était pour Zoya un rappel constant de la terrible perte qu'elle avait subie. Jamais il n'avait parlé de ce qui s'était passé ce jour-là, quand les parents de l'adolescente avaient été abattus. Il s'était efforcé de faire une croix sur le passé. Le couteau était un appel au secours. Leo devait agir pour sauver sa famille. Il pouvait arranger les choses. Parler à Zoya : voilà la solution. Il devait lui parler sans attendre.

*Le même jour*

NIKOLAÏ SORTIT DU BÂTIMENT. Ses chaussures s'enfoncèrent dans la mince couche de neige. Sentant le vent glacial sur son ventre proéminent, il rentra sa chemise dans son pantalon, les yeux dans le vague, vacillant comme s'il était sur le pont d'un bateau. Qu'est-ce qui lui avait pris d'appeler Leo ? Que pouvait-il attendre de son ancien protégé ? Peut-être n'était-il venu chercher qu'un peu de compagnie : pas celle d'un camarade de beuverie, mais celle d'un homme qui partageait ses remords, qui ne pouvait pas le juger sans se juger lui-même.

*J'ai honte.*

Ces mots, personne n'était mieux placé que Leo pour les comprendre. Leur remords commun aurait dû les rapprocher, faire d'eux des frères. Leo aurait dû le prendre dans ses bras et dire : « Moi aussi. » Avait-il si facilement oublié leur passé ? Non, chacun d'eux avait simplement choisi une stratégie différente pour s'en accommoder. Leo avait embrassé une nouvelle et noble profession, lavant le sang qu'il avait sur les mains dans l'eau tiède et savonneuse de la respectabilité. Nikolaï, lui, préférait boire jusqu'à ne plus tenir debout, non pour l'ivresse, mais pour anesthésier sa mémoire.

Quelqu'un refusait pourtant qu'il oublie, lui envoyant les photos d'hommes et de femmes adossés à un mur blanc, leur crâne rasé les réduisant à des visages. Dans un premier temps, il ne les avait pas reconnus, tout en comprenant qu'il s'agissait des clichés pris après chaque arrestation pour satisfaire aux exigences de l'identité judiciaire. Ils arrivaient en vrac, d'abord une fois par semaine, puis chaque jour à présent, dans une enveloppe déposée à son domicile. En les étudiant, il s'était rappelé certains noms, certaines conversations – des bribes de souvenirs, collage grossier où l'arrestation d'un individu se télescopait avec l'interrogatoire d'un deuxième et l'exécution d'un troisième. Plus les photos s'accumulaient – jusqu'à former une pile entre ses mains – plus il s'interrogeait : avait-il vraiment arrêté tant de gens ? À vrai dire, bien davantage.

Il aurait voulu confesser ses crimes, demander pardon. Mais on ne lui envoyait aucune requête en ce sens, aucune instruction sur la façon dont il pouvait se repentir. La première enveloppe était à son nom. Son épouse la lui avait apportée. Il l'avait machinalement ouverte devant elle. Quand elle l'avait questionné sur son contenu, il avait menti, dissimulant les photos. Depuis lors, il devait ouvrir son courrier en secret. Même après vingt ans de mariage, sa femme ignorait tout de son travail. Elle savait qu'il avait été officier de la Sécurité d'État, mais pas grand-chose de plus. Peut-être s'aveuglait-elle délibérément. Peu lui importait : il chérissait cette ignorance, son bonheur en dépendait. Lorsque le regard de son épouse croisait le sien, il y lisait un amour inconditionnel. Si elle avait connu la vérité, si elle avait vu les visages des gens qu'il arrêtait, les avait vus après deux jours d'interrogatoire, c'est de l'effroi qu'il aurait lu dans ses yeux. Même chose pour ses filles. Elles riaient avec lui et le taquinaient. Elles l'aimaient autant qu'il les aimait. Il était un bon père, patient et attentionné, ne haussant jamais le ton, ne buvant pas une goutte d'alcool chez lui – seul endroit où il restait quelqu'un de bien.

Quelqu'un voulait lui ôter cela. Depuis deux jours les enveloppes n'étaient plus libellées à son nom. N'importe qui aurait pu les ouvrir : sa femme, ses filles. Il redoutait désormais de sortir, de peur qu'un paquet arrive pour lui en son absence. Il avait fait promettre à sa famille de lui apporter tout colis ou lettre, à son nom ou pas. La veille, allant dans la chambre de ses filles, il avait trouvé une enveloppe sans destinataire sur la table de chevet. Il avait perdu son calme et, hors de lui, leur avait demandé en criant si elles l'avaient ouverte. En larmes devant cette transformation subite, elles lui avaient assuré qu'elles voulaient juste la mettre en sûreté en attendant son retour. Il avait vu de la crainte dans leurs yeux. Il en avait eu le cœur brisé. C'est alors qu'il avait décidé d'appeler Leo à la rescousse. L'État devait arrêter ces criminels qui le persécutaient sans raison. Il avait servi son pays pendant de longues années. Il était patriote. Il avait gagné le droit de vivre en paix. Leo pouvait l'aider : il était à la tête d'une brigade d'enquêteurs. Traquer ces contre-révolutionnaires était dans leur intérêt à tous les deux. Comme au bon vieux temps. À ceci près que Leo n'avait rien voulu savoir.

Les ouvriers de l'équipe du matin arrivaient déjà à la boulangerie. Ils se figèrent à la vue de Nikolaï devant l'entrée.

— Eh bien ? aboya-t-il.

Sans répondre, ils reculèrent de quelques mètres, n'osant pas l'approcher.

— Vous me jugez ?

Leur visage resta impassible – celui d'hommes et de femmes attendant de pouvoir faire du pain pour toute la ville. Il fallait qu'il rentre chez lui, seul endroit où on l'aimait et où son passé ne comptait pas.

Habitant à proximité, il s'aventura d'un pas incertain dans les rues désertes, espérant qu'une autre enveloppe pleine de photos ne serait pas arrivée en son absence. Il dut s'arrêter : il haletait tel un vieux chien malade. Un autre bruit s'y ajoutait. Il se retourna, jeta un coup d'œil derrière lui. Des pas – il en était sûr, des talons qui faisaient un bruit de claquettes sur les pavés. Il était suivi. Il s'élança en titubant dans l'ombre, écarquilla les yeux pour distinguer d'éventuelles silhouettes. Ses ennemis étaient sur ses traces : ils le traquaient comme il les avait autrefois traqués.

Il se mit à courir pour rejoindre son domicile le plus vite possible. Il trébucha, se rétablit. Les pans de son manteau lui battaient les chevilles. Changeant de tactique, il fit volte-face. Il allait les prendre à leur propre piège. Il connaissait ce genre de stratagème. Il l'avait utilisé. Ses poursuivants employaient ses propres méthodes contre lui. Scrutant les recoins sombres, les poches d'obscurité, les cachettes où il avait entraîné des recrues du MGB à se tapir, il cria :

— Je sais que vous êtes là !

L'écho de sa voix résonna dans la rue déserte – aux yeux du profane, pas pour un expert comme lui. Sa témérité fut de courte durée.

— J'ai des enfants, deux filles. Elles m'adorent ! Elles ne méritent pas ça. Si vous m'attaquez, c'est à elles que vous faites du mal.

Ses filles étaient nées alors qu'il travaillait encore pour le MGB. Après avoir arrêté des pères, des mères et des enfants, il rentrait chaque soir chez lui embrasser sa famille.

— Et les autres ? Ils sont des millions : si vous nous tuez tous, il ne restera personne. On est tous complices !

Des gens apparaissaient aux fenêtres, attirés par ses cris. Il pouvait désigner n'importe quel immeuble, n'importe quelle maison : à l'intérieur se trouvaient d'anciens officiers, d'anciens gardes. Sans compter les conducteurs des trains qui emmenaient les détenus au goulag, les hommes et les femmes chargés des formalités administratives, de la cuisine ou de l'entretien. Le régime reposait sur le consentement de chacun, même si certains se contentaient de fermer les yeux. Ne rien faire suffisait. Les autorités tablaient autant sur l'absence de résistance que sur l'engagement militant. Nikolaï refusait de servir de bouc émissaire. Il n'était pas seul à traîner ce fardeau, il s'agissait d'une culpabilité collective. Il voulait bien éprouver des remords de temps à autre, penser chaque jour pendant une minute aux atrocités qu'il avait commises. Mais ceux qui le traquaient ne se satisferaient pas de si peu.

Terrifié, il bifurqua et se remit à courir, de plus en plus vite. Empêtré dans son manteau, il tomba de tout son long dans la neige boueuse, ses vêtements s'imprégnant d'eau sale. Il se releva tant bien que mal. Malgré une douleur lancinante au genou et un accroc à son pantalon, il reprit sa course, son manteau dégoulinant d'eau. Il ne fallut pas longtemps pour qu'il tombe à nouveau. Il pleura d'épuisement, secoué par d'affreux sanglots. Roulant sur lui-même, il se débarrassa du vêtement devenu trop lourd. Il l'avait acheté des années plus tôt dans un magasin réservé à la nomenklatura. Il en était fier. C'était une preuve de son statut social. Il n'en avait plus besoin : il ne ressortirait plus jamais, se terrerait chez lui, porte fermée à clé et rideaux tirés.

Pantelant, en nage, il se réfugia dans le hall d'entrée de son immeuble. L'eau s'écoulait de ses vêtements. Trempé, adossé au mur qui gardait l'empreinte de son corps, il inspecta la rue du regard, à l'affût de ses poursuivants. Incapable de les voir – ils étaient trop forts pour lui –, il s'engagea dans l'escalier, dérapant à chaque marche et grimpant finalement à quatre pattes. Plus il approchait de son appartement, plus il se détendait. Personne ne l'atteindrait derrière ces murs, son sanctuaire. Comme s'il avait avalé un breuvage apaisant, il reprenait ses esprits. Il était ivre. Il avait réagi de manière excessive, rien de plus. Bien sûr qu'il s'était fait des ennemis au fil des ans, des individus rancuniers qui lui en voulaient de sa réussite. S'ils n'avaient rien trouvé de mieux que de lui envoyer quelques photos, pas de quoi s'inquiéter. La plupart des gens – la société – le respectaient et l'estimaient. Arrivé à son étage, il reprit son souffle et chercha sa clé.

À sa porte un paquet l'attendait : d'une trentaine de centimètres de long sur vingt de large et dix de profondeur, soigneusement emballé avec du papier kraft et de la ficelle. Pas de destinataire ni d'expéditeur, juste un dessin à l'encre sur le papier : un crucifix. Nikolaï tomba à genoux. Les mains tremblantes, il dénoua la ficelle. À l'intérieur se trouvait une boîte. Sur le couvercle, cette inscription :

NE PAS DIFFUSER DANS LA PRESSE.

Il souleva le couvercle. Pas une seule photo. À la place, une centaine de pages imprimées, un document conséquent. Une lettre l'accompagnait. Nikolaï la saisit et la parcourut. Elle ne lui était pas adressée : il s'agissait d'une circulaire officielle déclarant que le discours joint devait être distribué dans chaque école, chaque usine, aux ouvriers et aux jeunes gens à travers tout le pays. Troublé, Nikolaï reposa la lettre et prit le discours. Il lut les premières pages attentivement, avec force hochements de tête. Ça ne pouvait pas être vrai. C'était un mensonge, un texte fabriqué de toutes pièces dans le but de lui nuire, de le rendre fou. Jamais l'État n'irait publier ou diffuser un tel document. Impossible.

*victimes innocentes*
*torture*

Ces mots ne pouvaient pas être imprimés noir sur blanc, ni distribués en toute légalité dans chaque école et chaque usine. S'il retrouvait les auteurs de ce canular, visiblement bien informés, il les ferait exécuter.

Machinalement, il froissa la page qu'il venait de lire et l'envoya promener. Il déchira d'un geste rageur la suivante et celle d'après, jeta au sol les lambeaux de papier. Il s'arrêta, se recroquevilla sur lui-même et posa le front sur les pages qui lui restaient à lire en marmonnant :

— Ça ne peut pas être vrai.

Comment cela l'aurait-il pu ? Pourtant ce texte était là, accompagné d'une lettre à en-tête officiel, et contenant des informations que seul l'État pouvait connaître, avec des sources, des citations, des références. La conspiration du silence, dont Nikolaï pensait qu'elle durerait éternellement, avait pris fin. Ce n'était pas un canular.

Le discours était bien réel.

Il se releva. Ouvrit la porte et pénétra dans son appartement, abandonnant les papiers sur le palier. Inutile de fermer à clé derrière lui ou de tirer les rideaux : son logement n'était plus un sanctuaire. Il n'existait plus de sanctuaires. Bientôt, tout le monde serait au courant, chaque écolier, chaque ouvrier lirait ce discours. Non seulement ils sauraient, mais ils auraient le droit d'en parler ouvertement, d'en discuter.

Il poussa la porte de sa chambre, contempla son épouse endormie sur le côté, la tête reposant sur ses mains. Elle était si belle. Il l'adorait. Ils menaient une existence privilégiée. Ils avaient deux filles superbes, heureuses de vivre. Sa femme n'avait jamais connu la disgrâce ni la honte. Elle n'avait jamais vu en Nikolaï qu'un mari aimant et un homme affectueux, prêt à mourir pour sa famille. Assis au bord du lit, il effleura son bras pâle du bout de l'index. Il ne supporterait pas qu'elle découvre la vérité, qu'elle change d'opinion à son sujet, devienne plus distante, lui demande des comptes ou, pis, qu'elle s'enferme dans le mutisme. Son silence serait insoutenable. Toutes ses amies poseraient des questions. On la jugerait. Que savait-elle ? Depuis quand ? Plutôt mourir que la voir ainsi humiliée. Plutôt mourir maintenant.

À ceci près que sa mort à lui ne changerait rien. Elle découvrirait quand même la vérité. Elle trouverait son cadavre en se réveillant, éclaterait en sanglots, le pleurerait. Puis elle lirait le discours. Même si elle assistait à ses obsèques, elle se demanderait ce qu'il avait fait au juste. Elle reverrait les moments qu'ils avaient passés ensemble, ses caresses quand il lui faisait l'amour. Avait-il tué un détenu quelques heures plus tôt ? Leur appartement avait-il été acheté avec le sang d'innocents ? Peut-être en viendrait-elle à croire qu'il méritait de mourir et avait eu raison de mettre fin à ses jours, non seulement dans son intérêt, mais dans celui de leurs filles.

Il prit son oreiller. Sa femme était en bonne santé et se débattrait, mais bien qu'il ne soit pas au mieux de sa forme, il se savait capable de la maîtriser. Il se coucha doucement près d'elle et comme d'habitude elle vint se blottir contre lui, heureuse de le savoir de retour. Souriant dans son sommeil, elle s'étendit sur le dos. Il n'osait plus la regarder. Il devait agir avant de perdre ses moyens. Il lui plaqua brutalement l'oreiller sur la tête pour ne pas avoir à croiser son regard. Appuya de toutes ses forces. Aussitôt elle se cramponna à l'oreiller, aux poignets de son mari, le griffa. En vain : il ne lâchait pas prise. Faute de pouvoir se dégager par la force, elle tenta de lui échapper en se tortillant. Il s'installa à cheval sur elle et lui immobilisa le ventre entre ses jambes pour maintenir l'oreiller en place. Réduite à l'impuissance, sa résistance faiblit. Elle ne le griffait plus, lui agrippant seulement les poignets avant que ses bras finissent par retomber mollement le long de son corps.

Il resta dans la même position pendant quelques minutes, même si elle ne bougeait plus. Enfin il se redressa, relâcha la pression, mais lui laissa l'oreiller sur la tête. Il ne voulait pas voir ses orbites injectées de sang. Il préférait garder le souvenir de son sourire plein de tendresse. Il glissa la main sous la taie pour lui fermer les yeux. Promena les doigts sur son visage jusqu'à ce qu'il touche ses globes oculaires – leur surface un peu collante. Il lui baissa délicatement les paupières, souleva l'oreiller, la contempla. Elle reposait en paix. Il resta allongé près d'elle, la tenant par la taille.

Épuisé, il faillit s'endormir. Il se força à réagir car il n'avait pas terminé. Il se leva, remit les draps en place, prit l'oreiller et sortit, traversant la salle de séjour pour se rendre dans la chambre de ses filles.

*Le même jour*

ELENA ET ZOYA DORMAIENT, leur respiration était régulière. Ses yeux s'habituant à l'obscurité, Leo referma avec soin la porte derrière lui. Il ne pouvait échouer dans son rôle de père. Peu importait si la brigade des homicides disparaissait, si on lui retirait son appartement et ses privilèges : il devait exister un moyen de sauver sa famille. Rien ne comptait plus à ses yeux. Malgré ses difficultés, cette famille était leur meilleur atout à tous les quatre. Il se refusait à imaginer qu'ils puissent être séparés. Certes, les deux filles étaient beaucoup plus proches de Raïssa que de lui. À l'évidence, ce n'était pas leur adoption, mais son propre passé qui posait problème. Il avait naïvement cru qu'il suffirait d'un peu de temps pour améliorer ses rapports avec Elena et Zoya ; que, comme par un effet d'optique, plus ce regrettable épisode s'éloignerait, plus il rapetisserait et perdrait de son importance. Aujourd'hui encore il recourait à un euphémisme – « ce regrettable épisode » – pour parler de l'assassinat de leurs parents. Mais la colère de Zoya était aussi vive que le jour où ils avaient été abattus. Au lieu de nier l'évidence, il devait regarder en face la haine de la jeune fille.

Zoya dormait sur le côté, la tête tournée vers le mur. Leo la prit par l'épaule et la fit doucement rouler sur le dos. Son intention était de la tirer progressivement du sommeil, mais elle se redressa soudain, toute raide, et eut un mouvement de recul. Sans réfléchir, il la retint par l'autre épaule. Il avait fait ce geste avec les meilleures intentions du monde, dans leur intérêt commun. Il fallait qu'elle l'écoute. S'efforçant de garder un ton posé, rassurant, il murmura :

— Zoya, il faut qu'on parle, tous les deux. Maintenant. Si j'attends le matin, je trouverai n'importe quelle excuse pour repousser au lendemain. Voilà déjà trois ans que j'aurais dû le faire.

Muette, toujours immobile, elle ne le quittait pas des yeux. Même s'il venait de passer plus d'une heure dans la cuisine à chercher les mots justes, ils s'étaient envolés.

— Tu es allée dans notre chambre. J'ai trouvé le couteau.

Il s'égarait. Il était là pour parler de ses propres erreurs, pas pour la critiquer. Il essaya de réorienter la conversation :

— D'abord, que les choses soient claires : j'ai changé. Je ne suis plus l'officier qui a débarqué dans la ferme de tes parents. Et n'oublie pas que j'ai tenté de leur sauver la vie. J'ai échoué. J'aurai cet échec sur la conscience jusqu'à la fin de mes jours. Je ne peux pas faire revenir tes parents, mais je peux vous offrir des opportunités, à ta sœur et à toi. Voilà comment je vois notre famille. Comme une opportunité. Pour Elena et pour toi, mais aussi pour moi.

Il se tut, attendant de voir si Zoya allait tourner ses propos en dérision. Elle ne bougea pas, ne dit pas un mot. Elle avait les lèvres pincées, le corps figé.

— Tu ne peux pas au moins… essayer ?

D'une voix tremblante, elle articula enfin quelques mots :

— Lâchez-moi.

— Ne te braque pas, Zoya. Dis-moi juste ce que tu penses. Honnêtement. Dis-moi ce que tu attends de moi. Quel genre de père tu voudrais que je sois.

— Lâchez-moi.

— Non, je t'en prie, Zoya. Tu dois comprendre à quel point c'est important.

— Lâchez-moi.

— Zoya…

La voix de l'adolescente jaillit, stridente – un cri de désespoir :

— Lâchez-moi !

Abasourdi, il s'écarta. Elle gémissait tel un animal blessé. Comment les choses avaient-elles pu si mal tourner ? Incrédule, il la regarda se recroqueviller, refusant toute marque de tendresse. Ce n'était pas normal. Il voulait seulement lui exprimer son amour. Et elle le lui renvoyait au visage. Elle gâchait tout, pas seulement pour lui. Pour tout le monde. Elena voulait avoir une famille, il le savait. Elle le prenait par la main, souriait, riait. Elle avait envie d'être heureuse. Raïssa aussi. Ils avaient tous envie d'être heureux. Sauf Zoya, qui refusait obstinément d'admettre qu'il avait changé et se raccrochait de manière puérile à sa haine comme à sa poupée préférée.

Leo sentit une odeur. Palpant les draps, il découvrit qu'ils étaient mouillés. Il lui fallut quelques instants pour comprendre que Zoya venait de faire pipi au lit. Il se leva, recula en marmonnant :

— Ce n'est rien. Je m'en occupe. Ne t'inquiète pas. C'est ma faute, je n'aurais pas dû.

Zoya se prit le visage à deux mains et secoua la tête sans dire mot. Leo respirait avec difficulté, atterré que son amour puisse causer une telle souffrance.

— J'emporte ces draps, Zoya.

Elle continuait à secouer la tête, cramponnée à ses draps souillés comme pour se protéger. Elena s'était réveillée et pleurait.

Leo alla vers la porte puis revint sur ses pas, incapable d'abandonner Zoya dans cet état. Comment pouvait-il résoudre le problème, puisque c'était lui le problème ?

— Je veux simplement t'aimer, Zoya.

Le regard d'Elena allait de sa sœur aînée à Leo. Depuis le réveil de la fillette, Zoya avait changé d'attitude. Prenant sur elle, elle répondit calmement :

— Je vais laver mes draps moi-même. Je n'ai pas besoin de votre aide.

Leo quitta la pièce, laissant en larmes, assise dans l'urine, l'adolescente qu'il avait espéré gagner à sa cause.

À peine entré dans la cuisine, il se mit à marcher de long en large, sonné par ces catastrophes en série. Alors qu'il avait rangé les deux dossiers, la feuille de papier rapportée de l'imprimerie de Moskvin était toujours là :

Pas vraiment le genre de compagnie qu'il lui fallait : un rappel de ses anciennes activités, qui le poursuivraient à jamais. Revoyant la réaction de Zoya dans sa chambre, il dut envisager ce qui lui paraissait impensable un quart d'heure plus tôt. Leur famille allait peut-être devoir se séparer.

Son désir obsessionnel qu'ils restent ensemble l'avait-il aveuglé ? Il forçait Zoya à rouvrir une blessure inguérissable qui l'emplissait de rancune et de haine. Évidemment, si elle ne pouvait plus vivre sous son toit, Elena non plus. Les deux sœurs étaient inséparables. Il n'aurait d'autre choix que de leur trouver un nouveau foyer ne dépendant pas de l'État, sans doute à l'extérieur de Moscou, dans une petite ville où les forces de sécurité seraient moins visibles. Raïssa et lui chercheraient une famille d'accueil adaptée, capable de mieux réussir qu'eux à rendre les deux sœurs heureuses, ce qu'à l'évidence ils n'avaient pas su faire.

Raïssa apparut à la porte.

— Qu'est-ce qui se passe ?

Elle arrivait de leur chambre. Ignorant tout du pipi au lit et de la conversation avec Zoya, elle faisait allusion au coup de fil de Nikolaï, à cette rencontre en pleine nuit. Leo lui répondit d'une voix brisée par l'émotion :

— Nikolaï était ivre. Je lui ai dit qu'on parlerait quand il serait dégrisé.

— Il t'a fallu toute la nuit ?

Qu'attendait-il ? Il devrait la faire asseoir et lui expliquer.

— Leo ? Qu'est-ce qui ne va pas ?

Il lui avait promis qu'il n'y aurait plus de secrets. Et pourtant il ne pouvait avouer qu'après trois ans d'efforts pour être un bon père, il n'avait réussi qu'à attiser la haine de Zoya. Pas davantage avouer qu'il avait réveillé la jeune fille en pleine nuit pour la supplier de manière pathétique de l'accepter comme père. Il avait peur. La séparation de leur famille risquait d'amener Raïssa à choisir son camp. Resterait-elle avec les filles ou avec lui ? Du temps où il était officier du MGB, elle le méprisait, lui et tout ce qu'il représentait. En revanche elle aimait Elena et Zoya sans condition. Son amour pour lui était compliqué. Celui qu'elle portait aux deux filles était, lui, simple et sans détour. Au moment de prendre sa décision, elle pouvait très bien se rappeler l'homme qu'il avait été. Une partie de lui avait la conviction que ses rapports avec Raïssa reposaient sur sa capacité à prouver qu'il était un bon père. Pour la première fois en trois ans il lui mentit :

— Tout va bien. Ça m'a fait un choc de revoir Nikolaï. Rien de plus.

Raïssa hocha la tête. Elle jeta un coup d'œil dans le couloir.

— Les filles dorment ?

— Je les ai réveillées en rentrant. Désolé. Je me suis excusé auprès d'elles.

Raïssa prit la feuille de papier rapportée de l'imprimerie.

— Tu devrais la faire disparaître avant qu'elles viennent prendre leur petit déjeuner.

Leo saisit la page, l'emporta dans leur chambre. Assis sur le lit, il regarda Raïssa se diriger vers la chambre des filles pour voir si elles étaient levées. Il attendit dans l'angoisse qu'elle découvre la vérité. Son mensonge ne lui avait valu qu'un répit de courte durée. Raïssa devait être en train d'écouter les explications de Zoya.

Il leva les yeux. À sa grande stupéfaction, Raïssa ressortit comme si de rien n'était et regagna la cuisine sans un mot. Quelques instants plus tard Zoya apparut à son tour, emporta ses draps dans la salle de bains, les déposa dans la baignoire et mit l'eau à couler. Elle n'avait rien dit. Elle ne voulait pas que Raïssa sache. Pour elle, la seule chose plus haïssable que lui-même était l'idée qu'il ait pu l'humilier à ce point.

Il alla rejoindre Raïssa dans la cuisine.

— Zoya lave ses draps ? Elle n'a pas à s'en occuper elle-même. Je peux les faire nettoyer.

Raïssa baissa la voix :

— Je crois que c'est un accident. Laisse-la tranquille, d'accord ?

— Entendu.

Arrivée la première, son chemisier mal boutonné, Elena prit place. Elle resta muette. Leo lui sourit. Elle le dévisagea comme si ce sourire représentait soudain une menace et n'y répondit pas. Il entendit les pas de Zoya. Ils s'interrompirent. Elle attendait, debout dans le couloir, invisible.

Elle finit par apparaître. Depuis l'autre extrémité de la pièce, elle défia Leo du regard. Elle jeta un coup d'œil à Raïssa, occupée à préparer le porridge, puis à sa sœur. Elle comprit que lui non plus n'avait rien dit. Le couteau était leur secret, le pipi au lit aussi. Ils étaient complices au sein de cette étrange famille. Zoya ne se sentait pas prête à la faire voler en éclats. Son amour pour Elena était plus fort que sa haine pour Leo.

Aussi furtivement qu'un chat de gouttière, elle se glissa à sa place. Elle ne toucha pas à son petit déjeuner. Leo ne mangeait pas davantage, malaxant les flocons d'avoine sans oser lever les yeux de son bol.

— Vous n'avez pas faim ? demanda Raïssa, imperturbable.

Leo laissa à Zoya le soin de répondre mais elle resta muette. Il se mit à manger. Aussitôt elle se leva, déposa le bol plein dans l'évier.

— J'ai mal au cœur.

Raïssa se leva à son tour, vérifia qu'elle n'avait pas de fièvre.

— Tu te sens capable d'aller en classe ?

— Oui.

Les deux filles quittèrent la table. Raïssa se rapprocha de Leo.

— Qu'est-ce que tu as aujourd'hui ?

Il était sûr de se mettre à pleurer s'il ouvrait la bouche. Les poings serrés sous la table, il ne répondit pas.

Avec un hochement de tête, Raïssa partit aider les filles à se préparer et à mettre leur manteau. Elles s'activèrent dans le couloir. La porte s'ouvrit. Raïssa revint dans la cuisine, porteuse d'un paquet emballé avec du papier kraft et de la ficelle. Elle le posa sur la table et ressortit. La porte d'entrée claqua derrière elle.

Leo resta un long moment immobile. Puis il tendit lentement la main vers le paquet et le tira vers lui. Ils vivaient dans un immeuble appartenant au ministère. Le courrier était normalement déposé dans l'entrée ; quelqu'un avait laissé ce colis devant sa porte. Il faisait une trentaine de centimètres de long sur vingt de large et dix de profondeur. Il n'y avait ni destinataire ni adresse, juste un crucifix dessiné à l'encre. Déchirant l'emballage, Leo découvrit une boîte sur le couvercle de laquelle figurait l'inscription suivante :

NE PAS DIFFUSER DANS LA PRESSE

*Le même jour*

BIEN QUE LA RAME DE MÉTRO NE SOIT PAS BONDÉE, Elena prit la main de Raïssa et s'y cramponna comme si elle redoutait d'en être séparée. Le silence de Zoya et de sa sœur était inhabituel. L'attitude de Leo ce matin-là les avait perturbées et Raïssa ne comprenait pas ce qui lui arrivait. D'ordinaire si soucieux de leur bien-être, il avait semblé trouver normal qu'elles prennent leur petit déjeuner en le regardant se concentrer sur le mot « torture ». Lorsqu'elle lui avait demandé de faire disparaître cette feuille de papier, façon de lui dire de se ressaisir, il avait obéi, mais pour revenir dans la cuisine les cheveux toujours en bataille, fixant les deux filles sans un mot. Les yeux injectés de sang, débraillé, l'air traqué : voilà des années qu'elle ne lui avait pas vu cette expression – depuis ses retours en pleine nuit, du temps où il était officier de la police secrète. Épuisé, mais incapable d'aller se coucher, il s'affalait dans un coin sombre, broyant du noir comme si les événements de la nuit repassaient en boucle devant ses yeux. Même s'il ne parlait jamais de son travail, elle savait qu'il procédait à des arrestations en série, raison pour laquelle elle le haïssait alors en secret.

C'était une époque révolue. Il avait changé – elle en était sûre. Il avait risqué sa vie pour fuir une profession où les aveux extorqués par la force succédaient aux arrestations nocturnes. Rebaptisé KGB, l'appareil sécuritaire existait toujours et restait présent dans la vie de chaque citoyen, mais Leo n'y jouait plus aucun rôle, ayant décliné la promotion qu'on lui avait offerte.

Décision beaucoup plus risquée, il avait préféré créer sa propre brigade d'investigation. Chaque soir il racontait sa journée de travail à Raïssa, en partie pour lui demander conseil et lui montrer combien cette brigade était différente du KGB, mais surtout pour lui prouver qu'il ne faisait plus de cachotteries. Et pourtant l'approbation de sa femme ne lui suffisait pas. L'observant avec les deux filles, Raïssa était frappée de le voir se conduire comme un personnage de contes de fées à qui on aurait jeté un mauvais sort et que seuls les mots « Je t'aime », prononcés par Elena et Zoya, puissent briser la malédiction du passé.

Malgré son dépit, il n'avait jamais été jaloux de la tendresse que celles-ci témoignaient à Raïssa, même quand l'aînée le tourmentait en se montrant ostensiblement câline avec Raïssa et glaciale avec lui. Depuis trois ans, il supportait ce rejet et cette froideur sans perdre son calme, encaissant l'hostilité de l'adolescente comme s'il croyait la mériter. Les deux sœurs étaient devenues son unique espoir de rédemption. Zoya le savait et en jouait. Plus il quêtait son affection, plus elle le haïssait. Raïssa ne pouvait ni souligner cette contradiction ni lui dire de se détendre. Après avoir été un communiste fanatique, il servait sa famille avec le même fanatisme. Son utopie était plus modeste, moins abstraite, mais bien qu'elle englobe seulement quatre personnes au lieu du monde entier, elle restait tout aussi irréaliste.

La rame entra dans la station TsPkiO. La première fois que les deux filles avaient entendu ce nom – abréviation de Tsentralnyi Park Kulturyi Otdykha Imeni Gorkovo – dans un haut-parleur, elles avaient éclaté de rire. Amusée par ce mot absurde, Zoya avait pour la première fois laissé échapper un magnifique sourire. Raïssa avait alors entrevu l'enfant qu'elle avait pu être, espiègle et enjouée. En quelques secondes, ce sourire s'était envolé. Raïssa en avait eu le cœur serré. Émotionnellement, elle ne s'impliquait pas moins que Leo. Ils n'avaient pas pu avoir d'enfants et l'adoption avait représenté son seul espoir d'être mère. Même si Leo était un ancien officier des services secrets, elle savait beaucoup mieux que lui dissimuler ses pensées. Elle veillait à ce que les deux sœurs n'aient pas sans cesse conscience de leur importance pour elle. Elle les traitait sans égards excessifs, leur imposant des règles de vie : école, vêtements, repas, sorties, devoirs. Malgré cette approche différente, elle partageait le rêve de Leo : celui de créer une famille soudée et heureuse.

Sortant de la station à l'angle d'Ostojenka et de Novokrymskiy, toutes trois suivirent le chemin tracé dans la neige vers leurs établissements respectifs. Au départ, Raïssa souhaitait inscrire les deux sœurs au même endroit, où, dans l'idéal, elle-même aurait également enseigné, afin qu'elles puissent rester ensemble. Mais il avait été décidé, par les instances locales ou en haut lieu, que Zoya irait au lycée 1535. Puisque celui-ci n'accueillait que des élèves du secondaire, il avait fallu inscrire Elena dans une école primaire. Raïssa avait tenté de faire valoir que, la majorité des établissements acceptant des élèves du primaire et du secondaire, il n'était pas nécessaire de séparer les deux sœurs. Requête rejetée : les frères et sœurs allaient en classe pour apprendre la loyauté envers l'État, et non pour renforcer leurs liens familiaux. Suivant ce raisonnement, Raïssa pouvait s'estimer heureuse d'avoir obtenu un poste au lycée 1535. Au moins pourrait-elle avoir Zoya à l'œil. Même si Elena, plus jeune, appréhendait de fréquenter une nouvelle école dans une grande ville, Raïssa s'inquiétait beaucoup plus pour Zoya. L'adolescente avait pris du retard dans ses études, son école de campagne n'étant pas au niveau de celles de Moscou. Son intelligence ne faisait aucun doute. Mais elle était indisciplinée, trop dispersée, et refusait, contrairement à Elena, de faire les efforts nécessaires pour s'intégrer, comme si elle mettait un point d'honneur à rester à l'écart.

Devant l'école primaire, installée dans un ancien hôtel particulier datant d'avant la révolution, Raïssa vérifia plus longuement que d'habitude l'uniforme d'Elena. Enfin, la serrant dans ses bras, elle murmura :

— Tout va bien se passer, je te le promets.

Les premières semaines, Elena pleurait dès qu'elle était séparée de Zoya. Même si elle s'était progressivement habituée à passer huit heures sans elle, à la fin de chaque journée de classe elle l'attendait avec impatience à la grille de l'école. Sa joie de revoir sa sœur aînée restait aussi intense que si elle la retrouvait après un an de séparation.

Quand Zoya eut serré à son tour Elena dans ses bras, cette dernière pénétra dans l'école, s'arrêtant à la porte pour faire un petit signe d'adieu. Lorsqu'elle eut disparu à l'intérieur, Zoya et Raïssa partirent en silence vers le lycée. Raïssa luttait contre l'envie de questionner Zoya. Elle ne voulait pas l'inquiéter avant le début des cours. Même la question la plus anodine risquait de la mettre sur la défensive, engendrant une agressivité qui rejaillirait sur l'ensemble de la journée. Si Raïssa lui parlait de ses devoirs, elle y voyait une critique implicite de ses résultats scolaires. Si Raïssa l'interrogeait sur ses camarades de classe, c'était une allusion à son refus de se faire des amis. Seul sujet de conversation possible : ses aptitudes sportives. Elle était grande et athlétique. Incapable d'obéir aux ordres, inutile de dire qu'elle détestait les sports collectifs. Rien de tel avec les sports individuels : qu'il s'agisse de nager ou de courir, elle était la plus rapide du lycée pour son âge. Elle refusait toutefois la compétition. Si on l'inscrivait à une course, elle faisait exprès de perdre, bien qu'elle ait assez d'amour-propre pour ne pas finir dernière. Elle visait la quatrième place, mais, évaluant mal sa vitesse ou se laissant emporter par le feu de l'action, il lui arrivait de terminer deuxième ou troisième.

Construit en 1929, bâtiment austère et anguleux, le lycée 1535 était censé incarner une conception égalitaire de l'instruction : une nouvelle forme d'architecture pour des élèves d'un genre nouveau. À vingt mètres des grilles Zoya se figea, les yeux dans le vague. Raïssa se pencha vers elle :

— Qu'y a-t-il ?

La tête basse, Zoya répondit dans un souffle :

— Je suis triste. Je suis tout le temps triste.

Raïssa se mordit la lèvre pour ne pas pleurer. Elle posa la main sur le bras de l'adolescente.

— Dis-moi ce que je peux faire.

— Elena ne peut pas retourner dans cet orphelinat : c'est impossible.

— Personne ne va retourner où que ce soit.

— Je veux qu'elle reste avec vous.

— Bien sûr qu'elle va rester avec nous. Et toi aussi. Je t'aime beaucoup.

Jamais Raïssa n'avait osé dire ces mots à voix haute. Zoya la dévisagea longuement.

— Je pourrais être heureuse… avec toi.

C'était la première fois qu'elles se parlaient à cœur ouvert. Raïssa devait se montrer prudente : qu'elle prononce une parole de trop, réponde à côté, et Zoya se refermerait comme une huître. L'occasion ne se représenterait peut-être pas de sitôt.

— Dis-moi ce que tu attends de moi.

Zoya réfléchit.

— Que tu quittes Leo.

Ses yeux magnifiques semblèrent s'agrandir encore, guettant la réaction de Raïssa. Son regard était plein d'espoir à l'idée de ne plus revoir Leo. Elle demandait à Raïssa de divorcer. Comment connaissait-elle l'existence du divorce ? Il en était rarement question. La permissivité initiale de l'État avait disparu sous Staline, compliquant la procédure, coûteuse et mal vue. Raïssa avait plus d'une fois envisagé de vivre sans Leo. Zoya avait-elle perçu les traces de cette amertume, y trouvant des raisons d'espérer ? Aurait-elle osé évoquer une séparation s'il n'y avait aucune chance que Raïssa dise oui ?

— Zoya…

Raïssa éprouvait une irrésistible envie de donner satisfaction à l'adolescente. Dans le même temps, celle-ci était encore jeune : elle avait besoin d'être éduquée, de comprendre qu'elle ne pouvait prendre tous ses désirs pour des réalités.

— Leo a changé. Parlons ensemble ce soir, tous les trois.

— Je ne veux pas lui parler. Je ne veux plus le voir ni entendre le son de sa voix. Je voudrais que tu le quittes.

— Mais… je l'aime.

L'espoir s'évanouit dans le regard de Zoya. Son expression devint glaciale. Elle planta là Raïssa et courut vers les grilles du lycée.

Raïssa la regarda disparaître à l'intérieur du bâtiment. Inutile d'essayer de la rattraper : elles ne pourraient discuter en présence des autres élèves, et de toute façon il était trop tard. Zoya se buterait, resterait muette. L'occasion était passée. Raïssa avait donné sa réponse : « Je l'aime. » Trois mots accueillis par le silence stoïque du détenu apprenant sa condamnation à mort. S'en voulant de cette réponse catégorique, la jeune femme pénétra à son tour dans le bâtiment. Indifférente aux élèves et aux enseignants qu'elle croisait, elle songeait au rêve de Zoya : vivre sans Leo.

Incapable de se concentrer, l'esprit ailleurs, elle entra dans la salle des professeurs. Un paquet l'attendait, accompagné d'une lettre. Elle ouvrit l'enveloppe, parcourut la missive. Elle contenait des consignes : on demandait à Raïssa de lire le document joint à tous ses élèves, quel que soit leur âge. La lettre venait du ministère de l'Éducation. Déchirant le papier kraft enveloppant le paquet, elle découvrit l'inscription sur le couvercle de la boîte :

NE PAS DIFFUSER DANS LA PRESSE

Elle souleva le couvercle, sortit l'épaisse liasse de pages dactylographiées. En tant que professeur de sciences politiques, elle recevait régulièrement des documents qu'elle devait porter à la connaissance de ses élèves. Elle jeta la lettre d'accompagnement dans la corbeille à papier, s'aperçut qu'elle était remplie de lettres identiques. On avait dû en adresser un exemplaire à chaque enseignant, pour que le discours soit lu à tous. Déjà en retard, Raïssa prit la boîte et quitta la pièce.

Dans la salle de classe les élèves avaient profité de son retard pour se mettre à bavarder. Au nombre de trente, ils étaient âgés d'une quinzaine d'années. Elle avait déjà fait cours à la majorité d'entre eux durant les trois ans qu'elle venait de passer dans l'établissement. Posant les pages dactylographiées sur le bureau, elle expliqua qu'ils allaient entendre un discours de leur leader, Khrouchtchev. Elle attendit la fin des applaudissements pour commencer à lire à voix haute :

— « Rapport extraordinaire du XX$^{e}$ Congrès du Parti communiste de l'Union soviétique. Réunion à huis clos. 25 février 1956. Par Nikita Sergueïevitch Khrouchtchev, Premier secrétaire du Parti. »

Il s'agissait du premier congrès depuis la mort de Staline. Raïssa rappela à sa classe que la révolution communiste était une révolution mondiale, et qu'assistaient à ce congrès non seulement des dirigeants soviétiques, mais aussi des délégués des partis ouvriers du monde entier. Se préparant à une heure de platitudes et d'autosatisfaction, elle se concentra sur le mince espoir que Zoya réussirait à terminer la journée sans se bagarrer avec quiconque.

Très vite elle se laissa absorber par le texte qu'elle lisait. Ce n'était pas un discours ordinaire. Il ne s'ouvrait pas sur les habituelles descriptions des formidables succès de l'économie soviétique. Au milieu du quatrième paragraphe, les doigts crispés sur la feuille, elle s'interrompit, n'arrivant pas à en croire ses yeux. Le plus grand silence régnait dans la classe. D'une voix mal assurée, elle reprit :

— « … Staline a progressivement fait l'objet d'un culte de la personnalité qui a engendré toute une série de perversions extrêmement graves des principes du Parti, de la démocratie au sein du Parti, et de l'esprit de la révolution. »

Stupéfaite, elle tourna les pages pour voir si le discours continuait dans la même veine, lisant en silence : « Les traits négatifs de la personnalité de Staline, à l'état latent du temps de Lénine, se sont transformés ces dernières années en de graves abus de pouvoir… »

Elle avait passé toute sa carrière à faire de la propagande officielle, à enseigner à ces adolescents que l'État avait toujours raison, qu'il était toujours juste et bon. Si Staline était coupable d'avoir laissé se développer un culte de la personnalité, Raïssa y avait contribué. Elle avait justifié l'enseignement de contrevérités par le fait que ses élèves devaient apprendre le langage de l'adulation, le vocabulaire de l'adoration de l'État, sans lequel ils risquaient d'éveiller les soupçons. Les rapports entre un élève et son professeur reposaient sur la confiance. Elle pensait avoir respecté ce principe au sens où elle ne disait pas la vérité dans l'absolu, mais les vérités que les adolescents avaient besoin d'entendre. Ce discours faisait d'elle une menteuse. Elle se redressa. Les élèves étaient trop troublés pour en saisir immédiatement les implications, mais ils finiraient par comprendre. Ils découvriraient qu'elle n'était pas une enseignante bien informée, mais une esclave au service des autorités du moment.

La porte s'ouvrit brusquement. Iulia Peshkova, une de ses collègues, apparut dans l'encadrement, le visage écarlate, incapable d'articuler une parole. Raïssa se leva :

— Qu'y a-t-il ?

— Viens vite.

Iulia était le professeur de Zoya. L'angoisse étreignit Raïssa. Elle posa les pages du discours, demanda aux élèves de rester assis à leur place, suivit Iulia dans le couloir et descendit l'escalier avec elle, sans réussir à obtenir une réponse sensée.

— Que s'est-il passé ?

— C'est Zoya. Et le discours. Alors que j'étais en train de le lire, elle ... Il faut que tu voies par toi-même.

Elles atteignirent la salle de classe. Iulia s'écarta pour laisser Raïssa entrer la première. Elle ouvrit la porte. Zoya se tenait debout sur le bureau, qui avait été poussé contre le mur. Les autres élèves étaient massés au fond de la pièce, le plus loin possible, comme si Zoya souffrait d'une maladie contagieuse. À ses pieds se trouvaient des pages du discours et des éclats de verre. Elle se dressait fièrement, l'air triomphant. Dans ses mains en sang elle serrait les deux moitiés d'une affiche détachée du mur, un portrait de Staline avec la légende suivante :

*PÈRE DE TOUS LES ENFANTS*

Elle avait grimpé sur le bureau pour décrocher le portrait ; elle en avait brisé le cadre, se coupant la main avant de déchirer le portrait en deux pour décapiter l'image de Staline. Ses yeux étincelaient, illuminés par la joie de la victoire. Elle brandit les deux moitiés de l'affiche barbouillée de son sang comme si elle présentait à l'assistance la dépouille d'un ennemi vaincu.

— Il n'est pas mon père.

*Le même jour*

LE SOL DU COULOIR DEVANT L'APPARTEMENT DE NIKOLAÏ était jonché de lambeaux de discours. À la vue des pages déchirées et de certains mots, Leo sortit son pistolet. Derrière lui, Timur l'imita. Marchant sur les feuilles de papier, Leo tourna la poignée de la porte. L'appartement n'était pas fermé à clé. Leo poussa la porte d'un coup d'épaule, pénétra avec son adjoint dans la salle de séjour déserte. Aucune trace de bagarre. Les portes des autres pièces étaient fermées, sauf une : celle de la salle de bains.

La baignoire était pleine à ras bord d'une eau rougie par le sang : à la surface émergeaient la tête de Nikolaï et le sommet de son gros ventre velu. Il avait la bouche et les yeux exorbités, comme s'il n'en revenait pas d'être accueilli aux portes de la mort par un ange au lieu d'un démon. Leo s'accroupit au chevet de son ancien mentor, dont il s'appliquait depuis trois ans à oublier toutes les leçons. Timur l'appela :

— Leo…

Au ton de son adjoint, il se leva aussitôt et le suivit dans la chambre.

Les deux fillettes semblaient dormir, les couvertures remontées jusqu'au menton. En pleine nuit, le silence de la pièce aurait paru normal. Mais il était presque midi et le soleil filtrait entre les rideaux. Le visage face au mur, les deux sœurs se tournaient le dos. La longue chevelure soyeuse de l'aînée recouvrait l'oreiller. Leo l'écarta pour lui palper le cou. Une vague tiédeur persistait sous l'épaisse couverture dans laquelle on avait bordé l'enfant avec amour. Aucune trace de violence sur son cadavre. La cadette, âgée de quatre ans au plus, était installée de la même façon. Son petit corps était froid. Il avait perdu sa chaleur plus vite que celui de sa sœur. Leo ferma les yeux. Il aurait pu sauver ces deux gamines.

Dans la chambre voisine, Ariadna, l'épouse de Nikolaï, semblait endormie comme ses filles. Leo la connaissait un peu. Sept ans auparavant, après une arrestation, Nikolaï insistait souvent pour que Leo mange avec lui. Quelle que soit l'heure, Ariadna leur faisait à dîner, offrant aux deux hommes politesse et hospitalité après leurs actes barbares. Ces repas étaient censés démontrer la valeur d'un espace privé où la réalité sanglante de leur métier n'existait pas, où ils pouvaient entretenir l'illusion de n'être rien d'autre que des maris aimants. Assis devant la coiffeuse d'Ariadna, Leo contempla les poudres et parfums, la brosse à cheveux en ivoire – autant de luxes qu'elle avait acceptés pour prix de sa dévotion aveugle. Elle n'avait jamais compris que l'ignorance n'était pas un choix, mais la condition de son existence. Nikolaï n'aurait pas supporté sa famille autrement.

*Ne dis jamais rien à ta femme.*

Jeune officier, Leo avait vu dans cette mise en garde, soufflée à son oreille après sa première arrestation, une allusion à la nécessité de la prudence et du secret, un rappel qu'il ne fallait faire confiance à personne, pas même à ses proches. En réalité Nikolaï voulait dire tout autre chose.

Incapable de rester plus longtemps dans l'appartement, Leo se leva. Laissant les cadavres derrière lui, il regagna le couloir d'un pas chancelant, s'adossa au mur et reprit son souffle. Il avait sous les yeux ce qu'il restait du discours de Khrouchtchev, déposé à la porte dans une intention criminelle. À son retour la veille au soir, Nikolaï en avait lu une petite partie : le reste semblait intact dans la boîte. Une page était déchirée en mille morceaux. Avait-il cru pouvoir détruire ces mots ? Si cette idée lui avait traversé l'esprit, la lettre d'accompagnement avait dû mettre un terme à ses espoirs. Le discours allait être reproduit et diffusé. La présence de cette circulaire officielle signifiait que Nikolaï ne pouvait plus garder pour lui les secrets de son passé.

Leo consulta Timur du regard. Avant de rejoindre la brigade des homicides, celui-ci, alors officier de la milice, n'arrêtait que des ivrognes, des violeurs et des cambrioleurs. La milice pouvait procéder à des arrestations politiques, mais Timur avait eu la chance d'échapper à ce genre de mission – du moins n'en parlait-il jamais.

Alors qu'il perdait rarement son calme, il semblait très en colère.

— Ce Nikolaï était un lâche.

Leo hocha la tête. C'était vrai, Nikolaï avait eu peur d'affronter la réprobation de sa famille. Or sa famille était toute sa vie. Il ne pouvait vivre sans sa femme et ses filles. Pas plus qu'il ne pouvait mourir sans elles.

Leo ramassa une page du discours, l'examina comme s'il s'agissait d'un couteau ou d'un pistolet – l'arme du crime. Il avait lu ce discours le matin même, juste après l'avoir reçu. Impressionné par la violence des critiques, il ne lui avait pas fallu longtemps pour comprendre que, si on le lui avait envoyé, Nikolaï l'aurait aussi. La cible était évidente : les individus responsables des assassinats mentionnés.

Des pas lourds ébranlèrent la cage d'escalier. Les officiers du KGB arrivaient.

Ils pénétrèrent dans l'appartement, toisant Leo avec mépris. Après avoir quitté leurs rangs, il n'était plus des leurs. Il avait refusé une promotion pour pouvoir diriger sa brigade des homicides, dont ils réclamaient depuis le début la dissolution. Pour eux qui mettaient la loyauté plus haut que tout, Leo n'était qu'un traître.

Frol Panine, supérieur direct de Leo au ministère de l'Intérieur et responsable du Bureau principal des enquêtes criminelles, prit les choses en main. La cinquantaine, bel homme, il était élégant et courtois. Sans avoir jamais vu de films américains, Leo imaginait qu'il ressemblait aux acteurs de Hollywood. Parlant couramment plusieurs langues, ancien ambassadeur, il avait survécu au règne de Staline en restant à l'étranger. On racontait qu'il ne buvait pas, prenait quotidiennement de l'exercice, se faisait couper les cheveux une fois par semaine. Contrairement à beaucoup de dirigeants fiers de leurs origines modestes et indifférents au souci bourgeois des apparences, Panine était toujours impeccable. Discret, poli, il appartenait à une nouvelle génération de hauts fonctionnaires qui approuvaient sans doute le discours de Khrouchtchev. On le critiquait souvent derrière son dos. Jamais un homme aussi raffiné n'aurait pu faire carrière sous Staline, disait-on. Il avait les mains trop blanches, les ongles trop propres. Lui-même aurait sûrement pris ces remarques pour un compliment.

Il étudia la scène du crime avant de s'adresser à ses officiers :

— Que nul ne quitte l'immeuble. Faites le décompte des occupants de tous les appartements, comparez avec la liste des résidents et vérifiez que tout concorde. Que personne n'aille travailler ; ramenez ceux qui sont déjà partis. Interrogez chacun pour savoir ce qu'il a vu ou entendu. Si vous avez l'impression que certains vous mentent ou vous cachent quelque chose, mettez-les en cellule et interrogez-les à nouveau. Pas de violences ni de menaces : faites-leur simplement comprendre que notre patience a des limites. S'ils savent bel et bien quelque chose…

Panine s'interrompit.

— On verra au cas par cas. Il me faut également une version officielle. Entendez-vous sur les détails, mais qu'il ne soit pas question de meurtre. Compris ?

Après réflexion, il préféra choisir lui-même un mensonge plausible :

— Ces quatre citoyens n'ont pas été assassinés. Ils ont été arrêtés et emmenés. Leurs filles ont été envoyées dans un orphelinat. Commencez à répandre des rumeurs sur leur attitude subversive. Utilisez toutes les bonnes volontés dans les immeubles voisins. Absolument personne ne doit voir ces cadavres. Évacuez la rue si nécessaire.

Mieux valait faire croire qu'on avait arrêté une famille entière plutôt qu'annoncer qu'un officier du MGB en retraite venait d'assassiner femme et enfants.

Panine se tourna vers Leo :

— Vous avez vu Nikolaï, la nuit dernière ?

— Il m'a appelé vers minuit. Ça m'a surpris. En cinq ans, c'était la première fois que je lui parlais. Il était ivre et très perturbé. Il voulait me rencontrer. J'ai accepté. J'étais fatigué, il était tard. Il m'a tenu des propos incohérents. Je lui ai suggéré de rentrer chez lui et de reprendre notre conversation quand il serait dégrisé. Je ne l'ai pas revu. En arrivant chez lui, il a trouvé le discours de Khrouchtchev devant sa porte. Quelqu'un l'avait apporté dans le cadre d'une campagne contre lui, sans doute à l'instigation de ceux qui l'ont fait déposer sur mon paillasson ce matin.

— Vous l'avez lu ?

— Oui, d'où ma présence. Ce n'est pas une coïncidence si ce discours m'a été adressé au moment où Nikolaï cherchait à reprendre contact avec moi.

Panine se retourna pour contempler Nikolaï dans son bain de sang.

— Je me trouvais au Kremlin quand Nikita Khrouchtchev a prononcé ce discours. Pendant plusieurs heures, personne ne bougeait. Silence et incrédulité. Seul un petit groupe de personnes y avaient travaillé, quelques membres du Présidium triés sur le volet. Aucune annonce préalable. Le XXe Congrès avait commencé par dix jours de discussions sans intérêt. Les délégués applaudissaient encore le nom de Staline. Le dernier jour, les délégations étrangères s'apprêtaient à rentrer chez elles. On nous a convoqués pour une séance à huis clos. Khrouchtchev s'est acquitté de sa tâche avec une certaine jubilation. Il tient farouchement à reconnaître les erreurs du passé.

— Devant tout le pays ?

— Il a déclaré que ce discours ne devait pas franchir les murs du Kremlin : il pouvait nuire à la réputation de notre pays.

Leo ne put cacher sa colère :

— Alors pourquoi l'avoir mis en circulation à des millions d'exemplaires ?

— Khrouchtchev a menti. Il souhaite que les gens le lisent, et sachent qu'il a demandé pardon avant tout le monde. Il vient d'entrer dans l'histoire. Il est le premier à oser critiquer Staline sans être exécuté. La mention « Ne pas diffuser dans la presse » est une concession aux opposants à ce discours. Bien sûr, c'est une stipulation absurde, compte tenu des projets de diffusion à grande échelle.

— Khrouchtchev a fait carrière sous Staline.

Panine sourit.

— On est tous coupables, non ? Il le sait bien. Il fait son autocritique, mais de manière sélective. Au fond c'est une bonne vieille dénonciation : Staline est mauvais ; je suis bon. J'ai raison ; ils ont tort.

— Nikolaï, moi : ce sont des gens comme nous qu'il offre en pâture au public, faisant de nous des monstres.

— À moins qu'il ne montre au reste du monde quels monstres nous sommes réellement. Je m'inclus dans la liste, Leo. Ça vaut pour tous ceux qui étaient impliqués, qui faisaient marcher le système. Il ne s'agit pas d'une liste de cinq noms. Plusieurs millions de gens sont visés, tous compromis de près ou de loin. Vous n'avez donc jamais imaginé que les coupables puissent être plus nombreux que les innocents, Leo ?

Celui-ci jeta un coup d'œil aux officiers du KGB qui examinaient le cadavre des deux fillettes.

— Il faut arrêter ceux qui ont envoyé ce discours à Nikolaï.

— Vous avez des indices ?

Leo ouvrit son calepin, sortit la feuille de papier rapportée de l'imprimerie de Moskvin :

*Sous la torture, Eikhe*

Panine l'étudia tandis que Leo allait chercher une page de l'exemplaire du discours reçu par Nikolaï. Il désigna une phrase :

*Sous la torture, Eikhe a dû signer une confession préparée à l'avance par les magistrats chargés de l'enquête.*

Reconnaissant les quatre premiers mots, Panine demanda :

— D'où vient l'autre feuille ?

— D'une imprimerie dirigée par un certain Suren Moskvin, officier du MGB en retraite. Je suis sûr qu'il a reçu le discours. Ses fils prétendent qu'il avait un contrat avec l'État pour l'impression de dix mille exemplaires. Mais je n'en ai trouvé aucune trace. Je ne crois pas à son existence : c'était un mensonge. On lui a fait miroiter un contrat et on lui a remis ce discours. Il a travaillé toute la nuit à sa composition ; arrivé à ces mots, il a décidé de se suicider. On lui a donné le discours en sachant très bien quel effet il aurait sur lui, tout comme on nous l'a donné, à Nikolaï et à moi. Hier, Nikolaï m'a raconté qu'on lui envoyait des photos de ceux qu'il avait arrêtés. Moskvin aussi recevait sans cesse des photos de gens avec lesquels il avait été en contact.

Leo tendit à Panine l'exemplaire modifié de *L'État et la Révolution*, montrant la photo collée sur la page de titre à la place de celle de Lénine.

— Je suis sûr que quelqu'un a fait le lien entre nous trois – Suren, Nikolaï et moi –, quelqu'un de récemment libéré, un proche d'une …

Leo s'interrompit.

— … d'une victime.

— Combien de personnes avez-vous arrêtées en tant qu'officier du MGB ? demanda Timur.

Leo réfléchit. Parfois, c'étaient des familles entières : six personnes en une seule nuit.

— En trois ans… Plusieurs centaines.

Timur ne put dissimuler sa surprise. Cela faisait beaucoup.

— Et vous croyez que le coupable enverrait sa photo ? fit observer Panine.

— Ils n'ont plus peur de nous. C'est nous qui avons peur d'eux.

Panine frappa dans ses mains pour rassembler les officiers.

— Fouillez l'appartement. On recherche une liasse de clichés.

— Nikolaï les aura dissimulés avec soin, ajouta Leo. Pour lui, il était essentiel que sa famille ne les trouve jamais. En tant qu'ancien agent secret, il connaissait les bonnes cachettes et celles où les gens ont tendance à chercher.

La fouille systématique de l'appartement luxueux que Nikolaï avait mis des années à meubler et à décorer prit deux bonnes heures. Pour pouvoir regarder sous les lits et soulever les lames de parquet, les corps de sa femme et de ses filles furent regroupés au centre de la salle de séjour, enveloppés dans des draps. Autour d'eux, les penderies furent fracturées, les matelas éventrés. Aucune photo ne fut retrouvée.

Furieux, Leo contempla Nikolaï gisant dans l'eau rouge sang. Une idée lui traversa l'esprit. Il s'approcha de la baignoire et y plongea le bras sans enlever sa chemise. Il toucha la main de Nikolaï. Elle était refermée sur une volumineuse enveloppe. Il devait la serrer au moment de sa mort. Le papier se délita sous les doigts de Leo ; le contenu de l'enveloppe vint flotter à la surface. Timur et Panine s'approchèrent à leur tour, regardant des visages d'hommes et de femmes remonter un à un des profondeurs de la baignoire. Bientôt des centaines de visages superposés ondulèrent sur l'eau. Le regard de Leo allait des vieilles femmes aux jeunes gens, des parents aux enfants. Il ne reconnaissait personne. Soudain un visage retint son attention. Il prit la photo.

— Vous connaissez cet homme ? demanda Timur.

Oui, Leo le connaissait. Il s'appelait Lazare.

*Le même jour*

SUR L'ENVELOPPE ON AVAIT DESSINÉ AVEC SOIN, à l'encre, une croix orthodoxe. Petite, à peu près de la taille de sa paume. L'auteur s'était appliqué : les proportions étaient justes, le graphisme minutieux. Ce dessin devait-il engendrer la peur, comme si Krassikov était un vampire ou un démon ? Selon toute vraisemblance il s'agissait plutôt d'un commentaire ironique sur sa foi. Dans ce cas, il témoignait d'un manque de psychologie, d'un certain amateurisme.

Krassikov brisa le sceau, vida le contenu de l'enveloppe sur sa table de travail. Encore des photos... Il fut tenté de les jeter au feu comme les précédentes, mais la curiosité l'emporta. Il chaussa ses lunettes, écarquilla les yeux pour étudier cette nouvelle série de visages. À première vue, ils ne lui disaient rien. Alors qu'il allait ranger les clichés, l'un d'eux retint son attention. Il se concentra, s'efforçant de se rappeler le nom de cet homme au regard intense : *Lazare*.

C'étaient des photos de prêtres qu'il avait dénoncés.

Il les compta. Trente visages : en avait-il trahi autant ? Tous n'avaient pas été arrêtés du temps où, patriarche de Moscou et de la Sainte Russie, il était la principale autorité religieuse du pays. Les dénonciations, antérieures à sa nomination, s'étendaient sur plusieurs années. Il avait soixante-quinze ans. Trente dénonciations sur toute une vie, c'était peu. Son obéissance calculée aux demandes de l'État avait épargné à l'Église des dommages incommensurables – alliance contre nature, certes, mais le sacrifice de ces trente prêtres était indispensable. C'est par négligence qu'il était incapable de donner leur nom. Il aurait dû prier pour eux chaque soir. Au lieu de quoi il les avait laissés glisser de sa mémoire comme la pluie sur une vitre. Il avait trouvé plus facile oublier que de demander pardon.

Même avec leur photo entre les mains, il n'éprouvait aucun remords. Ce n'était pas pour se vanter, mais il ne faisait pas de cauchemars, n'avait pas d'angoisses. Il se sentait en paix avec sa conscience. Oui, il avait lu le discours de Khrouchtchev, envoyé par ceux-là mêmes qui lui adressaient ces photos. Il avait lu les critiques contre le régime sanglant de Staline, régime qu'il avait soutenu en ordonnant à ses prêtres de louer le Petit Père des Peuples dans leurs sermons. Sans doute s'agissait-il d'un culte de la personnalité auquel il avait sacrifié. Et alors ? Si ce discours inaugurait une période de vaine introspection, ainsi soit-il – mais qu'on ne compte pas sur lui pour y participer. Était-il responsable des persécutions contre l'Église durant les premières décennies du communisme ? Bien sûr que non : il s'était contenté de réagir à la situation dans laquelle il se retrouvait avec son Église bien-aimée. On lui avait forcé la main. La décision de livrer quelques collègues avait été déplaisante, mais facile à prendre. Certains individus croyaient pouvoir parler et agir à leur guise simplement parce que c'était la volonté de Dieu. Des naïfs, exaspérants par leur impatience à jouer les martyrs. De ce point de vue, il leur avait donné ce qu'ils voulaient : la possibilité de mourir pour leur foi.

Comme pour tout, la religion devait faire des compromis. Le *pomestny sobor* – concile des évêques – avait eu l'intelligence de le désigner comme patriarche. Il leur fallait quelqu'un d'habile autant que souple, raison pour laquelle l'État avait approuvé sa nomination, et en premier lieu autorisé ces élections – élections dûment truquées en sa faveur. À en croire certains, sa désignation violait le droit canon : la hiérarchie ecclésiastique n'avait pas besoin de l'approbation des autorités séculières. Lui-même ne voyait là qu'une obscure querelle théorique, alors que dans le même temps le nombre d'églises était passé de vingt mille à moins d'un millier. Fallait-il disparaître purement et simplement en se cramponnant à ses principes, tel un capitaine au mât de son navire en train de sombrer ? Sa nomination avait pour but d'inverser la tendance et d'enrayer ce déclin. Il avait réussi. De nouvelles églises sortaient de terre, on formait des prêtres au lieu de les abattre. Il avait fait ce qu'on attendait de lui, sans plus. Il n'avait jamais cherché à régler des comptes. Et l'Église avait survécu.

Las de ces réminiscences, Krassikov se leva. Il empila les photos, les mit au feu, les regarda s'enrouler sur elles-mêmes, noircir et se consumer. Il avait envisagé qu'il puisse y avoir des représailles. Impossible de diriger une organisation aussi complexe que l'Église orthodoxe, de négocier avec l'État sans se faire des ennemis au passage. D'un naturel prudent, il avait pris des mesures pour se protéger. Vieux, infirme, il n'était plus patriarche qu'en titre, et la gestion quotidienne de l'Église ne lui incombait plus. Il consacrait désormais le plus clair de son temps à l'institution pour enfants qu'il avait fondée près de l'église de la Conception de Sainte-Anne. Certains y voyaient la tentative de rédemption d'un homme proche de la mort. À leur aise. Peu lui importait. Il aimait ce travail : c'était aussi simple que ça. Les tâches matérielles étaient assurées par les plus jeunes membres du personnel ; lui-même s'occupait de l'éveil spirituel de la centaine d'enfants qu'ils pouvaient accueillir, les détournant de la dépendance au *chiffir*, stupéfiant extrait des feuilles de thé, afin qu'ils retrouvent le chemin de la religion. Pour lui qui consacrait sa vie à Dieu – engagement lui ayant interdit les joies de la paternité –, cette institution représentait une forme de compensation.

Il ferma la porte de son bureau, donna un tour de clé, descendit l'escalier jusqu'à la grande salle où les enfants prenaient leurs repas et suivaient leurs cours. Les dortoirs étaient au nombre de quatre : deux pour les filles, deux pour les garçons. Il y avait également un oratoire orné d'un crucifix, d'icônes et de cierges, où il dispensait son enseignement religieux. Aucun enfant ne pouvait rester dans l'établissement s'il n'ouvrait pas son cœur à Dieu. Ceux qui résistaient et refusaient de croire étaient renvoyés. On ne manquait pas de gosses des rues pour les remplacer. D'après des statistiques officielles tenues secrètes, mais dont il avait eu vent, on comptait quelque huit cent mille enfants sans abri à travers le pays ; essentiellement concentrés dans les grandes villes, ils envahissaient les gares, dormaient dans les ruelles. Certains s'étaient enfuis d'un orphelinat, d'autres d'un centre de rééducation par le travail. Venus pour la plupart de la campagne, ils survivaient en meutes comme des chiens sauvages, vivant de pillage et de larcins. Krassikov ne cédait pas au sentimentalisme. Il savait que ces gosses étaient potentiellement dangereux et malhonnêtes. Aussi recourait-il aux services d'anciens soldats de l'armée Rouge pour maintenir l'ordre. Le bâtiment était bien gardé. Nul ne pouvait y entrer ou en sortir sans autorisation. Tout nouvel arrivant était fouillé. À l'intérieur des gardes faisaient des rondes ; deux autres étaient postés en permanence à l'entrée. Engagés pour surveiller cette centaine d'enfants, ils avaient toutefois une autre fonction : ils servaient de gardes du corps à Krassikov.

Celui-ci inspecta la grande salle du regard, passa en revue les visages reconnaissants à la recherche de sa dernière recrue, un garçon de treize ou quatorze ans. Peu loquace, il avait refusé de donner son âge exact. Il était affligé d'un terrible bégaiement et d'un visage étrangement adulte, comme si chaque année qu'il avait passée sur terre en valait trois. L'heure était venue de l'inscrire officiellement, de tester la sincérité de son engagement religieux.

Krassikov fit signe à un garde de le lui amener. L'adolescent eut le mouvement de recul d'un chien battu devenu méfiant envers les humains. On l'avait trouvé sous une porte cochère à proximité de l'institution : en haillons, le nez sur les genoux, il serrait dans ses mains une statuette en porcelaine représentant un homme assis à cheval sur le dos d'un cochon. Sans doute un bibelot familial qui attestait de ses origines provinciales. La peinture, autrefois de couleur vive, avait passé. Curieusement la statuette semblait intacte : seule l'oreille gauche du cochon était ébréchée. Le jeune garçon, pourtant grand et fort, ne la quittait pas des yeux et ne s'en séparait jamais. Elle devait avoir pour lui une valeur sentimentale, un rappel de son passé.

D'un sourire poli, Krassikov prit congé du garde. Il ouvrit la porte de l'oratoire, croyant que l'adolescent allait le suivre. Celui-ci ne bougea pas, étreignant sa statuette comme si elle était remplie d'or.

— Personne ne t'oblige à faire quoi que ce soit contre ton gré. Mais si tu refuses d'accueillir Dieu, on ne pourra pas te garder.

Le jeune garçon jeta un coup d'œil aux autres enfants. Ils s'étaient interrompus dans leurs activités, curieux de sa décision finale. Personne ne disait jamais non. Il entra d'un pas hésitant.

— Rappelle-moi ton prénom, lui lança Krassikov au passage.

— Ser… gueï, bafouilla-t-il.

Krassikov referma la porte derrière eux. Tout était prêt dans la petite pièce. Des cierges étaient allumés. Le jour déclinait. Il s'agenouilla devant le crucifix sans donner de consigne à Sergueï, guettant sa réaction : simple test pour vérifier si l'adolescent avait reçu une éducation religieuse. Dans ce cas, celui-ci l'imiterait ; sinon il resterait près de la porte. Sergueï ne bougea pas.

— La plupart des autres enfants étaient dans l'ignorance à leur arrivée. Ce n'est pas un crime. Tu apprendras. J'espère que Dieu remplacera un jour ce jouet auquel tu sembles si attaché.

À la surprise du patriarche, l'adolescent ferma la porte à clé en guise de réponse. Sans attendre d'éventuelles questions, il avança en tirant un long fil d'acier de l'oreille ébréchée du cochon. Puis il leva la statuette au-dessus de sa tête et la projeta au sol de toutes ses forces. Krassikov s'écarta d'instinct. La statuette rata sa cible et vint se briser à ses pieds. Frappé de stupeur, il contempla les éclats de porcelaine. Il y avait quelque chose parmi les débris : un cylindre noir. Il se baissa, le ramassa. C'était une lampe torche.

Troublé, il se redressa. Avant qu'il ait pu se relever, un nœud coulant s'abattit sur sa tête, descendit autour de son cou – un nœud en acier. Sergueï tenait l'autre extrémité enroulée autour de sa main. Il donna un coup sec : le fil se tendit. Le souffle coupé, Krassikov hoqueta. Le sang lui afflua au visage. Ses doigts glissaient sur le fil d'acier sans pouvoir passer dessous. Sergueï donna un second coup sec et prit la parole d'une voix parfaitement posée, sans aucune trace de bégaiement :

— Répondez sans mentir et vous aurez la vie sauve.

À l'entrée de l'institution, deux gardes barrèrent la route à Leo et à Timur. Furieux de ce contretemps, Leo leur montra la photo de Lazare.

— Toute personne mêlée à l'arrestation de cet individu est une cible potentielle. Il y a déjà deux victimes. Si on a vu juste, le patriarche est peut-être en danger.

Les gardes restèrent imperturbables.

— On transmettra le message.

— Il faut absolument qu'on lui parle.

— Milice ou pas, le patriarche a ordonné de ne laisser entrer personne.

Soudain des cris s'élevèrent à l'étage. En quelques secondes, l'impassibilité laissa place à la panique. Abandonnant leur poste, les gardes montèrent l'escalier quatre à quatre, suivis de Leo et de Timur, et firent irruption dans une grande salle remplie d'enfants. Le personnel, massé autour d'une porte, la secouait sans réussir à l'ouvrir. Les gardes plongèrent dans la mêlée et se jetèrent sur la poignée en écoutant une avalanche d'explications :

— Il est entré pour prier.

— Avec le nouveau venu.

— Krassikov ne répond pas.

— Quelque chose a volé en éclats.

Leo coupa court à la discussion :

— Défoncez la porte !

Hésitant, ils se tournèrent vers lui.

— Allez-y !

Le plus massif et le plus robuste des gardes chargea, donnant un bon coup d'épaule contre le chambranle. À la seconde tentative, la porte céda.

Leo et Timur se frayèrent un passage à travers les éclats de bois pour entrer dans la pièce. Une voix juvénile, pleine d'assurance, les interpella :

— Restez où vous êtes !

Les gardes se figèrent, réduits à l'impuissance par la scène qui se déroulait sous leurs yeux.

Le patriarche était agenouillé face à eux, le visage écarlate, la bouche grande ouverte : sa langue pendait, obscène, pareille à une limace. Il avait le cou enserré dans un fil d'acier. Un jeune garçon tirait dessus, les mains enveloppées dans des chiffons. Tel un maître tenant son chien en laisse, il avait un pouvoir absolu :

qu'il tire un peu plus fort et le fil d'acier étranglerait le patriarche ou lui trancherait la gorge.

Avec précaution le garçon recula d'un pas, presque jusqu'à la fenêtre, maintenant le fil tendu. Leo quitta le groupe de gardes paralysés par leur échec. Une dizaine de mètres le séparaient du vieil homme. Pas question de foncer sur lui. Même s'il l'atteignait, jamais il ne réussirait à glisser les doigts sous le fil. Devinant les intentions de Leo, l'adolescent s'adressa à lui :

— Un pas de plus, et il est mort.

Il ouvrit une petite fenêtre, se hissa sur le rebord. La pièce se trouvait au deuxième étage – trop haut pour sauter.

— Qu'est-ce que tu veux ? demanda Leo.

— Les excuses de cet homme pour avoir trahi des prêtres qui lui faisaient confiance, des prêtres qu'il était censé protéger.

L'adolescent semblait réciter une leçon bien apprise. Leo jeta un coup d'œil à Krassikov. La peur de mourir le rendrait plus docile. Ce garçon avait reçu pour mission d'obtenir des excuses. Il obéirait aux ordres, c'était le seul levier dont Leo disposait.

— Il va demander pardon. Desserrez ce fil. Laissez-le parler. Il va dire ce que vous êtes venu entendre.

Le patriarche opina de la tête, l'air prêt à s'exécuter. Après réflexion, l'adolescent donna lentement un peu de mou. Krassikov hoqueta – incapable de retrouver son souffle.

Une ultime lueur de défiance éclaira ses yeux et Leo comprit qu'il s'était trompé. Rassemblant ses forces, le vieillard déclara en postillonnant :

— Dites à celui qui vous envoie… si c'était à refaire, je le trahirais à nouveau !

Hormis celui du patriarche, tous les regards convergèrent sur l'adolescent. Mais il n'était plus là : il avait sauté par la fenêtre.

Le fil d'acier fouetta l'air, tendu par le poids de l'adolescent à l'autre extrémité, et le vieillard fut soulevé comme une marionnette à fils avant de retomber sur le dos, entraîné vers la fenêtre qu'il percuta. Son corps se coinça dans l'encadrement. Leo se rua sur lui pour tenter de desserrer le fil autour de son cou, mais il avait déjà tranché la peau et les muscles. Il n'y avait plus rien à faire.

Par la fenêtre, Leo aperçut l'adolescent dans la rue en contrebas. Sans un mot, Leo et Timur s'élancèrent hors de la pièce, abandonnant les gardes anéantis ; ils se frayèrent un chemin à travers la grande salle remplie d'enfants et descendirent l'escalier. Le fuyard était agile, rusé, mais jeune : il ne réussirait pas à les distancer.

Lorsqu'ils arrivèrent dans la rue, il était invisible. Pas d'impasses ni de carrefours à proximité : il pouvait difficilement avoir remonté toute la rue durant le peu de temps qu'il leur avait fallu pour quitter le bâtiment. Leo courut vers la fenêtre d'où pendait le fil d'acier. Les empreintes le conduisirent jusqu'à une bouche d'égout. La neige avait été enlevée. Timur souleva la plaque. Le trou était profond : une échelle métallique permettait de descendre dans les égouts. Le garçon était déjà presque en bas, les mains toujours enveloppées de chiffons. Apercevant de la lumière au-dessus de lui, il leva les yeux, offrant son visage aux rayons du soleil. À la vue de Leo, il lâcha l'échelle, se laissant tomber et s'enfonçant dans les ténèbres.

Leo se tourna vers Timur :

— Allez chercher les torches électriques dans la voiture.

Sans attendre, Leo s'agrippa à l'échelle et entreprit de descendre. Les barreaux étaient glacés et ses paumes nues collaient au métal. Chaque fois qu'il lâchait un barreau, la peau se déchirait. Il avait des gants dans la voiture, mais impossible d'interrompre la poursuite. Les égouts se composaient d'un labyrinthe de tunnels. L'adolescent pouvait disparaître dans n'importe lequel : qu'il oblique brusquement, et il serait libre. Leo serrait les dents pour avoir moins mal, les paumes en sang. Le regard voilé par les larmes, il baissa les yeux, évalua la distance qui le séparait du fond. Encore trop haut pour sauter… Il fallait continuer, appliquer sa chair à vif sur le métal glacé. Dans un cri, il lâcha l'échelle.

Atterrissant sur un étroit quai en béton glissant, il faillit tomber dans une canalisation charriant des eaux usées. Il se rétablit et inspecta les environs : un immense tunnel de brique, à peu près de la taille d'un couloir de métro. Le cercle de lumière venant de la bouche d'égout n'éclairait que le sol à ses pieds. Devant lui tout était noir à l'exception d'un point lumineux, pas plus gros qu'une luciole, à une cinquantaine de mètres de là. Une torche électrique. L'adolescent avait préparé sa fuite.

Le point lumineux s'évanouit. Soit le fuyard avait éteint sa lampe, soit il avait emprunté un autre tunnel. Incapable de le suivre dans l'obscurité ou de voir le quai, Leo jeta un coup d'œil à l'entrée, guettant l'arrivée de Timur : chaque seconde comptait.

— Allez…

Le visage de son collègue apparut au-dessus de lui.

— Envoyez la torche !

Si Leo ne réussissait pas à l'attraper, elle se fracasserait contre le béton et il lui faudrait attendre l'arrivée de Timur pour reprendre la poursuite. L'adolescent serait loin. Timur s'écarta pour ne pas masquer la lumière. Seuls restaient visibles son bras tendu et la torche qu'il plaça au centre du trou. Il la lâcha.

Leo suivit sa chute des yeux : elle tournait sur elle-même et ricochait sur la paroi, sa trajectoire devenant totalement imprévisible. Il avança d'un pas, leva les bras et la saisit au vol entre ses paumes à vif. Résistant à l'envie de tout lâcher, il l'alluma. L'ampoule marchait encore. Il braqua le faisceau lumineux dans la direction prise par le fuyard, découvrit le long du tunnel un quai surplombant le flot lent des eaux usées. Il se mit à courir – limité dans sa vitesse par la glace et le sol glissant, ses lourdes chaussures dérapant sur cette surface instable. Atténuée par le froid, l'odeur était supportable et il se contentait de respirer à petites bouffées.

À l'endroit où l'adolescent avait disparu, le quai s'interrompait. Un second tunnel commençait, beaucoup plus petit – un mètre de large environ –, sa base à la hauteur de l'épaule de Leo. Ce tunnel se déversait dans la canalisation en contrebas. Des traînées d'excréments souillaient la paroi. Le garçon avait dû s'échapper par là. Leo n'avait pas le choix : il devait s'y engager.

Il y posa sa torche. À contrecœur il prit appui sur le rebord gluant, la douleur se réveillant dès que ses paumes furent en contact avec les immondices. Sonné, il essaya de se maintenir en hauteur, conscient que s'il lâchait prise il tombait dans les eaux en contrebas. Mais plus loin il n'avait rien à quoi se retenir : il tendit le bras, sa main s'enfonça dans une couche de vase. Le bout de sa chaussure calé entre les briques, il se hissa de nouveau et nettoya tant bien que mal ses mains couvertes d'excréments. Dans cet espace confiné, la puanteur était insupportable. Il eut un haut-le-cœur. Se retenant pour ne pas vomir, il récupéra sa torche, éclaira le tunnel sur toute sa longueur et se mit à ramper sur les coudes.

Une série de barreaux rouillés bloquèrent sa progression. Entre chacun d'eux il y avait à peine la largeur de sa paume. Le fuyard avait dû prendre un autre chemin. Prêt à faire demi-tour, Leo se ravisa. Aucun doute : il n'y avait pas d'autre voie. Enlevant la couche de crasse, il examina les barreaux. Deux d'entre eux étaient descellés. Il tira dessus. Ils cédèrent sans difficulté. L'adolescent avait reconnu son itinéraire, voilà pourquoi il s'était muni d'une torche électrique et avait enveloppé ses mains dans des chiffons. Depuis le début il comptait s'enfuir par les égouts. Leo eut du mal à se faufiler entre les barreaux restants. Contraint d'enlever sa veste pour passer, il déboucha dans une salle monumentale.

Se laissant glisser par terre, Leo eut l'impression que le sol bougeait sous ses pieds. Il abaissa le faisceau de la torche. La pièce grouillait de rats. Sa curiosité l'emporta sur le dégoût : ils se déplaçaient tous dans la même direction. Il orienta sa torche vers l'endroit qu'ils fuyaient, un ancien tunnel dans lequel il aperçut le garçon, à une centaine de mètres de lui. Il s'était arrêté : debout, il s'appuyait d'une main à la paroi. Mû par un mauvais pressentiment, Leo avança prudemment.

L'adolescent fit volte-face. À la vue de son poursuivant, il reprit aussitôt sa course. Il portait sa torche autour du cou, retenue par une ficelle, ce qui lui laissait les mains libres. Leo posa la paume sur la paroi. Les vibrations firent trembler ses doigts.

Le fuyard courait à toute vitesse, de l'eau jusqu'aux chevilles. Leo suivait sa progression à l'aide de sa propre torche. Avec l'agilité d'un chat, le jeune garçon utilisa les parois incurvées pour prendre son élan et sauter le plus haut possible afin d'atteindre le premier barreau d'une échelle dépassant d'une sorte de puits de lumière. Il le rata et retomba dans une gerbe d'eau. Leo s'élança. Derrière lui, Timur poussa un cri de dégoût, sans doute en découvrant la masse de rats. L'adolescent s'était relevé et se préparait à une seconde tentative.

Soudain, la rigole d'eau stagnante se mit à gonfler, le niveau monta. Un formidable grondement emplit le tunnel. Leo leva sa torche. De l'écume apparut dans le faisceau lumineux : la crête d'un mur liquide qui déferlait vers eux, à moins de deux cents mètres.

N'ayant que quelques secondes devant lui, l'adolescent bondit à nouveau pour atteindre le premier barreau. Cette fois, il put s'y suspendre à deux mains et grimpa à l'intérieur du puits de lumière, hors d'atteinte des flots. Leo se retourna, l'eau se rapprochait de lui. Timur, lui, venait d'entrer dans le tunnel principal.

Arrivé à la base de l'échelle, Leo, sa torche coincée entre les dents, bondit à son tour, s'agrippa au barreau d'acier et, les mains en feu, entreprit lui aussi l'ascension. Ignorant la douleur, il accéléra, comblant son retard. Il saisit le pied du jeune fuyard. Tenant bon malgré les coups de pied de celui-ci pour se libérer, il orienta sa torche vers le bas. Sous le puits de lumière, Timur, pris au piège, lâcha sa torche et bondit. Il s'accrocha des deux mains au premier barreau au moment où l'eau déferlait autour de lui dans une explosion d'écume.

L'adolescent éclata de rire :

— Si vous voulez sauver votre ami, il va falloir me lâcher !

Il avait raison. Leo devait abandonner la partie et redescendre aider Timur.

— Il va mourir !

Timur surgit hors de l'eau en suffoquant et passa le bras autour du barreau suivant pour échapper au torrent d'écume. Même si son corps était immergé, il avait un solide point d'appui.

Soulagé, Leo resta où il était, tenant toujours la cheville de l'adolescent qui se débattait. Timur se hissa jusqu'à lui, récupéra la torche coincée entre ses dents et la braqua sur le visage du jeune garçon.

— Encore un coup de pied et je te casse la jambe.

Le gamin obtempéra : nul doute que Timur s'exécuterait. Leo ajouta :

— On grimpe ensemble tout doucement jusqu'en haut. Compris ?

Le garçon fit signe que oui. Ils montèrent lentement, laborieusement, progressant telle une araignée difforme.

Au dernier barreau, Leo s'arrêta, retenant le fuyard par la cheville tandis que Timur les enjambait tant bien que mal pour atteindre le tunnel au-dessus d'eux.

— Lâchez-le.

Leo obéit et grimpa à son tour. Timur immobilisait les bras de leur prisonnier. Leo reprit sa torche du bout des doigts pour épargner ses paumes à vif. Il projeta le faisceau lumineux dans les yeux de l'adolescent.

— Ta seule chance de rester en vie, c'est de parler. Tu as assassiné une personnalité importante. Beaucoup de gens vont réclamer ton exécution.

Timur secoua la tête.

— Vous perdez votre temps. Regardez son cou.

Le garçon portait un tatouage représentant une croix orthodoxe.

— Il fait partie d'un gang. Il préférera mourir plutôt que parler.

Le garçon sourit :

— Pendant que vous êtes là, dans les égouts..., votre femme... Raïssa...

La réaction de Leo fut instantanée : le saisissant au collet, il l'arracha à l'emprise de Timur et le souleva du sol. Exactement ce que l'autre attendait. Souple comme une anguille, il se débarrassa de sa chemise, se laissa tomber à terre et s'élança vers la lumière. La chemise à la main, Leo fit pivoter sa torche, le découvrit accroupi au bord du trou, se rua sur lui. Trop tard. Le jeune garçon fit un pas dans le vide, tombant dans l'eau en contrebas. Leo jeta un coup d'œil au fond. Aucune trace : l'adolescent avait disparu, emporté par les flots tumultueux.

Leo inspecta fébrilement les alentours : un tunnel de béton sans issue. Raïssa était en danger. Et il n'y avait aucun moyen de s'échapper.

*Le même jour*

RAÏSSA ÉTAIT ASSISE EN FACE DE KARL ENUKIDZE, le proviseur du lycée – un homme courtois à la barbe grisonnante. Iulia Peshkova, le professeur de Zoya, assistait à l'entretien. Karl se grattait le menton d'avant en arrière, posant alternativement les yeux sur Raïssa et sur Iulia. Cette dernière évitait le plus possible son regard, se mordillant la lèvre : elle aurait préféré être ailleurs. Raïssa comprenait leur appréhension. Si la destruction du portrait de Staline donnait lieu à une enquête, Zoya serait surveillée par le KGB. Et eux aussi. On rechercherait des coupables : fallait-il blâmer l'adolescente, ou les adultes qui l'avaient influencée ? Karl était-il un dissident encourageant les activités subversives de ses élèves au lieu de les inciter à faire preuve d'un patriotisme fervent ? À moins que les cours de Iulia ne témoignent d'un certain antisoviétisme ? On mettrait en cause les qualités de mère adoptive de Raïssa. Chacun mesurait hâtivement les conséquences possibles. Rompant le silence, Raïssa prit la parole :

— On réagit comme si Staline était encore en vie. Les temps ont changé. Plus personne n'a envie de dénoncer une gamine de quatorze ans. Vous avez lu ce discours : Khrouchtchev reconnaît que cette politique d'arrestations est allée trop loin. Il est donc inutile de soumettre aux autorités un problème interne à l'établissement. On peut le régler nous-mêmes. Regardons les choses en face : il ne s'agit que d'une adolescente perturbée, dont j'ai par ailleurs la charge. Laissez-moi l'aider.

À en juger par le mutisme de ses interlocuteurs, on n'effaçait pas toute une vie passée dans la crainte par un simple discours, quels qu'en soient l'auteur et le contenu. Se concentrant sur l'essentiel, Raïssa insista :

— Il vaudrait mieux que cet incident ne sorte pas d'ici.

Iulia leva les yeux. Karl se redressa dans son fauteuil. De nouveau ils évaluaient les conséquences. Raïssa tentait d'étouffer l'affaire : sa suggestion pouvait être retenue contre elle.

— Nous ne sommes pas les seules personnes à être au courant, répondit Iulia. Tous les élèves de ma classe ont vu la scène. Ils sont plus de trente. À l'heure qu'il est, ils auront déjà tout raconté à leurs camarades, toujours plus nombreux. Je ne serais pas surprise que dès demain tout le lycée en parle. La nouvelle circulera à l'extérieur. Les parents l'apprendront, ils voudront savoir pourquoi nous n'avons rien fait. Que répondrons-nous ? Que ça nous a paru sans importance ? Ce n'est pas à nous d'en décider. Remettons-nous-en à l'État. Les gens découvriront la vérité, Raïssa, et si nous ne disons rien, quelqu'un d'autre le fera.

Elle avait raison : impossible de dissimuler l'incident. Sur la défensive, Raïssa répliqua :

— Et si Zoya quittait l'établissement sur l'heure ? Je préviendrais Leo, qui informerait ses collègues. On lui trouverait un autre lycée. Bien entendu, je partirais avec elle.

Il n'était plus question que Zoya poursuive sa scolarité ici. Les autres élèves l'éviteraient. La plupart refuseraient de s'asseoir à côté d'elle. Les professeurs ne voudraient pas d'elle dans leur classe et elle serait exclue aussi sûrement que si on lui peignait une croix sur le dos.

— Je vous suggère, Karl, de taire notre départ. Nous disparaîtrions purement et simplement, sans donner d'explication.

Les autres élèves et enseignants supposeraient que le problème avait été réglé. Cette absence soudaine passerait pour une punition. Personne n'oserait plus en parler, à cause de la gravité des conséquences. L'affaire serait classée, le sujet enterré, tel un paquebot sombrant dans l'océan pendant que tous les passagers d'un navire voisin regardent ailleurs.

Karl étudiait la suggestion.

— Vous vous chargeriez de tout ? finit-il par demander.

— Oui.

— Y compris de discuter du problème avec les autorités compétentes ? Vous connaissez quelqu'un, au ministère de l'Éducation ?

— Leo, oui, sûrement.

— Je n'aurais pas besoin de parler à Zoya ? Ni de m'occuper de son cas ?

Raïssa confirma d'un signe de tête.

— Je récupère ma fille et je m'en vais. Vous continuez comme si de rien n'était, comme si nous n'avions jamais existé. Demain, ni Zoya ni moi ne viendrons à l'école.

Karl consulta Iulia du regard, l'air implorant. Tout dépendait d'elle à présent. Raïssa se tourna vers sa collègue :

— Iulia ?

Elles se connaissaient depuis trois ans. S'étaient prêté main-forte en plusieurs occasions. Elles étaient amies. Iulia acquiesça.

Ce serait la meilleure solution.

Elles ne devaient jamais plus se revoir.

Dans le couloir, Zoya attendait, nonchalamment adossée au mur – comme si elle avait juste oublié de rendre un devoir. Elle avait un pansement sur la main : la coupure avait beaucoup saigné. La discussion terminée, Raïssa ferma la porte derrière elle avec une sensation d'épuisement. Tout, ou presque, reposait à présent sur Leo. Elle s'approcha de Zoya, s'accroupit.

— On rentre chez nous.

— Ce n'est pas chez moi.

Aucune gratitude ; seulement du dédain. Au bord des larmes, Raïssa ne trouva rien à répondre.

En quittant le lycée, elle s'arrêta devant la grille. Les avait-on déjà dénoncées ? Deux officiers en uniforme se dirigeaient vers elle.

— Raïssa Demidova ?

Le plus âgé ajouta :

— Votre mari nous envoie pour que nous vous raccompagnions chez vous.

Ils ne venaient pas pour Zoya. Soulagée, elle demanda :

— Qu'est-il arrivé ?

— Votre mari veut s'assurer que vous êtes en sécurité. On ne peut rien vous dire de plus, sauf qu'il y a eu plusieurs incidents. Notre présence est une précaution.

Raïssa vérifia leurs cartes d'identité. Tout semblait en ordre.

— Vous travaillez avec Leo ?

— On appartient à la brigade des homicides.

L'existence de la brigade étant secrète, cette réponse fit en partie taire les soupçons de Raïssa. Elle rendit leurs cartes aux deux hommes.

— Il faut d'abord aller chercher Elena à l'école, précisa-t-elle.

Tandis qu'elles se dirigeaient vers la voiture, Zoya la prit soudain par la main. Raïssa se pencha vers elle.

— Je ne leur fais pas confiance, dit l'adolescente dans un murmure.

Seul dans son bureau, Karl regardait par la fenêtre.

*Les temps ont changé.*

C'était sans doute vrai. Il aurait aimé le croire et chasser toute cette histoire de son esprit, comme convenu. Il avait toujours apprécié Raïssa. Elle était belle, intelligente, et il ne souhaitait pas lui nuire. Il décrocha son téléphone, se demandant comment formuler la phrase qui dénoncerait Zoya.

*Le même jour*

À L'ARRIÈRE DE LA VOITURE, ZOYA FOUDROYAIT DU REGARD les deux officiers de la milice, suivant chacun de leurs gestes comme si elle était enfermée avec deux serpents venimeux. Même si celui assis sur le siège du passager avait tenté de se montrer aimable, se tournant pour sourire aux deux sœurs, il s'était heurté à un mur. Zoya les haïssait, comme elle haïssait leur uniforme, leur insigne, leur ceinturon de cuir, leurs bottes noires à coque de métal : elle ne faisait aucune distinction entre le KGB et la milice.

Par la vitre, Raïssa essayait de reconnaître les quartiers qu'ils traversaient. La nuit tombait. Les lampadaires s'allumaient. Peu habituée à se faire ramener chez elle en voiture, elle se repéra lentement. Ce n'était pas l'itinéraire habituel. Elle se pencha en avant, s'efforçant de ne pas laisser transparaître d'inquiétude dans sa voix :

— Où allons-nous ?

L'officier sur le siège du passager se retourna, le visage impassible, faisant crisser le cuir du dossier.

— On vous reconduit chez vous.

— Ce n'est pas le chemin.

Zoya se redressa brusquement.

— Laissez-nous descendre !

L'homme fronça les sourcils.

— Quoi ?

Zoya ne répéta pas son injonction. Elle déverrouilla la portière de la voiture en marche et l'ouvrit sur la chaussée. Un appel de phares l'éblouit, tandis qu'un camion venant en sens inverse faisait une embardée pour éviter la collision.

Raïssa attrapa l'adolescente par la taille et la ramena à l'intérieur au moment où le camion heurtait la portière qui se referma bruyamment. La violence de l'impact froissa la tôle et brisa la vitre, projetant une pluie d'éclats de verre dans l'habitacle. Les deux officiers criaient. Elena pleurait. La voiture grimpa sur la bordure du trottoir, freinant brutalement pour s'arrêter le long de la chaussée.

Dans un silence pesant, les deux hommes se retournèrent, blêmes, le souffle court :

— Qu'est-ce qui lui a pris ?

Le conducteur ajouta, se tapant la tempe avec l'index :

— Ça ne va pas dans sa tête.

Raïssa ne releva pas, occupée à examiner Zoya. L'adolescente était indemne, mais ses yeux lançaient des éclairs. Il y avait en elle quelque chose d'animal : l'énergie primitive d'une enfant sauvage qui, élevée par les loups et capturée par les humains, refusait de se laisser dompter ou civiliser.

Le conducteur sortit inspecter la portière abîmée, se grattant le crâne avec force hochements de tête.

— On vous reconduit chez vous. Où est le problème ?

— Ce n'est pas le bon chemin.

L'officier sortit un bout de papier, le tendit à Raïssa dans l'encadrement de la vitre brisée. C'était l'écriture de Leo. Raïssa fixa l'adresse avec des yeux ahuris, avant de comprendre qu'il s'agissait de celle des parents de son mari. Sa colère s'envola.

— C'est là que vivent mes beaux-parents.

— Je n'en savais rien. Je me contente d'obéir aux ordres.

Zoya se dégagea de l'étreinte de Raïssa, passa devant sa sœur et descendit de voiture.

— Zoya, tout va bien ! s'écria Raïssa.

Méfiante, l'adolescente ne se retourna pas. Le conducteur s'élança vers elle. Voyant qu'il voulait la retenir, Raïssa l'interpella :

— Ne la touchez pas ! Laissez-la ! On fera le reste du chemin à pied.

L'homme secoua la tête.

— On est censés rester avec vous jusqu'à l'arrivée de Leo.
— Alors suivez-nous.
Toujours assise à l'arrière, Elena sanglotait. Raïssa la prit par l'épaule.
— Zoya va bien. Elle n'est pas blessée.
Elena enregistra ces deux phrases et jeta un coup d'œil à sa sœur aînée. Constatant que celle-ci n'avait rien, elle cessa de pleurer. Raïssa l'aida à sécher ses larmes.
— On va finir la route à pied. Ce n'est pas loin. Tu en es capable ?
Elena la rassura.
— Je n'aime pas rentrer en voiture.
Raïssa sourit.
— Moi non plus.
Elle fit descendre la fillette. Exaspéré par cet exode, le conducteur leva les bras au ciel.
Les parents de Leo vivaient au nord de la ville, dans un petit immeuble moderne qui abritait les parents âgés de nombreux hauts fonctionnaires – sorte de maison de retraite pour privilégiés. En hiver, les résidents jouaient aux cartes les uns chez les autres. En été, ils s'installaient dehors sur la pelouse. Ils faisaient les courses et la cuisine ensemble. Seule règle en vigueur dans la communauté qu'ils formaient : jamais ils ne parlaient du travail de leurs enfants.
Raïssa pénétra dans le bâtiment, conduisit les deux filles vers l'ascenseur. Les portes se refermèrent devant les officiers, les obligeant à emprunter l'escalier. Aucune chance que Zoya accepte de rester avec eux dans un espace confiné. Au septième étage, Raïssa précéda ses filles dans le couloir jusqu'au dernier appartement. Stepan, le père de Leo, leur ouvrit, surpris. Sa stupéfaction fit rapidement place à l'inquiétude.
— Que se passe-t-il ?
Anna, son épouse, surgit de la salle de séjour, l'air tout aussi préoccupé.
— Leo nous demande de rester ici, répondit Raïssa.
Elle désigna les deux hommes qui approchaient :
— Nous avons une escorte.

— Où est Leo ? Qu'y a-t-il ? demanda Anna d'une voix craintive.

Raïssa hocha la tête.

— Je n'en sais rien.

Les officiers arrivèrent à la porte. Le plus âgé, le conducteur, était à bout de souffle après avoir monté les sept étages.

— Y a-t-il un autre accès à cet appartement ?

— Non, lui répondit Anna.

— On ne bouge pas de là.

Mais Anna voulait en savoir plus :

— Allez-vous enfin nous expliquer ?

— Il y a eu des représailles. C'est tout ce que je peux dire.

Raïssa ferma la porte. Anna n'était toujours pas satisfaite :

— Leo va bien, n'est-ce pas ?

Les dents serrées, Zoya écoutait Anna, regardant trembler la peau flasque sous son menton dès qu'elle parlait. Elle avait grossi à force de ne rien faire de la journée, de manger les mets rares et trop riches offerts par Leo. Ses appréhensions étaient insupportables, comme sa voix étranglée par l'inquiétude pour son assassin de fils : *« Est-ce que Leo va bien ? Il va bien, n'est-ce pas ? »*

Et les gens qu'il arrêtait, les familles qu'il détruisait, est-ce qu'ils allaient bien ? Ses parents se souciaient de lui comme s'il était un enfant. Le pire était leur fierté, leur enthousiasme à chaque histoire qu'il racontait, la façon dont ils buvaient ses paroles. Leurs démonstrations de tendresse étaient révoltantes : baisers, embrassades, taquineries. Stepan et Anna participaient avec le même empressement à la conspiration imaginée par Leo pour faire croire qu'ils formaient une famille normale : ils organisaient des excursions, des visites dans les magasins – ceux réservés aux cadres du régime et non ceux devant lesquels s'allongeaient d'interminables files d'attente et à l'approvisionnement limité. Tout était beau. Tout était confortable. Tout visait à faire oublier le meurtre de son père et de sa mère. Zoya haïssait Stepan et Anna pour l'amour qu'ils portaient à Leo.

— Des représailles ? s'étonna Anna.

Elle répétait ce mot comme si c'était une absurdité, comme si personne ne pouvait avoir la moindre raison de détester son fils.

Zoya ne put s'empêcher d'intervenir dans la conversation. Elle s'adressa directement à Anna :

— Des représailles pour avoir arrêté tant d'innocents ! Qu'a fait votre fils pendant toutes ces années, d'après vous ? Vous n'avez donc pas lu le discours ?

Stepan et Anna se tournèrent ensemble vers elle, abasourdis par cette allusion. Ils n'étaient pas au courant. Ils ne l'avaient pas lu. Percevant son avantage, Zoya eut un sourire ironique.

— Quel discours ? demanda Stepan.

— Celui qui explique comment votre fils a torturé d'innocentes victimes, leur a soutiré des aveux, les a frappées ; comment on envoyait des innocents au goulag pendant que les coupables vivaient dans des appartements comme celui-ci.

Raïssa vint se placer devant Zoya pour stopper son flot de paroles.

— Je veux que tu arrêtes. Immédiatement !

— Pourquoi ? C'est la vérité. Ce n'est pas moi qui ai écrit ce discours. On me l'a lu pour m'instruire. Je ne fais que répéter ce qu'on m'a dit. Vous n'avez pas à censurer les déclarations de Khrouchtchev. Il souhaitait sûrement qu'on en discute, sinon il n'aurait pas permis qu'on les lise. Ce n'est pas un secret : tout le monde est au courant. Tout le monde sait ce que Leo a fait.

— Écoute-moi, Zoya…

Mais la jeune fille était lancée. Impossible de l'arrêter.

— Tu penses qu'ils ne doivent pas connaître la vérité sur leur fils modèle ? Ce fils modèle qui leur a trouvé cet appartement formidable, qui les aide à faire leurs courses – ce fils modèle qui est un assassin.

Stepan pâlit. Sa voix tremblait d'émotion.

— Tu parles sans savoir.

— Vous ne me croyez pas ? Demandez à Raïssa. Le discours existe vraiment. Tout ce que j'ai dit est vrai. Et tout le monde va découvrir que votre fils n'est qu'un assassin.

— De quoi s'agit-il ?

La question d'Anna était à peine audible. Raïssa secoua la tête.

— Inutile d'en parler maintenant.

Mais Zoya, grisée d'avoir pris l'ascendant, ne l'entendait pas de cette oreille.

— Il a été écrit par Khrouchtchev et prononcé au XXe Congrès. On y apprend que votre fils et tous ses collègues sont des assassins. Ils ont agi illégalement. Ce ne sont pas des officiers de police ! Ce sont des criminels ! Demandez à Raïssa si ce n'est pas vrai. Allez, demandez-le-lui !

Stepan et Anna se tournèrent vers Raïssa.

— Ce discours existe bel et bien. Il contient un certain nombre de critiques contre Staline.

— Pas seulement contre Staline. Contre tous ceux qui ont exécuté ses ordres, y compris votre fils, cet assassin.

Stepan s'approcha de Zoya.

— Arrête de répéter ça.

— De répéter quoi ? Que c'est un assassin ? Leo l'assassin ? Il a combien de morts sur la conscience, d'après vous, en plus de mes parents ?

— Ça suffit !

— Vous saviez depuis le début ! Vous saviez comment il gagnait sa vie, mais vous vous en moquiez parce que vous aimiez vivre dans un bel appartement. Vous ne valez pas mieux que lui ! Lui, au moins, a accepté d'avoir du sang sur les mains !

Anna gifla Zoya – une gifle cinglante.

— Tu ne sais pas ce que tu dis, jeune fille. Et tu parles ainsi parce que tu as été trop gâtée. Depuis trois ans on te passe tout. Tu peux faire tout ce que tu veux, avoir tout ce que tu souhaites. On ne t'a jamais rappelée à l'ordre. J'ai laissé faire sans intervenir. Leo et Raïssa voulaient tout t'offrir. Regarde-toi maintenant, regarde ce que tu es devenue : une ingrate pleine de méchanceté, alors que tout le monde veut seulement t'aimer.

À l'endroit où le coup avait porté, la peau de Zoya lui brûlait, sensation qui irradiait dans tout son corps, depuis la nuque jusqu'au bout des doigts. Elle se jeta sur Anna, lui griffant le visage avec férocité.

— Votre amour, vous pouvez vous le mettre où je pense !

La vieille dame battit en retraite en hurlant, mais Zoya n'en avait pas fini : elle se jeta une nouvelle fois sur elle, les doigts recourbés comme des griffes. Raïssa l'attrapa aux épaules et la fit pivoter. Incontrôlable, Zoya dirigea sa colère contre sa mère. Elle lui mordit le bras, plantant ses dents dans la chair.

L'intensité de la douleur fit vaciller Raïssa ; ses jambes se dérobèrent. Stepan empoigna la mâchoire de l'adolescente et l'ouvrit de force, comme s'il avait affaire à un chien enragé. La blessure de Raïssa saignait. Zoya se débattait et se tortillait en tous sens. Stepan la projeta au sol où elle s'écroula, montrant les dents, barbouillée de sang.

On frappa : les officiers avaient entendu les cris et les éclats de voix. Ils voulaient entrer. Raïssa examina sa blessure : le sang continuait à couler abondamment. Zoya était encore par terre, les yeux fous, mais elle ne cherchait plus la bagarre. Stepan se précipita dans la salle de bains, rapporta une serviette éponge, l'appliqua sur le bras de sa fille. On frappa de nouveau. Raïssa se tourna vers Anna, restée presque dans la même position qu'au moment où Zoya l'avait agressée : pétrifiée, quatre griffures sanglantes en travers du visage.

— Anna, débarrasse-nous de ces officiers : dis-leur qu'ils n'ont pas besoin d'intervenir.

La vieille dame ne réagit pas. Raïssa dut hausser le ton :

— Anna !

Celle-ci ouvrit enfin la porte, détournant le visage pour dissimuler ses plaies, prête à rassurer les officiers. Alors qu'elle s'attendait à en voir deux, quatre lui faisaient face, comme des clones. Les deux nouveaux ne portaient pas les mêmes uniformes. Ils appartenaient au KGB.

Ils pénétrèrent dans l'appartement et découvrirent la scène : une adolescente recroquevillée sur le sol, les dents et les lèvres rougies par le sang, une femme dont le bras saignait, une vieille dame défigurée par des griffures.

— Raïssa Demidova ?

Malgré le caractère grotesque de la situation, Raïssa s'efforça de parler le plus calmement possible tandis que la serviette entourant son bras prenait une teinte écarlate.

— Oui ?

— Votre fille doit nous suivre.

Ils fixaient Zoya des yeux.

Le plan de Raïssa avait échoué. Iulia ou le proviseur du lycée l'avaient trahie. Malgré sa blessure et tout ce qui venait de se passer, elle vint d'instinct se placer devant Zoya pour la protéger.

— Votre fille a brisé un portrait de Staline.

— Le problème est en passe d'être réglé.

— Elle doit quand même nous suivre.

— Vous l'arrêtez ?

Voyant les deux officiers déterminés à obéir aux ordres, Raïssa s'adressa à ceux de la milice envoyés par Leo, plus accommodants :

— Ces messieurs vont devoir attendre le retour de mon mari, n'est-ce pas ?

Le plus âgé des officiers du KGB fit un signe de dénégation.

— Nous avons reçu l'ordre de ramener votre fille pour l'interroger. Votre mari n'a rien à voir avec cette affaire.

— Mais vos collègues ont pour consigne de veiller à ce que nous restions ici, ensemble, jusqu'au retour de Leo.

L'un des miliciens avança timidement. Le cœur de Raïssa se serra.

— Ces officiers appartiennent au KGB...

— Leo ne tardera pas. Restons ensemble jusqu'à ce qu'il arrive : il réglera cette affaire. Ce n'est qu'une gamine de quatorze ans. Il n'y a aucune urgence à l'emmener où que ce soit. On peut attendre.

L'homme du KGB s'approcha, haussant la voix :

— Elle va devoir nous suivre, et immédiatement.

Son impatience sonnait faux. L'attitude même de ces deux officiers sonnait faux. Le plus âgé était seul à parler : l'autre gardait un silence gêné, son regard allant d'une personne à l'autre comme s'il redoutait d'être pris à partie. Tous deux semblaient mal à l'aise dans leur uniforme. Comment avaient-ils pu arriver si vite ? Il fallait des heures au KGB pour mettre au point un plan et autoriser une arrestation. Plus bizarre encore, pourquoi étaient-ils venus à cette adresse ? Comment avaient-ils su que Raïssa ne serait pas chez elle ? Alertée par ces anomalies, elle posa les yeux sur le cou du premier officier. Une marque dépassait de son col de chemise : le haut d'un tatouage.

Ces hommes n'appartenaient pas au KGB.

Raïssa jeta un coup d'œil aux miliciens, dans l'espoir de leur faire comprendre le danger qu'elle et ses filles couraient. Mais ils étaient pétrifiés devant ces uniformes, effrayés par les trois initiales : KGB. Dans sa tentative pour attirer leur attention, elle croisa le regard de l'imposteur. Si les officiers de la milice restaient sourds aux signaux qu'elle leur envoyait, lui n'en avait rien perdu. Avant que Raïssa ait pu lever le bras pour les prévenir, l'homme au tatouage sortit son arme. Se retournant, il fit deux fois feu, visant les envoyés de Leo au milieu du front. Tandis qu'ils s'écroulaient, il braqua son pistolet sur Raïssa.

— J'emmène votre fille.

Raïssa avança vers le canon de l'arme, toujours devant Zoya encore accroupie.

— Non.

Le pistolet était à présent braqué sur Elena.

— Donnez-moi Zoya, ou je tue sa sœur.

Un coup de feu retentit.

La balle rata Elena et alla se loger dans le mur de l'appartement : simple avertissement. Le regardant droit dans les yeux, Raïssa ne douta pas que cet homme tuerait une fillette de sept ans aussi facilement qu'il venait d'abattre les deux officiers. Il fallait faire un choix. Elle s'écarta, le laissant emmener Zoya.

Il la souleva dans ses bras.

— Si tu te débats, je t'assomme.

La hissant sur son épaule, il l'emmena vers la porte en criant :

— Ne quittez pas l'appartement !

Il prit les clés, verrouilla la porte d'entrée.

Raïssa courut vers Elena, se laissa tomber près d'elle. À genoux, la fillette tremblait de tous ses membres et fixait obstinément le sol. Raïssa lui prit la tête à deux mains, l'obligeant à lever les yeux pour tenter de communiquer avec elle.

— Elena ?

L'enfant semblait ne pas entendre.

— Elena ?

Toujours aucun signe montrant qu'elle reconnaissait Raïssa. Son corps était inerte.

Confiant à Anna le soin de s'occuper d'elle, Raïssa se leva et alla tourner la poignée de la porte d'entrée : impossible de sortir. Elle revint sur ses pas, s'approcha des cadavres des deux officiers, prit un de leurs pistolets et le glissa dans la ceinture de son pantalon. Puis traversa la salle de séjour à toute vitesse et ouvrit la porte-fenêtre donnant sur un petit balcon. Stepan la retint :

— Que fais-tu ?

— Occupez-vous d'Elena.

Raïssa sortit sur le balcon, referma la porte-fenêtre derrière elle.

Ils étaient au septième étage, à une vingtaine de mètres au-dessus de la rue. Des balcons identiques se succédaient à chaque étage. Ils pourraient lui servir de points d'appui pour descendre. Mais, en cas de chute, la mince couche de neige n'amortirait pas vraiment l'impact.

Se débarrassant de ses chaussures aux semelles trop lisses, Raïssa enjamba la rambarde. Son bras saignait toujours. Il avait moins de vigueur, ses gestes étaient moins sûrs. Se demandant s'il pourrait supporter son poids, elle s'accroupit au bord du balcon, se cramponna au béton glacé, se suspendit. Du sang lui coulait sur l'épaule. Elle eut beau s'étirer au maximum, ses orteils n'atteignaient pas la rambarde du balcon du sixième. Il s'en fallait à peine de deux ou trois centimètres. Elle n'avait pas le choix : elle devait se laisser tomber.

Une fraction de seconde plus tard, ses pieds se posèrent sur la rambarde. Tandis qu'elle se rétablissait tant bien que mal, elle entendit la voix de Zoya. Jetant un coup d'œil par-dessus son épaule, elle vit les deux hommes quitter l'immeuble par l'entrée principale. L'un d'eux portait Zoya. L'autre braquait son arme dans sa direction. En équilibre instable sur l'étroite rambarde, Raïssa ne pouvait rien faire.

L'homme tira. Elle entendit un bruit de verre brisé avant de basculer vers le sol enneigé.

*Le même jour*

CRASSEUX, DÉGAGEANT UNE ODEUR PESTILENTIELLE, Leo conduisait aussi vite que la voiture le lui permettait. Lourde et poussive, mal adaptée à l'urgence de la situation, c'était la seule que Timur et lui avaient pu réquisitionner en émergeant d'une bouche d'égout, à un kilomètre au sud de celle par laquelle ils étaient descendus. Les mains en sang, Leo avait pourtant décliné l'offre de Timur qui proposait de prendre le volant : il avait enfilé une paire de gants et conduisait du bout des doigts, les larmes aux yeux dès qu'il changeait de vitesse. Il s'était rendu à l'appartement de ses parents et avait découvert le quartier bouclé par la milice. Anna, Stepan, Elena et Raïssa avaient été transportés à l'hôpital. Elena était en état de choc, Raïssa entre la vie et la mort. Zoya avait disparu.

Devant les urgences de l'hôpital municipal 31, Leo s'arrêta dans un crissement de freins. Laissant la voiture sur le bas-côté, sans fermer la portière ni couper le contact, il se rua à l'intérieur, Timur sur ses talons. Les gens le dévisageaient, horrifiés par son apparence et son odeur. Indifférent au spectacle qu'il offrait, il assaillait tout le monde de questions. On le dirigea finalement vers le service où Raïssa luttait contre la mort.

À la porte du bloc opératoire, un chirurgien lui expliqua qu'elle était tombée de plusieurs étages et souffrait d'hémorragies internes.

— Elle va s'en sortir ?

Le chirurgien ne voulut pas se prononcer.

Dans le service privé où Elena était soignée, Leo reconnut ses parents, debout au chevet de la fillette. Anna avait un pansement sur le visage, Stepan semblait indemne. Elena dormait, son petit corps noyé dans les draps blancs du lit d'hôpital. On lui avait administré un sédatif léger pour calmer sa crise de nerfs quand elle s'était aperçue de la disparition de Zoya. Retirant ses gants tachés de sang, Leo prit la main d'Elena dans la sienne et l'appliqua humblement contre sa joue : il aurait tant voulu pouvoir lui demander pardon.

Timur lui tapota l'épaule.

— Frol Panine vient d'arriver.

Leo suivit son second dans le bureau réquisitionné par Panine et ses hommes. Ils s'étaient enfermés à clé. Impossible d'entrer sans donner son nom. À l'intérieur se tenaient deux gardes du corps armés et en uniforme. Même si Panine, comme toujours tiré à quatre épingles, restait imperturbable, cette protection supplémentaire prouvait son inquiétude. Il perçut le regard surpris de Leo.

— Tout le monde a peur, Leo, du moins tous ceux qui exercent un pouvoir.

— Vous n'avez rien à voir avec l'arrestation de Lazare.

— Le problème dépasse de loin votre principal suspect. Et si son comportement déclenchait des représailles en série ? Et si toutes les victimes innocentes demandaient vengeance ? On n'a jamais rien vu de pareil, Leo : l'exécution et la persécution de membres de nos services secrets. On ne sait tout bonnement pas à quoi s'attendre.

Leo se tut, notant que Panine s'intéressait moins au sort de Raïssa, d'Elena ou de Zoya qu'aux implications de cette affaire. C'était un homme politique accompli, davantage habitué à s'occuper de nations et d'armées, de frontières et de territoires que du simple citoyen. Séduisant et plein d'esprit, il avait quelque chose de glacial qui apparaissait dans des moments comme celui-ci, où n'importe qui d'autre aurait prononcé quelques paroles de réconfort.

On frappa. Les gardes portèrent la main à leur arme. Une voix s'éleva :

— Je cherche l'officier Leo Demidov. On a déposé une lettre pour lui à la réception.

Panine fit un signe de tête aux gardes qui ouvrirent la porte, pistolet à la main. Le premier prit la lettre pendant que le second fouillait l'homme qui l'avait apportée, sans rien trouver. L'enveloppe fut remise à Leo.

Elle était ornée d'un crucifix dessiné à l'encre avec soin. Leo la déchira, en tirant une unique feuille de papier :

*Église Sainte-Sophie*
*À minuit*
*Seul*

*15 mars*

À MINUIT ET DEMIE, Leo attendait là où se dressait autrefois l'église Sainte-Sophie. Dômes et tabernacles avaient disparu, remplacés par une immense fosse de dix mètres de profondeur sur vingt de large et soixante-dix de long. L'une des parois s'était effondrée, formant une pente irrégulière jusqu'à une mare de neige boueuse et d'eau sale, gelée par endroits. Près de céder, les parois restantes avaient glissé vers l'intérieur, donnant l'impression d'une bouche en train de se refermer sur une monstrueuse langue noirâtre. Le site attendait les travaux depuis 1950 : un chantier à l'abandon, fermé au public et entouré d'un périmètre de sécurité. Sur le grillage des pancartes en interdisaient l'accès. Après une première tentative ratée qui avait causé la mort de l'expert chargé de la démolition et fait plusieurs blessés dans la foule, l'église avait finalement été détruite : ce qu'il en restait fut transporté dans des camions à l'extérieur de la ville – cadavre de gravats sur lequel poussaient désormais des herbes folles. Des travaux de terrassement avaient commencé pour édifier ce qui devait être le plus grand complexe nautique du pays, comprenant aussi une piscine olympique et plusieurs saunas : le premier pour les hommes, le deuxième pour les femmes et le troisième en marbre pour les officiels.

L'enthousiasme avait été entretenu par une campagne intensive dans les médias. Les plans avaient été reproduits dans la *Pravda*, les cinémas passaient des documentaires montrant des gens ordinaires en surimpression devant une maquette du complexe terminé. Tandis que la propagande battait son plein, les travaux s'interrompirent. Le sol au bord du fleuve était instable, faisant craindre des glissements de terrain. Les fondations travaillaient déjà, amenant les autorités à regretter de ne pas avoir examiné plus soigneusement celles de l'église avant de les évacuer et de les jeter dans une décharge. Les meilleurs spécialistes du pays furent mis à contribution. Après mûre réflexion, ils déclarèrent le site impropre à l'édification d'un complexe nautique nécessitant un réseau de canalisations enfoui à des profondeurs jamais atteintes par les fondations de l'église. On les congédia pour faire appel à d'autres experts plus complaisants qui conclurent, après avoir eux aussi mûrement réfléchi, qu'une solution existait. Il fallait juste leur laisser un peu de temps. Exactement ce que le régime, peu enclin à reconnaître ses erreurs, voulait entendre. Ces experts furent logés dans de luxueux appartements où ils dessinaient des plans et faisaient des calculs en fumant le cigare pendant que la fosse se remplissait d'eau de pluie en automne, de neige en hiver et de moustiques en été. Les films de propagande furent retirés des cinémas. Les citoyens raisonnables comprirent qu'il valait mieux oublier le projet tandis que les imprudents faisaient observer non sans ironie qu'une tranchée inondée pouvait difficilement remplacer une église vieille de trois siècles. Durant l'été 1951, Leo avait arrêté un homme qui s'était permis ce genre de sarcasme.

Il jeta un coup d'œil à sa montre. Voilà plus d'une heure qu'il attendait. Grelottant, épuisé, il n'en pouvait plus, se demandant si sa femme avait survécu à l'opération. Coupé du reste du monde, il n'avait aucun moyen de le savoir. Il ne faisait aucun doute que la décision de quitter le chevet de Raïssa était la bonne. Il n'aurait été d'aucune utilité à l'hôpital. Et puis, Zoya avait beau le haïr, mal se conduire, souhaiter sa mort, il était désormais responsable d'elle – responsabilité qu'il se devait d'assumer, que Zoya l'aime ou pas. En prévision de cette rencontre, il était rentré chez lui, s'était douché pour chasser l'odeur des égouts, s'était changé. Ses mains avaient été bandées à l'hôpital. Il avait refusé de prendre des analgésiques, de peur d'une éventuelle somnolence. Conscient qu'un prêtre décidé à se venger prendrait tout signe extérieur d'autorité pour une provocation, il était en civil.

Entendant un bruit, il se retourna, scruta la nuit à la recherche de son adversaire. Quelques lumières brillaient encore dans les immeubles situés à l'extérieur du périmètre de sécurité. Des engins coûteux – grues, pelleteuses – étaient à l'abandon, livrés à la rouille parce que personne ne voulait s'avouer vaincu et les redéployer là où ils pourraient être utiles. À nouveau ce même bruit : métal contre pierre. Il ne venait pas du chantier, mais du fleuve.

À pas de loup, Leo s'approcha du quai, se pencha avec précaution au-dessus de l'eau. Une main surgit tout près de lui. Un homme se hissa sans bruit sur le quai et descendit vers la fosse. Un autre le suivit. Ils émergeaient d'un égout et escaladaient la paroi comme une colonie de fourmis fuyant une menace. Leo reconnut parmi eux le jeune garçon qui avait assassiné le patriarche : il utilisait habilement le moindre point d'appui dans la maçonnerie. À le voir se déplacer avec une telle agilité, pas étonnant qu'il ait survécu à son plongeon dans le torrent d'eaux usées.

Le petit groupe fouilla Leo pour s'assurer qu'il n'était pas armé. Il y avait sept hommes en plus de l'adolescent, tous avaient le cou et les mains tatoués. Leurs vêtements étaient mal assortis, certains bien coupés et d'autres élimés, comme pris au hasard dans la garde-robe d'une centaine de personnes différentes. Leur apparence ne laissait aucun doute. Ils appartenaient à un gang – les *vorys*, confrérie née pendant leur détention au goulag. Malgré sa profession, Leo croisait rarement des *vorys*. Ils vivaient en marge de l'État.

Les membres du gang se déployèrent, inspectèrent les environs, vérifièrent que la voie était libre. Enfin l'adolescent siffla pour donner le feu vert. Deux mains apparurent sur le quai, puis Lazare tout entier, dominant les *vorys*, sa silhouette sombre se détachant sur le halo lumineux de la rive opposée. À un détail près. Ce n'était pas Lazare, mais une femme : Anisya, son épouse.

Elle avait les cheveux coupés ras, les traits anguleux. Toute la douceur de son visage et de son corps avait disparu. Elle semblait malgré tout plus vivante et fascinante que jamais, une incroyable énergie émanait de sa personne. Elle était vêtue d'un pantalon ample, d'une chemise ouverte et d'un manteau – presque comme ses hommes. Tel un bandit de grand chemin, elle portait un pistolet à la ceinture. Triomphante, elle toisa Leo, fière de son arrivée spectaculaire. Leo ne put articuler qu'un mot :

— Anisya ?

Elle sourit. Sa voix rauque n'avait plus rien à voir avec celle d'une femme qui chantait naguère dans la chorale de son mari.

— Ce prénom ne représente plus rien pour moi. Mes hommes m'appellent Fraera.

D'un bond, elle rejoignit Leo. Se redressa, scruta son visage.

— Maxime…

Elle l'avait appelé par son prénom d'emprunt.

— Réponds-moi sans mentir : combien de fois as-tu pensé à moi ? Tous les jours ?

— Franchement, non.

— Une fois par semaine ?

— Non.

— Une fois par mois ?

— Je n'en sais rien…

Fraera le laissa se réfugier dans un silence gêné avant de faire observer :

— Je peux te garantir que tes victimes pensent à toi tous les jours, soir et matin. Elles se souviennent encore de ton odeur et du son de ta voix – elles te revoient aussi précisément que je te vois maintenant.

Elle leva sa main droite :

— Voici la main que tu as prise dans la tienne pour me proposer de quitter mon mari. C'est bien ce que tu m'as dit ? Que je devrais le laisser mourir au goulag et coucher avec toi ?

— J'étais jeune.

— Certes. Très jeune, et pourtant tu détenais déjà un pouvoir sur moi, sur mon mari. Tu étais amoureux comme un collégien. Tu croyais faire une bonne action en essayant de me sauver la vie.

Mille fois elle s'était répété cette réplique, nourrie par sept ans de haine.

— J'ai eu la chance de m'en sortir. Si je m'étais laissé gagner par la peur, si j'avais hésité, j'aurais fini comme ta femme : épouse d'officier du MGB, complice de tes crimes, juste bonne à partager tes remords.

— Tu as toutes les raisons de me haïr.

— Plus que tu ne crois.

— Mais Raïssa, Zoya, Elena n'ont rien à voir avec mes erreurs.

— Tu veux dire qu'elles sont innocentes ? Depuis quand un officier comme toi attache-t-il de l'importance à l'innocence ? Combien d'innocents as-tu arrêtés ?

— Tu as l'intention de tuer tous ceux qui t'ont fait du tort ?

— Ce n'est pas moi qui ai tué Suren. Ni ton mentor Nikolaï.

— Ses filles sont mortes.

Fraera hocha la tête.

— Je n'ai plus de cœur, Maxime. Plus de larmes à verser. Nikolaï était lâche et prétentieux. J'aurais dû me douter qu'il mourrait de la manière la plus pathétique qui soit. Cela dit, comme message destiné à l'État, c'est sûrement plus efficace que s'il s'était contenté de se pendre.

Leo se demanda s'il n'était pas arrivé à cette femme la même chose qu'à l'église Sainte-Sophie. Ses fondations arrachées et remplacées par une fosse béante et noire.

Fraera reprit la parole :

— Je suppose que tu as fait le lien entre Suren, le directeur d'imprimerie, Nikolaï, le patriarche et toi ? Tu connaissais Nikolaï : c'était ton supérieur. Quant au patriarche, c'est lui qui t'a permis d'infiltrer notre Église.

— Suren travaillait pour le MGB, mais je ne le connaissais pas personnellement.

— Il était gardien de cellule, à l'époque de mes interrogatoires. Je le revois encore, debout sur la pointe des pieds pour mieux profiter de la scène. Je revois le sommet de son crâne, ses yeux exorbités comme s'il était au cinéma.

— Où veux-tu en venir ? demanda Leo.

— Quand la police se comporte comme les criminels, les criminels doivent faire la police. Les innocents sont obligés de se cacher dans les égouts de la ville pendant que les méchants vivent au chaud dans leurs appartements. Le monde est à l'envers : je me borne à le remettre d'aplomb.

— Et Zoya ? Tu vas la tuer, une gamine qui n'a même pas d'estime pour moi ? Qui n'a accepté de vivre sous mon toit que pour éviter l'orphelinat à sa sœur ?

— Si tu comptes m'attendrir, tu te trompes. Anisya est morte. Le jour où l'État lui a pris son enfant.

Leo ne comprenait plus. Devant sa perplexité évidente, elle ajouta :

— J'étais enceinte, Maxime, quand tu m'as arrêtée.

Avec la précision d'un chirurgien, elle retourna le scalpel dans cette nouvelle plaie, la rouvrant, la regardant saigner.

— Tu n'as même pas cherché à savoir ce qui était arrivé à Lazare. Ni à moi. Si tu avais consulté les dossiers, tu aurais découvert que j'avais accouché huit mois après ma condamnation. On m'a permis d'allaiter mon fils pendant trois mois avant de me l'enlever. On m'a conseillé de l'oublier. On m'a dit que je ne le reverrais jamais. Quand j'ai bénéficié d'une libération anticipée après la mort de Staline, j'ai tenté de retrouver mon enfant. Il avait été mis à l'orphelinat, mais son prénom avait été changé et toute trace de ma maternité effacée. Une pratique courante, m'a-t-on dit. C'est une chose de perdre un enfant ; c'en est une autre de savoir qu'il est en vie quelque part et qu'il ignore ton existence.

— Ne compte pas sur moi pour défendre l'État, Fraera. Je n'ai fait que suivre les ordres. Et j'ai eu tort. L'État a eu tort. Mais j'ai changé.

— Je sais de quels changements tu parles. Tu n'es plus au KGB, mais dans la milice. Tu ne t'occupes que de vrais meurtres, pas de crimes politiques. Tu as adopté deux belles orphelines. C'est ça, ton idée de la rédemption ? En quoi elle me concerne ? Et ta dette envers moi ? Et celle envers les hommes et les femmes que tu as arrêtés ? Comment comptes-tu la rembourser ? En édifiant une modeste statue de pierre à la mémoire de tous ces morts ? Avec une plaque de bronze dessus, où tu feras graver nos noms en lettres minuscules pour qu'ils tiennent tous ? Tu crois que ça va suffire ?

— C'est ma mort que tu veux ?

— J'y ai pensé plus d'une fois.

— Alors tue-moi et épargne Zoya. Épargne ma femme.

— Tu serais prêt à mourir pour leur sauver la vie. Comme ce serait noble et généreux ! Ça te laverait de tous tes crimes. Tu crois encore pouvoir vivre en héros ?

Fraera désigna ses vêtements :

— Déshabille-toi.

Leo resta muet, se demandant s'il avait bien entendu.

— Déshabille-toi, Maxime, répéta-t-elle.

Il se débarrassa de son bonnet, de ses gants, de sa parka, les jeta par terre. Grelottant de froid, il déboutonna sa chemise, l'ajouta au tas devant lui. Fraera l'arrêta d'un geste.

— Ça suffit.

Il resta debout, grelottant plus que jamais, les bras le long du corps.

— Tu trouves la nuit froide, Maxime ? Ce n'est rien comparé aux hivers de la Kolyma, à ce coin de terre gelée où tu as envoyé mon mari.

À sa grande surprise, Fraera entreprit elle aussi de se dévêtir : elle enleva son manteau et sa chemise, dénudant son torse. Elle avait la peau couverte de tatouages : un sur le sein droit, un sur le ventre, d'autres sur les bras, les mains, les doigts. Elle s'approcha de Leo.

— Tu veux savoir ce qui m'est arrivé ces quatre dernières années ? Tu veux savoir comment une femme, épouse de prêtre, en est arrivée à prendre la tête d'un gang de *vorys* ? Les réponses sont inscrites sur ma peau.

Prenant son sein dans une main, elle le souleva pour mettre le tatouage en évidence : un lion.

— Façon de dire que je me vengerai de tous ceux qui m'ont fait du mal : les avocats, les juges, les gardiens de cellule, les policiers.

Au milieu de sa poitrine, un crucifix était tatoué entre ses seins.

— Aucun rapport avec mon mari, Maxime : c'est le symbole de mon autorité de redresseuse de torts. Quant à celui-là, tu comprendras peut-être.

Elle caressa le tatouage sur son ventre. Il représentait une femme très enceinte dont on voyait l'intérieur de l'abdomen. Au lieu d'un enfant à naître, il contenait des barbelés enroulés sur eux-mêmes comme un long cordon ombilical hérissé de piquants.

— Tu as la peau aussi blanche que celle d'un enfant, Maxime. Mes hommes et moi, on trouve ça malhonnête. Où sont tes crimes ? Où sont les horreurs que tu as commises ? Je n'en vois pas trace. Ta culpabilité n'apparaît nulle part.

Fraera se rapprocha encore, son corps touchant presque celui de Leo.

— Moi, je peux te toucher. Mais si tu poses un seul doigt sur moi, tu es mort. Ma peau et mon autorité sont une seule et même chose. Me toucher représenterait une intrusion, une insulte.

Elle lui souffla à l'oreille :

— À mon tour de te faire une proposition. Lazare est toujours à la Kolyma, dans une mine d'or. Ils refusent de le libérer. C'est un prêtre. Et on déteste à nouveau les prêtres, maintenant que l'État n'a plus besoin d'eux pour sa propagande guerrière. On lui a dit qu'il devait purger sa peine jusqu'au bout : vingt-cinq ans de captivité. Je veux que tu le sortes de là. Que tu redresses ce tort-là.

— Je n'ai pas ce pouvoir.

— Tu as des relations.

— Tu as fait assassiner le patriarche, Fraera. Tu es responsable du meurtre de deux agents des services secrets, Nikolaï et Suren. Jamais les autorités ne négocieront avec toi. Jamais Lazare ne sera relâché.

— Alors, trouve un autre moyen de le libérer.

— Je t'en prie, Fraera… Si tu m'avais demandé ce service il y a une semaine, ç'aurait peut-être été faisable. Après ces trois morts, non. Je ferais n'importe quoi pour Zoya, tout ce qui est en mon pouvoir. Mais je ne peux pas libérer Lazare.

Fraera se pencha plus près.

— N'oublie pas : moi, je peux te toucher, mais tu n'as pas le droit de poser un doigt sur moi.

Après cette mise en garde, elle l'embrassa sur la joue. Tendrement d'abord, puis ses dents se refermèrent sur la peau de Leo, s'enfoncèrent dans sa chair, de plus en plus profond – jusqu'au sang. La douleur était terrible. Leo voulut se dégager, mais s'il touchait Fraera, il serait tué. Il devait souffrir en silence. Enfin elle rouvrit la bouche, recula d'un pas, admira la morsure.

— Ton premier tatouage, Maxime.

Les lèvres barbouillées de son sang, elle conclut :

— Libère mon mari, sinon je tuerai ta fille.

# TROIS SEMAINES PLUS TARD

## Pacifique Ouest
## Eaux territoriales soviétiques
## Mer d'Okhotsk
## Navire pénitentiaire *Étoile bolchevique*

*7 avril 1956*

DEBOUT SUR LE PONT, L'OFFICIER GENRIKH DUVAKIN dut retirer ses moufles rêches avec les dents. Ses doigts étaient engourdis par le gel. Il souffla dessus, se frotta les mains l'une contre l'autre pour faire circuler le sang. Exposé à la morsure du vent, son visage avait perdu toute sensation, comme ses lèvres bleuies. Les poils gelés qui lui sortaient des narines se brisaient telles des stalactites miniatures dès qu'il se grattait le nez. Il supportait ces désagréments grâce à la chaleur miraculeuse de sa chapka. Celui qui l'avait cousue semblait conscient que la vie de son propriétaire pouvait dépendre de la qualité de son travail. Elle lui recouvrait les oreilles et la nuque. Les rabats noués sous son menton lui donnaient l'air d'un gosse emmitouflé – impression confirmée par son air juvénile. Sa peau n'était pas tannée par l'air marin ; ses joues rebondies avaient résisté à la nourriture médiocre et au manque de sommeil. À vingt-sept ans, il ne faisait pas son âge, ce qui le desservait. Censé inspirer la crainte, c'était un rêveur, trait de caractère inhabituel chez les gardiens d'un navire pénitentiaire tristement célèbre.

L'*Étoile bolchevique* était un cargo à vapeur en bout de course. Après avoir battu pavillon hollandais, il avait été racheté, rebaptisé et réaménagé par la police secrète soviétique dans les années trente. Conçu pour le commerce des denrées coloniales – ivoire, épices et fruits exotiques –, il transportait désormais des hommes vers les goulags les plus meurtriers de la maison Russie. À l'arrière, une tour de quatre étages abritait les cabines des gardiens et celles des matelots. Tout en haut se trouvait la passerelle du capitaine et de l'équipage, groupe soudé qui se mêlait peu à celui des gardiens dépassés par les problèmes de navigation.

La porte de la passerelle s'ouvrit et le capitaine inspecta la portion de mer qu'ils laissaient derrière eux. Il salua Genrikh de la main avec un hochement de tête satisfait :

— Rien à signaler !

Ils venaient de franchir le détroit de La Pérouse, seul point du voyage où ils risquaient de faire incursion dans les eaux territoriales du Japon. Toutes les précautions avaient été prises pour donner au bâtiment l'apparence d'un cargo de fret. On avait démonté la mitrailleuse du pont principal ; de longs manteaux recouvraient les uniformes. Genrikh s'était toujours demandé pourquoi ils faisaient tant d'efforts pour cacher aux pêcheurs japonais la nature de leur cargaison. À ses moments perdus il s'interrogeait : le Japon n'avait-il pas les mêmes navires transportant les mêmes passagers ?

Il remonta la mitrailleuse pièce par pièce. Au lieu de diriger le canon vers le large, il l'orienta vers le panneau blindé qui fermait l'entrée de la cale. En contrebas, sur des couchettes superposées, cinq cents détenus étaient entassés dans l'obscurité comme des allumettes dans une boîte – premier contingent de l'année à faire le voyage entre le camp de transit de Buchta Nakhodka, au sud de la côte Pacifique, et la Kolyma, plus au nord. Les deux ports avaient beau être situés sur la même façade littorale, une distance considérable les séparait. Impossible d'atteindre la Kolyma par la route : on ne pouvait y accéder qu'en avion ou par bateau. Le port septentrional de Magadan était le point de passage obligé vers un réseau de camps de travail qui avaient poussé comme des champignons dans les montagnes et les forêts de la Kolyma.

Cinq cents détenus : la plus petite cargaison dont Genrikh ait eu la charge. Sous Staline, le bateau en aurait contenu quatre fois plus à cette époque de l'année, pour tenter de désengorger les camps de transit où les trains emplis de prisonniers continuaient d'arriver alors que les navires restaient à quai. La mer d'Okhotsk n'était navigable qu'après la fonte des glaces. Dès octobre elle gelait à nouveau. Un voyage trop tardif, et l'on risquait de rester prisonnier. Genrikh avait entendu parler de bateaux qui avaient pris la mer trop tard en hiver ou étaient repartis trop tôt au printemps. Dans l'incapacité de faire demi-tour ou d'atteindre leur destination, les gardes avaient fui à pied sur la banquise, tirant derrière eux des traîneaux chargés de pain et de conserves de viande, tandis que les détenus abandonnés dans la cale étaient condamnés à attendre la mort.

Désormais, on ne les laisserait plus mourir de faim ni de froid, pas plus qu'on ne les exécuterait sommairement avant de jeter leur cadavre par-dessus bord. Genrikh n'avait pas lu le rapport secret dans lequel Khrouchtchev condamnait Staline et les excès du goulag. Il avait eu peur. La rumeur disait que ce rapport était un stratagème destiné à éliminer les contre-révolutionnaires, visant à endormir la méfiance des gens et à susciter leurs critiques pour mieux les arrêter ensuite. Genrikh n'était toutefois pas convaincu par cette théorie : le changement semblait bien réel. Les coups et l'indifférence avaient fait place à une vague compassion. Au camp de transit, on avait hâtivement revu les condamnations à la baisse. Des milliers de prisonniers en partance pour la Kolyma avaient retrouvé la liberté et la civilisation aussi brutalement qu'ils en avaient été privés. Soudain libres, ces hommes – la plupart des femmes ayant été libérées lors de l'amnistie de 1953 – s'étaient assis sur le rivage, serrant dans leurs mains la ration de pain de seigle censée assurer leur survie le temps qu'ils rejoignent leur famille, qui se trouvait souvent à des milliers de kilomètres. Sans argent ni effets personnels, seulement riches de leurs haillons et du pain de la liberté, ils contemplaient la mer, incapables de comprendre qu'ils pouvaient partir sans être abattus. Genrikh les avait chassés du rivage à grands cris comme une volée d'étourneaux, les encourageant à rentrer chez eux sans pouvoir leur dire comment y arriver.

Des semaines durant, ses supérieurs avaient redouté d'être traduits devant un tribunal. Dans l'espoir de prouver leur volonté de changement, ils avaient fébrilement mis les règlements au goût du jour, signal en direction de Moscou pour prouver leur allégeance aux nouvelles exigences de justice. Genrikh s'était incliné, suivant les ordres sans poser de questions ni donner son avis. Qu'on lui demande d'être sévère ou indulgent avec les détenus, il s'exécutait. D'ailleurs, avec ses traits juvéniles, l'indulgence lui allait mieux que la sévérité.

Après des années passées à transporter des prisonniers politiques condamnés en application de l'article 58 – pour avoir tenu des propos compromettants, s'être trouvés au mauvais endroit ou avoir eu de mauvaises fréquentations –, l'*Étoile bolchevique* changeait de cargaison : désormais triée sur le volet, celle-ci ne comptait que les criminels les plus violents et les plus dangereux, qui faisaient l'unanimité contre eux. Pas question de les libérer.

Dans les ténèbres de la cale, parmi les corps puants de cinq cents meurtriers, violeurs et voleurs, Leo était allongé sur sa couchette branlante, une épaule appuyée contre la coque. De l'autre côté se trouvait une mer immense, une masse d'eau glacée contenue par une plaque de tôle à peine plus épaisse que l'ongle de son pouce.

## *Même jour*

L'AIR VICIÉ ET PUTRIDE semblait émaner de la bruyante chaudière à charbon installée dans un compartiment voisin. Même si les détenus n'avaient pas accès à la salle des machines, sa chaleur traversait la cloison en planches grossières ajoutée après coup au navire. Au début du voyage, quand il faisait un froid polaire dans la cale, certains s'étaient disputé les couchettes qui en étaient le plus proches. Quelques jours plus tard, tandis que la température montait en flèche, c'était à qui s'emparerait des plus éloignées. Quadrillée par d'étroites travées encaissées entre plusieurs étages de couchettes superposées, la cale ressemblait désormais à une ruche infestée de prisonniers. Leo défendait jalousement sa couchette supérieure, car du fait de sa hauteur, loin du sol couvert de flaques de vomi et d'excréments, elle éveillait les convoitises. Les plus faibles, comme victimes d'un processus de sélection darwinien, héritaient toujours des couchettes du bas. Les lampes qui émettaient depuis une semaine une lueur charbonneuse – telles des étoiles aperçues à travers un épais brouillard – étaient désormais à court de pétrole : il faisait si noir que Leo ne voyait même pas ses mains lorsqu'il se grattait le nez.

C'était leur septième soirée en mer. Il comptait les jours de son mieux, mettant à profit les rares visites aux toilettes pour tenter de conserver la notion du temps. Sur le pont, une mitrailleuse braquée sur eux, les détenus faisaient la queue pour utiliser le trou par lequel l'ancre descendait directement dans les flots. La difficulté à garder l'équilibre, accroupi sur une mer démontée et cinglé par un vent glacial, transformait le processus en une pantomime grotesque. Certains n'arrivaient pas à se retenir et gisaient dans leurs propres excréments, attendant qu'ils forment une croûte pour bouger. Rester propre avait une importance psychologique évidente. Il suffisait de sept jours à fond de cale pour perdre la tête. Leo se consolait en pensant au caractère temporaire de ces conditions de vie. Son principal souci était de tenir bon. Nombre de ses codétenus, après des mois en transit, avaient les muscles avachis par l'oisiveté et le manque de nourriture, et le moral en berne à la perspective de travailler dix ans dans les mines. Leo faisait régulièrement de l'exercice pour entretenir sa forme physique et rester concentré sur la tâche à accomplir.

Après sa rencontre avec Fraera sur le chantier où se dressait autrefois l'église Sainte-Sophie, il était retourné à l'hôpital pour apprendre que Raïssa avait survécu à son opération et que les médecins étaient optimistes sur ses chances de guérison. À son réveil, elle avait d'abord demandé des nouvelles de Zoya et d'Elena. Devant sa pâleur et sa faiblesse, Leo lui avait promis qu'il faisait le maximum pour retrouver la trace de leur fille aînée. L'écoutant exposer les exigences de Fraera, Raïssa s'était contentée de dire :

— Fais tout ce qu'il faut.

Fraera avait pris la tête d'un gang. Pour autant que Leo puisse en juger, elle n'était pas une *torpedy* – une simple exécutante –, mais l'*avtoritet* – le chef. D'ordinaire, les membres des gangs méprisaient les femmes. Ils chantaient l'amour qu'ils portaient à leur mère, s'entretuaient à la moindre injure à son endroit, mais ne croyaient pas pour autant à l'égalité des sexes. Et voilà que l'épouse d'un prêtre, après avoir vécu dans l'ombre de son mari, au service de la carrière de celui-ci, était contre toute attente entrée dans le monde des *vorys*. Plus stupéfiant encore, elle avait gravi les échelons jusqu'au sommet. Elle avait adopté les rituels en vigueur : corps couvert de tatouages, prénom troqué contre un *klikukha* – un surnom. Protégées par la loi du secret régnant chez les *vorys*, ses opérations étaient sans doute financées par les pickpockets et le marché noir. Si elle cherchait depuis le début à se venger, alors elle avait bien choisi ses alliés. Les gangs étaient les seules organisations échappant au contrôle de l'État. Aucune chance d'infiltrer leurs rangs : il faudrait trop de temps, des années entières, ainsi qu'un officier prêt à tuer et à violer pour faire ses preuves. Le problème venait moins de l'incapacité des autorités à trouver des candidats valables que de leur indifférence envers les *vorys*. Leurs gangs fonctionnaient en circuit fermé, chacun avec son code d'honneur et son système de récompenses. Aucun ne s'était jamais intéressé à la politique jusqu'à présent – jusqu'à Fraera.

Si la requête de celle-ci – la libération de son mari – avait été antérieure à ses crimes, elle aurait pu être recevable. Le système judiciaire était en plein bouleversement depuis le rapport Khrouchtchev. Pour ce qui était de la condamnation de Lazare à vingt-cinq ans de travaux forcés, Leo aurait pu demander une grâce, un acquittement ou une libération anticipée. Seule complication : la nouvelle campagne antireligieuse lancée par Khrouchtchev. Après cette série de meurtres, toutefois, aucune chance de négocier cette libération. Impossible de trouver un arrangement. En tant que terroriste, Fraera devait être traquée et tuée, quand bien même elle ne retiendrait pas Zoya en otage. Son gang était considéré comme une cellule contre-révolutionnaire. Elle avait aggravé son cas en ne faisant rien pour tempérer sa folie meurtrière. Durant les jours qui avaient suivi l'enlèvement de Zoya, les hommes de Fraera avaient assassiné plusieurs responsables officiels – des hommes et des femmes ayant servi Staline. Certains avaient subi les tortures qu'eux-mêmes avaient naguère infligées. Confrontés à ce reflet de leurs propres crimes, les représentants du pouvoir, terrifiés, réclamaient l'exécution des membres du gang de Fraera et de tous ses complices.

Heureusement, Frol Panine, le supérieur de Leo, avait de grandes ambitions. Bien que le KGB et la milice aient lancé la plus importante chasse à l'homme jamais vue à Moscou, on n'avait pas retrouvé la trace de Fraera et de son gang. Les nombreux efforts déployés pour les arrêter étaient restés vains. Muette sur la question, la presse, au lendemain des meurtres les plus atroces, préférait célébrer les statistiques industrielles, comme si cet amas de chiffres pouvait faire taire les bruits qui couraient dans la ville. Certains hauts dignitaires avaient installé leur famille en lieu sûr à l'extérieur de Moscou. Le nombre des demandes de congé avait brusquement augmenté. La situation devenait intolérable. Rêvant d'avoir l'honneur de capturer Fraera en personne, d'être couvert de lauriers après avoir vaincu le monstre, Panine voyait en Lazare un appât. Puisque le libérer par les moyens habituels équivaudrait à reconnaître qu'on pouvait rançonner l'État, la seule solution était de le faire évader. Panine avait laissé entendre que ce projet bénéficiait de soutiens en haut lieu et qu'il agissait avec l'accord tacite des autorités.

Lazare était détenu dans la région de la Kolyma, au goulag 57. Une évasion paraissait impossible : personne n'avait jamais réussi. Dans la plupart des goulags, la sécurité tenait pour l'essentiel à la situation géographique : il n'existait aucun moyen de survivre à l'extérieur du camp. Les chances de traverser ces immenses étendues hostiles étaient infimes. Si Lazare était porté disparu, il serait déclaré mort. Avec l'aide de Panine, il était facile de pénétrer dans le camp, d'établir les documents nécessaires, de faire passer Leo pour un détenu. En ressortir serait plus compliqué.

Des vibrations ébranlèrent la coque. Le navire gîta brutalement. Leo se redressa sur sa couchette. Ils venaient de heurter un iceberg.

*Même jour*

GENRIKH SE PRÉCIPITA POUR INSPECTER LE FLANC DU NAVIRE. L'iceberg les dépassa lentement, sa partie émergée pas plus grosse qu'une voiture ; sous l'eau, le reste de la glace ressemblait à une immense ombre bleu marine. La coque paraissait intacte. Aucun cri provenant de la cale pleine de prisonniers. Donc aucune voie d'eau. Suant à grosses gouttes sous sa chapka, Genrikh fit signe au capitaine que le danger était passé.

Au cours des premiers voyages de l'année, la proue percutait parfois des icebergs à la dérive qui faisaient un bruit inquiétant contre la coque vieillissante. À une époque, ces collisions terrifiaient Genrikh. L'*Étoile bolchevique* n'était qu'un vieux cargo sur le retour tout juste bon à transporter des détenus – à peine capable de tenir un cap, sans parler de louvoyer entre les blocs de glace. Prévu pour filer ses onze nœuds, il en dépassait rarement huit en soufflant comme une vieille mule. Au fil des ans la fumée crachée par l'unique cheminée située à l'arrière s'épaississait et s'assombrissait ; plus l'allure diminuait, plus les grincements s'intensifiaient. Malgré tout, Genrikh avait désormais le pied marin. Les tempêtes ne le réveillaient plus et il mangeait normalement, même quand assiettes et couverts s'entrechoquaient. Non pas qu'il soit devenu plus courageux. Une crainte plus immédiate était venue l'habiter : celle que lui inspiraient les autres gardiens.

Lors de son premier voyage, il avait commis une erreur irréparable que ses collègues ne lui avaient jamais pardonnée. Sous le règne de Staline, les gardiens de convois pactisaient souvent avec les *ourkis* – les prisonniers de droit commun. Ils organisaient le transfert d'une ou deux détenues dans la cale réservée aux hommes. Tantôt ils obtenaient la coopération de ces femmes contre des promesses de nourriture jamais tenues, tantôt ils les droguaient ou les amenaient de force, criant et se débattant. Tout dépendait des goûts des *ourkis*, beaucoup d'entre eux aimant autant la bagarre que les plaisirs de la chair. Ces transactions étaient rétribuées par des informations sur les prisonniers politiques condamnés pour crime contre l'État – issues de conversations ou de propos rapportés –, autant de renseignements que les gardiens traduisaient en précieuses dénonciations écrites dès que le bateau accostait. À titre de bonus, ces derniers pouvaient violer à leur tour les femmes inconscientes, consommant une allégeance aussi vieille que le système du goulag lui-même. Genrikh avait poliment refusé de se joindre à eux. Il n'avait pas menacé de les dénoncer ni manifesté la moindre réprobation. « Très peu pour moi », s'était-il contenté de dire, paroles qu'il regrettait plus amèrement que tout ce qu'il avait pu faire jusque-là. Depuis, ses collègues l'évitaient. Il avait cru qu'en une semaine tout rentrerait dans l'ordre. Or cette mise à l'écart durait depuis sept ans. À bord, encerclé par les flots, la solitude le rendait fou. Les gardiens ne participaient pas systématiquement aux viols, mais tous y étaient mêlés de temps à autre. Jamais pourtant ils n'avaient laissé à Genrikh une chance de corriger son erreur. L'insulte initiale demeurait, puisqu'au lieu de s'en tirer en disant qu'il n'était pas d'humeur ce jour-là, il avait exprimé une répulsion viscérale. Plus d'une fois, tandis qu'il arpentait le pont à la nuit tombée, cherchant quelqu'un à qui parler, il avait aperçu ses collègues regroupés à l'écart. Dans l'obscurité, il ne distinguait que la lueur rougeoyante de leurs cigarettes qui semblaient le foudroyer tels des yeux pleins de haine.

Il ne redoutait plus que la mer engloutisse le navire ni qu'un iceberg déchire la coque. Il craignait plutôt de se réveiller une nuit prisonnier des autres gardiens, traîné par les mains et les pieds comme toutes ces femmes hurlantes, précipité par-dessus bord dans des eaux noires et glaciales où il tenterait en vain de surnager en regardant s'éloigner les lumières du bateau.

Mais, pour la première fois en sept ans, même cette crainte l'avait quitté. Tout le contingent de gardes avait été renouvelé. Peut-être leur remplacement était-il lié au vent de réforme qui soufflait sur les camps de travail. Genrikh l'ignorait. Aucune importance : ils étaient tous partis, sauf lui. Pour une fois, cette exclusion lui convenait. Il se retrouvait au sein d'un nouveau groupe de gardiens : aucun ne le haïssait ni ne savait rien de lui. Il redevenait un inconnu et cet anonymat lui semblait merveilleux, comme s'il était miraculeusement guéri d'une maladie mortelle. Puisque l'occasion se présentait de prendre un nouveau départ, il ferait tout son possible pour être des leurs.

Se retournant, il vit l'un de ses nouveaux collègues qui fumait à l'autre bout du pont, scrutant le ciel crépusculaire, sans doute amené là par le bruit de la collision. Iakov Messing était grand, large d'épaules, âgé d'une bonne trentaine d'années, et il émanait de lui une autorité naturelle. Il s'était peu exprimé pendant le voyage, n'avait donné aucune information sur lui-même : Genrikh ignorait s'il resterait à bord ou s'il se rendait simplement dans un autre camp. Impitoyable avec les détenus, distant avec les autres gardes, redoutable joueur de cartes et en excellente condition physique : nul doute que si un nouveau groupe devait se former à bord du bateau, Iakov en serait le centre.

Genrikh traversa le pont, salua Iakov de la tête et désigna le paquet de cigarettes bon marché :

— Je peux ?

Iakov lui tendit le paquet et un briquet. Mal à l'aise, Genrikh prit une cigarette, l'alluma et tira une longue bouffée. La fumée lui irrita la gorge. Il fumait rarement, mais il s'efforça d'avoir l'air content de partager cette pause. Il devait absolument faire bonne impression. Cependant, il n'avait rien à dire. Or Iakov avait presque fini. Il retournerait bientôt à l'intérieur. L'occasion de le voir seul à seul risquait de ne pas se représenter de sitôt : le moment était venu de parler.

— Plutôt calme, comme voyage.

Iakov resta muet. Jetant sa cendre à la mer, Genrikh reprit :

— C'est votre première expérience ? En mer, je veux dire. Je sais que vous êtes nouveau sur ce bateau, mais je me demandais si, peut-être… vous aviez navigué sur d'autres bâtiments. Comme celui-ci.

Iakov répondit par une question :

— Depuis combien de temps servez-vous sur ce bateau ?

Genrikh sourit, soulagé d'avoir engagé la conversation.

— Sept ans. Mais les choses ont changé. Je ne sais pas si c'est en mieux. Ces voyages, avant, c'était quelque chose…

— Comment ça ?

— Vous savez bien… On pouvait… s'amuser. Vous voyez ce que je veux dire.

Genrikh eut un sourire entendu. Iakov demeura impassible.

— Non. Expliquez-moi.

Genrikh dut s'exécuter. Il baissa la voix, murmurant presque pour attirer Iakov dans la confidence.

— Normalement, vers le deuxième ou le troisième jour, les gardiens…

— Quels gardiens ? Vous-même en êtes un.

Regrettable faux pas : Genrikh sous-entendait qu'il était en dehors du groupe, et voilà qu'on lui demandait si c'était le cas.

— Moi, nous tous, dit-il.

Il avait insisté sur le mot « tous », qu'il répéta pour faire bonne mesure.

— Tous, on discute avec les *ourkis* pour voir s'ils ont quelque chose à offrir, une liste de noms de prisonniers politiques, quelqu'un ayant tenu des propos compromettants. On leur demande ce qu'ils veulent en échange : de l'alcool, du tabac… des femmes.

— Des femmes ?

— Vous n'avez pas entendu parler du « tram de la Kolyma » ?

— Racontez-moi.

— Une file de types qui attendent leur tour avec les détenues femmes. J'étais toujours le dernier wagon, en quelque sorte. Le wagon de queue.

Il gloussa.

— Mais si vous voulez mon avis, ça valait mieux que rien.

Il s'interrompit pour fixer l'horizon, les mains sur les hanches, curieux de la réaction de Iakov.

— Mieux que rien, répéta-t-il mécaniquement.

Écarquillant les yeux dans la lumière déclinante, Timur Nesterov étudia le visage de ce jeune homme qui se vantait des viols qu'il avait commis. Il espérait une tape amicale sur l'épaule, des félicitations et l'assurance que c'était le bon temps. La sécurité de Timur en tant que gardien de convoi, sous le nom de Iakov Messing, dépendait de son invisibilité. Il ne pouvait se permettre de se faire remarquer. Il n'était là ni pour juger cet homme ni pour venger ces malheureuses. Difficile, pourtant, de ne pas imaginer sa femme détenue à bord de ce bateau. Dans le passé, elle avait échappé de peu à une arrestation. Elle était belle et se serait retrouvée à la merci des pulsions de ce jeune officier.

Il jeta sa cigarette dans les flots et s'apprêta à rentrer. Il était presque à la porte quand le gardien l'appela :

— Merci pour la clope !

Timur s'immobilisa, perplexe devant ce mélange de bonnes manières et de barbarie. À ses yeux, Genrikh était plus enfant qu'homme. Tel un gosse désireux d'impressionner un adulte, il désignait le ciel :

— On va avoir de l'orage.

La nuit était tombée et, au loin, les éclairs illuminaient la masse noire des nuages, pareils aux jointures d'un poing géant.

*Même jour*

ALLONGÉ SUR LE DOS DANS LE NOIR, Leo écoutait la pluie s'abattre en rafales sur le pont. Le roulis et le tangage s'intensifiaient. Il se représenta le bateau, se demandant comment il résisterait à la tempête. Certes il était trapu, lent et stable. La seule partie – à l'exception de la cheminée – qui s'élevait au-dessus du pont était la tour abritant les quartiers de l'équipage et des gardiens. Leo se rassura en pensant à l'âge du cargo : il avait dû affronter plus d'une tempête depuis son lancement.

Sa couchette fut ébranlée par une vague qui se brisa contre la coque ; elle déferla sur le pont avec un chuintement, donnant l'impression que le bâtiment ne faisait plus qu'un avec la mer. Leo s'assit. Le vent avait forci. Le bateau gîta si violemment qu'il dut se cramponner aux deux bords de sa couchette. Les prisonniers éjectés de la leur poussaient des cris dont l'écho résonnait dans l'obscurité. Être en hauteur devenait un inconvénient. La structure en bois manquait de stabilité car elle n'était pas fixée à la coque. Les couchettes pouvaient basculer et projeter leurs occupants au sol. Leo s'apprêtait à descendre quand une main se referma sur son visage.

À cause du fracas du vent et des vagues, il n'avait entendu personne approcher. L'inconnu lui soufflait une haleine pestilentielle au visage.

— Qui es-tu ? demanda-t-il d'une voix rauque.

À en juger par le ton autoritaire, c'était un chef de gang. Il n'était sûrement pas seul : ses hommes devaient se trouver à proximité sur d'autres couchettes. Impossible de se défendre : Leo ne voyait pas l'adversaire.

— Je m'appelle…

Son interlocuteur l'interrompit :

— Ton nom ne m'intéresse pas. Je veux savoir qui tu es, et ce que tu fais ici parmi nous ? Tu n'es pas un *vory*. Pas de ma trempe, en tout cas. Peut-être un prisonnier politique. Mais, à te voir faire des pompes et des abdominaux, ça m'étonnerait. Les politiques pleurnichent dans un coin comme des bébés parce qu'ils ne reverront jamais leur famille. Tu n'es pas comme eux. Ça m'énerve de ne pas savoir ce que quelqu'un a dans le cœur. Je me fiche que ce soient des vols ou des crimes. Ou même des cantiques, des prières et des bons sentiments. Mais j'aime bien savoir. Je répète ma question : qui es-tu ?

Il semblait indifférent au fait que le navire soit désormais secoué comme un jouet par la tempête. Toute la couchette se balançait, seulement retenue par le poids de ses deux occupants. Les prisonniers se laissaient tomber sur le sol, se piétinaient. Leo tenta de raisonner l'inconnu :

— Si on discutait plutôt quand la tempête sera finie ?

— Pourquoi ? Tu as quelque chose à faire ?

— Je veux descendre de cette couchette.

— Tu sens ça ?

La pointe d'un couteau caressa le ventre de Leo.

Soudain, le navire se souleva comme si la main d'une divinité le sortait des eaux pour le hisser vers les cieux. L'ascension cessa aussi vite qu'elle avait commencé ; la main du dieu marin s'évanouit dans les embruns, et l'*Étoile bolchevique* replongea dans les flots.

La proue fendit brutalement une vague. L'impact ébranla le bateau avec violence. Dans un craquement parfaitement synchronisé, les couchettes volèrent en éclats et s'effondrèrent. Durant une fraction de seconde Leo fut suspendu dans les ténèbres, sans savoir sur quoi il allait atterrir. Il pivota pour tomber face contre terre, mains tendues devant lui. Il y eut un bruit d'os brisés. Craignant de s'être cassé quelque chose, il resta immobile, sonné, le souffle court. Il n'avait mal nulle part. Palpant le sol autour de lui, il s'aperçut qu'il était couché en travers du torse d'un autre détenu. Le bruit était celui produit par les côtes de l'homme en se fracturant. Leo lui chercha le pouls, mais sa main ne rencontra qu'un éclat de bois planté dans le cou.

Tandis qu'il se relevait à grand-peine, le bateau gîta à droite, puis à gauche. Quelqu'un empoigna les chevilles de Leo. Au cas où ce serait le chef de gang anonyme, il se dégagea d'un coup de pied, avant de prendre conscience que c'était sans doute un appel à l'aide. Sans lui laisser le temps de vérifier, le navire se souleva de nouveau, encore plus brutalement que la première fois, comme propulsé vers le ciel. Les débris des couchettes glissèrent en masse vers Leo. Des éclats de bois capables d'infliger des blessures mortelles s'enfoncèrent dans ses bras et ses jambes. Faute de trouver une prise sur le sol en pente, d'autres prisonniers le percutèrent.

Submergé par cette avalanche de corps et de débris, il chercha désespérément quelque chose à quoi se retenir. Le navire s'inclina à quarante-cinq degrés. Un objet métallique rentra dans la joue de Leo. Il tomba à la renverse et roula sur lui-même, arrêté par les planches brûlantes qui séparaient les détenus de la chaudière rugissante. Contre cette cloison s'entassaient des prisonniers qui, jetés à bas de leurs couchettes, attendaient que le bateau chavire et sombre irrémédiablement. Ils se raccrochaient tant bien que mal à la moindre aspérité pour ne pas être précipités dans l'inconnu. Leo s'appuya à la coque lisse et fraîche. De nouveau, aucune prise. Le navire, perché au sommet d'une lame, s'immobilisa.

Leo allait être projeté en avant. Réduit à l'impuissance, il finirait écrasé sous le poids de tous les détenus qui atterriraient sur lui. Dans l'impossibilité de voir quoi que ce soit, il tenta de se remémorer le plan de la cale. L'escalier menant au panneau de descente était son unique chance. Le bateau plongeait dans le vide, de plus en plus vite. Leo se rua dans la direction où il pensait trouver l'escalier et heurta quelque chose de dur : les marches métalliques. Il s'y retint d'un bras au moment où la proue du navire s'écrasait dans les flots avec un bruit sourd.

Second impact pareil à une détonation, d'une force incroyable. Leo crut que le bateau s'était fendu par le milieu, telle une coque de noix ouverte d'un coup de marteau. Alors qu'il s'attendait à voir un mur d'eau, il entendit des craquements de troncs d'arbres cassés en deux par la foudre. Des hurlements retentirent. Leo sentit son bras, accroché à l'escalier, tiré si brutalement qu'il fut sûr d'avoir l'épaule luxée. Pourtant aucun mur d'eau ne s'abattit sur lui. La coque était intacte.

Il tourna la tête. De la fumée. Non seulement il la sentait, mais il la voyait. D'où venait cette lumière ? Le rugissement du moteur semblait s'intensifier. La cloison en planches séparant les détenus de la chaudière s'était disloquée. Au centre du compartiment brillait la lueur rouge du foyer entouré d'éclats de bois et de cadavres informes.

Sortant de l'obscurité, Leo cligna des yeux. La cale n'était plus sécurisée : les prisonniers les plus dangereux pouvaient désormais atteindre les quartiers de l'équipage et la passerelle du capitaine, accessibles depuis la salle des machines. Noir de suie, l'officier chargé de l'entretien de la chaudière leva les bras en signe de capitulation. Un détenu se jeta sur lui et le plaqua contre le foyer incandescent. L'officier poussa un hurlement ; une odeur de chair grillée empuantit l'air. Il tenta de se dégager, mais son bourreau ne relâchait pas l'étreinte, tout au plaisir de voir l'homme brûlé vif rouler des yeux et s'étrangler avec sa salive.

— Emparez-vous du bateau ! s'écria le détenu.

Leo reconnut cette voix. C'était celle de l'inconnu qui l'avait menacé sur sa couchette avec un couteau, ce chef de gang qui voulait sa mort.

*Même jour*

BALLOTTÉ D'UN MUR À L'AUTRE, Timur dévala en zigzaguant les étroits couloirs, dans l'espoir de bloquer à temps les deux portes de communication avec la salle des machines. Il était sur la passerelle quand le navire avait basculé du haut d'une lame pareille à une falaise en train de s'effriter, sa proue s'enfonçant dans la vague suivante après un plongeon de trente mètres. Catapulté contre les instruments de navigation, Timur s'était écroulé sur le sol. Les tôles du navire répercutaient la violence de l'impact à la manière d'un diapason. Tandis qu'il se relevait, convaincu par les flots d'écume bouillonnant derrière la vitre – déferlement de gris, de noir et de blanc – que le bateau sombrait, entraîné vers le fond, la proue s'était une nouvelle fois redressée vers le ciel.

Pour tenter d'évaluer les dégâts, le capitaine avait appelé la salle des machines. Pas de réponse. Il y avait encore du courant, le moteur continuait de tourner, aucune brèche n'était visible dans la coque. La position de la proue empêchait l'eau d'envahir le navire. Si la coque était intacte, cette coupure du téléphone n'avait qu'une seule explication : la cloison en planches avait dû céder tel un fétu de paille. Les détenus étaient libres comme l'air : ils pouvaient pénétrer dans la salle des machines, gravir l'escalier, accéder à la passerelle. S'ils atteignaient le pont supérieur, ils tueraient tout le monde et feraient route vers les eaux internationales où ils demanderaient le droit d'asile en échange d'un peu de propagande anticommuniste. Cinq cents détenus contre trente membres d'équipage, dont vingt seulement étaient des gardiens…

Ces derniers avaient perdu le contrôle des niveaux inférieurs. Jamais ils ne pourraient reconquérir cette pièce cruciale ni sauver les matelots qui y travaillaient. Il était toutefois encore possible d'isoler ces compartiments, d'enfermer les mutins dans les profondeurs du navire. Deux portes donnaient accès à la salle des machines. Timur se dirigeait vers la première, un groupe de gardiens vers la seconde. Si l'une ou l'autre était ouverte et tombait aux mains des détenus, ceux-ci prendraient les commandes du bateau.

Timur tourna à droite, puis à gauche, descendit quatre à quatre le dernier escalier. Il vit la première porte devant lui, au bout du couloir. Elle n'était pas fermée et battait contre les tôles. Le navire se redressa encore, gîta légèrement. Timur se retrouva à quatre pattes. La lourde porte s'ouvrit à la volée sur une horde remontant de la salle des machines, au moins trente ou quarante détenus découvrant sa présence : de part et d'autre de cette frontière entre captivité et liberté, les deux camps se dévisagèrent.

Les hommes se ruèrent sur Timur. Il se releva d'un bond, se jeta contre la porte poussée par des dizaines de mains dans la direction opposée. Il ne tiendrait pas longtemps : ses pieds glissaient sous la pression. Les détenus allaient passer. Il chercha son pistolet.

La tempête fit alors basculer le navire, écartant les assaillants de la porte tandis que Timur pesait sur elle de tout son poids. Elle se ferma dans un claquement. Il tourna aussitôt le verrou. Si le bateau s'était incliné de l'autre côté, Timur aurait été projeté à terre et piétiné par les détenus comme par un troupeau de bétail. Voyant la liberté leur échapper, ceux-ci martelaient la tôle de leurs poings en jurant. Mais leurs voix étaient aussi sourdes que leurs coups de poing étaient vains. L'épaisse porte d'acier ne se rouvrirait pas.

Le soulagement de Timur fut de courte durée, interrompu par des tirs de mitrailleuse à l'autre bout du navire. Les détenus avaient dû franchir l'autre porte.

Reprenant tant bien que mal sa course, il aperçut deux officiers accroupis en train de tirer. Arrivé à leur hauteur, il dégaina et visa dans la même direction. Entre eux et la seconde porte, le sol était jonché de corps : des prisonniers abattus, certains encore vivants et qui appelaient à l'aide. La fameuse porte de communication avec la cale – désormais l'unique point de passage pour les détenus – était maintenue ouverte par une planche coincée en travers. Même si Timur arrivait jusque-là, il ne pourrait jamais la refermer. Les officiers, affolés, tiraient dans toutes les directions : les balles ricochaient sur la tôle et sifflaient en tous sens comme des menaces de mort. Timur fit signe aux deux hommes de baisser leurs armes.

Les flaques d'eau allaient et venaient sur le sol au rythme des vagues. Retranchés derrière la porte, les détenus n'avançaient plus. Pas facile, sans doute, au sein d'une telle bande de tueurs, de trouver des volontaires prêts à sacrifier leur vie pour prendre le contrôle du couloir. Il en faudrait une bonne vingtaine pour neutraliser les gardiens.

Timur s'empara d'une mitraillette et visa la planche qui dépassait de la porte. Il tira, faisant voler le bois en éclats sans interrompre sa progression. La planche acheva de se désintégrer sous ce feu ininterrompu. La porte allait pouvoir être fermée, verrouillée : le dernier point d'accès serait sécurisé. Timur avança d'un bond. Avant qu'il n'atteigne son objectif, trois nouvelles planches furent coincées en travers. Plus question de fermer le battant. Ayant épuisé ses munitions, il battit en retraite.

Quatre gardiens supplémentaires venaient de prendre position à l'extrémité du couloir, portant leur nombre à sept : détachement ridicule pour contenir cinq cents prisonniers. Depuis les pertes qu'ils avaient subies, ceux-ci n'étaient pas repassés à l'offensive. Si certains ne se sacrifiaient pas, ils n'avaient aucun moyen de progresser. Ils devaient mijoter un autre plan d'attaque.

— Glissons le canon de nos mitraillettes dans l'entrebâillement, chuchota l'un des officiers. Ils ne sont pas armés. Ils reculeront et on pourra fermer cette porte.

Trois officiers acquiescèrent de la tête et s'élancèrent.

Ils eurent à peine le temps d'avancer de quelques pas. La porte s'ouvrit en grand. Cédant à la panique, ils firent feu, sans succès. La première colonne de prisonniers se servait des matelots blessés comme de boucliers humains, brandissant des corps hurlants, à la peau brûlée, au visage calciné.

Le premier officier voulut faire demi-tour et tira par erreur sur son collègue. Un détenu lui lança le cadavre qui le projeta au sol. Les autres gardiens dirigèrent leurs tirs vers les pieds des prisonniers. Plusieurs d'entre eux s'écroulèrent, mais ils étaient trop nombreux, trop rapides. Ils avançaient toujours. Dans quelques minutes ils prendraient le contrôle du couloir, d'où ils envahiraient le reste du navire. Timur allait se faire lyncher. Tétanisé, il n'arrivait même plus à viser. Que pouvaient six malheureuses balles contre cinq cents détenus ? Aussi vain que de tirer dans l'océan.

Une idée lui traversa l'esprit. Il se retourna, se précipita vers la porte qui donnait sur le pont. Il l'ouvrit complètement, découvrant une mer déchaînée, une masse d'eau en furie. Chaque gardien portait un harnais de sécurité. Il fixa son mousqueton au filin qui courait le long de la tour, dispositif destiné à empêcher les hommes d'être emportés par une lame.

Jetant un coup d'œil à la fusillade, il ne vit que deux officiers encore en vie. Des dizaines de prisonniers étaient morts, mais ils semblaient toujours plus nombreux. Timur se tourna vers la mer, comme pour la prendre à témoin, l'appeler à l'aide :

— Allez !

Le navire plongea dans un creux, le déséquilibrant, puis se redressa lentement. Couverte d'écume bouillonnante, cachant le ciel, une montagne d'eau avançait droit sur lui. Elle déferla sur le flanc du bateau, inonda le couloir. Timur fut balayé par les flots, totalement immergé. L'eau emplissait tout. Le froid le paralysa. Il était réduit à l'impuissance, incapable de bouger ou de penser, emporté le long du couloir.

Son mousqueton lui sauva la vie en l'immobilisant. La vague s'était abattue sur le pont. En réaction, le bateau s'inclina dans la direction opposée. L'eau reflua aussi vite qu'elle était arrivée. Timur s'écroula, hors d'haleine, et inspecta les environs. La colonne de détenus avait été frappée de plein fouet, les hommes projetés au sol ou dans l'escalier. Avant qu'ils puissent se ressaisir, Timur détacha son mousqueton et s'élança dans ses vêtements alourdis par l'eau, ses chaussures faisant un bruit de succion sur les cadavres des victimes de la fusillade, prisonniers et gardiens mêlés. Il claqua la porte pour la fermer, la verrouilla. Les niveaux inférieurs étaient sécurisés.

Il n'y avait pas une minute à perdre. La porte donnant sur le pont était grande ouverte : une nouvelle montagne d'eau risquait d'inonder l'intérieur, de faire chavirer le bateau. Timur revint sur ses pas. Une main lui empoigna la cheville. Un prisonnier encore vivant. Timur trébucha. L'inconnu se jeta sur lui, lui braqua le canon d'une mitraillette sur la tête. Il ne pouvait pas le rater. Il appuya sur la détente. L'arme devait être à court de munitions, ou abîmée par l'eau de mer : le coup ne partit jamais.

Ragaillardi par ce sursis, Timur écrasa le nez du détenu d'un coup de poing, mit l'homme à plat ventre et lui enfonça le visage dans une flaque. Le navire plongea de nouveau, cette fois au détriment de Timur. L'eau reflua et le prisonnier put reprendre son souffle. Plusieurs cadavres dévalèrent le couloir et atterrirent sur le pont. Les deux adversaires furent entraînés dans la même direction, continuant de se battre alors qu'ils risquaient de tomber à la mer.

La porte franchie, Timur s'agrippa au filin pour expédier d'un coup de pied le détenu sur le pont. Une nouvelle lame approchait à toute vitesse. Timur regagna l'intérieur, ferma la porte derrière lui. Tandis qu'il fixait le détenu des yeux par le hublot, la vague s'abattit. Il sentit les vibrations jusque dans ses mains. Lorsque l'eau se retira, l'homme n'était plus là.

*Même jour*

AU PIED DE L'ESCALIER DE LA CALE, Leo regardait le chef improvisé des mutins se débattre avec la porte métallique pour tenter de l'ouvrir. Lui et ses hommes étaient pris au piège, sans aucun moyen d'accéder à la passerelle. Il avait perdu beaucoup de membres de son gang en voulant conquérir la liberté. Inutile de dire qu'il avait piloté l'opération depuis l'arrière, à l'abri des balles. Les vagues l'avaient ramené dans la cale. Leo jeta un coup d'œil par terre : il avait de l'eau jusqu'aux chevilles, une masse qui se déplaçait d'un bord à l'autre, déstabilisant le navire. Aucun moyen de l'évacuer, du moins pas durant les hostilités. Et aucune chance d'obtenir la coopération des détenus. Si l'eau continuait à monter, le bateau chavirerait. Ils sombreraient au milieu des ténèbres sans pouvoir s'échapper, enfermés dans leur prison d'acier. Pourtant, cette situation précaire n'intéressait guère le chef des mutins. À l'image des révolutionnaires, il voulait vivre libre ou mourir.

La chaudière se mit à crachoter. Leo se retourna pour évaluer les dégâts. Il ne fallait pas qu'elle s'arrête. S'adressant aux prisonniers, il demanda de l'aide :

— Il faut garder le charbon au sec et alimenter le feu.

Le chef des mutins revint dans la salle des machines en ricanant :

— S'ils refusent de nous libérer, on démolira la chaudière.

Leo eut un hochement de tête.

— Sans électricité, le bateau ne pourra plus naviguer et on coulera. Il faut que cette chaudière continue à tourner. Notre vie en dépend.

— La leur aussi. Si on l'éteint, ils seront obligés de discuter avec nous, de négocier.

— Jamais ils n'ouvriront ces portes. Si on démolit la chaudière, ils abandonneront le bateau. Ils ont des chaloupes – assez pour eux, mais pas pour nous. Ils nous laisseront nous noyer.

— Qu'est-ce que tu en sais ?

— Ils l'ont déjà fait ! À bord du *Dzhurma* ! Les prisonniers sont entrés de force dans la réserve ; ils ont volé de la nourriture et mis le feu à ce qui restait – sacs de riz, étagères – en croyant que les gardiens allaient accourir. Ça n'a pas été le cas. Ils ont laissé la réserve brûler. Tous les prisonniers sont morts étouffés.

Leo ramassa une pelle. Le chef des mutins secoua la tête.

— Pose ça !

Ignorant cet ordre, Leo ramassa le charbon et remplit la chaudière, qui avait déjà refroidi. Aucun autre détenu n'apporta son aide, tous surveillant l'évolution du conflit. À première vue, Leo n'était pas sûr de pouvoir maîtriser son adversaire. Voilà longtemps qu'il ne s'était pas battu. Il serra plus fort le manche de l'outil, prêt à se défendre. À sa grande surprise, le chef des détenus sourit :

— Vas-y ! Travaille comme un esclave. J'ai une meilleure solution.

Il saisit une autre pelle et enjamba ce qui restait de la cloison pour rejoindre la cale des prisonniers. Leo s'interrompit, se demandant s'il devait continuer à pelleter le charbon ou suivre l'homme. Quelques instants plus tard, des bruits de métal retentirent. Leo enjamba à son tour les débris de la cloison et se retrouva dans la pénombre de la cale. Écarquillant les yeux, il vit le *vory* en haut de l'escalier, en train de cogner avec la pelle contre le panneau de descente. Pour n'importe qui cette tâche aurait été vouée à l'échec. Mais le détenu était si fort que le panneau commençait à onduler sous la pression. Le métal allait finir par céder.

— Si tu démolis ce panneau, l'eau va se déverser à l'intérieur de la cale. On ne pourra pas le refermer. Et si la cale est inondée, le bateau coulera !

En haut de l'escalier, martelant le panneau avec une force herculéenne, l'homme lança à ses codétenus :

— Avant de mourir, je veux connaître la liberté ! Je veux mourir libre !

Apparemment infatigable, il attaquait le métal, portant chaque coup au même endroit que le précédent.

Impossible de savoir combien de temps le panneau tiendrait. Une fois transpercé, il serait irréparable. Leo devait intervenir. Affronter seul cet individu semblait impossible. Il lui fallait l'aide des autres prisonniers. Il se tourna vers eux, prêt à les rallier à sa cause :

— Notre vie à tous dépend de...

Sa voix n'arrivait pas à couvrir le martèlement et le fracas de la tempête. Personne ne l'aiderait.

Luttant contre le roulis, il plongea vers la marche du bas et s'y cramponna. Le chef des mutins enserrait de ses jambes le haut de l'escalier métallique, de façon à pouvoir continuer de marteler le panneau. Voyant Leo grimper vers lui, il le menaça de sa pelle cabossée. Il était en position de force. Seule chance pour Leo : l'attraper par une jambe et tirer. Sur la défensive, l'homme brandit l'outil.

Avant que Leo ait pu changer de place, des balles traversèrent le panneau et allèrent se loger dans le dos du *vory*. La bouche en sang, il contempla son torse, l'air perplexe. La tempête le projeta au sol. Leo s'écarta et le laissa s'écraser au fond de la cale inondée. D'autres balles transpercèrent le panneau, frôlant le visage de Leo. Celui-ci sauta dans l'eau pour éviter les tirs.

Il scruta l'obscurité. Le *vory* était mort, face contre terre. Un nouveau péril était apparu. Le panneau était troué par les balles. Chaque fois qu'une vague se brisait sur le pont, l'eau se déversait en pluie dans la cale. Si on ne bouchait pas ces trous, l'eau monterait et le bateau chavirerait. Leo devait absolument remonter l'escalier pour les colmater. Le navire continuait à tanguer violemment, et l'eau à jaillir par le panneau. Elle envahissait la cale, où des vaguelettes éclaboussaient la chaudière qui refroidissait à nouveau. Leo ne pouvait plus attendre. Le bateau avait du mal à se redresser. Il fallait agir sur-le-champ.

Leo déshabilla le cadavre du détenu, déchira ses vêtements en lambeaux. Trempé, il posa avec précaution un pied sur la première marche de l'escalier, prêt à grimper jusqu'en haut. Sa vie dépendait de l'intelligence du gardien invisible.

*Même jour*

EUPHORIQUE, GENRIKH SE CRAMPONNAIT À LA TOURELLE de la mitrailleuse tandis que les vagues se brisaient autour de lui, comme s'il chevauchait une baleine monstrueuse. Grâce à son courage, la tentative d'évasion des détenus avait échoué. Il avait sauvé le bateau. En une nuit, le lâche était devenu un héros ! Plus tôt, à l'intérieur de la tour, lorsqu'une fusillade avait éclaté entre gardiens et prisonniers, il était allé se réfugier dans les quartiers de l'équipage. Quand il avait vu son ami Iakov passer en courant, il n'était pas sorti de sa cachette. Il attendit d'être certain que les détenus avaient perdu la bataille et que le navire était sécurisé pour émerger, comprenant un peu tard quel nouveau péril le menaçait. Les membres de l'équipage encore vivants l'accuseraient d'être un déserteur. Ils le haïraient comme le précédent contingent avant eux. Il serait condamné à sept années de solitude supplémentaires. Alors qu'il broyait du noir, un espoir de rédemption s'était présenté : des bruits de métal assourdissants. Il était le seul membre d'équipage à entendre les détenus s'acharner contre le panneau de descente. Ils tentaient de gagner le pont pour s'emparer du navire. Le panneau n'était pas conçu pour supporter des assauts répétés. Normalement, aucun prisonnier n'aurait osé y toucher, de peur d'être abattu. En pleine tempête, toutefois, personne ne surveillait la tourelle de la mitrailleuse. Genrikh tenait l'occasion de se distinguer. Réconforté par cette perspective, il s'était élancé vers la tourelle et avait fait feu en direction du panneau. Grisé par le bruit des balles, il avait poussé un cri de jubilation avant de lâcher deux nouvelles salves. Il resterait là aussi longtemps que durerait la tempête. Dans la tour, tout le monde serait témoin de son courage extraordinaire. Si un détenu tentait de passer, s'il s'approchait seulement du panneau, Genrikh le tuerait.

Dans la passerelle, Timur s'étranglait de rage devant la stupidité de Genrikh. Impossible de le laisser envoyer une nouvelle rafale dans ce panneau. La ligne de flottaison du navire était haute : le capitaine réussissait à peine à traverser les vagues. S'ils continuaient d'embarquer de l'eau de mer, ils couleraient. Or la tempête n'avait pas l'air de se calmer. Contrairement à ses collègues, Timur savait quelle quantité d'eau avait envahi le bateau quand il avait ouvert la porte donnant sur le pont. Après avoir tenu les mutins en échec, il devait à présent neutraliser ce gardien.

Dévalant l'escalier, il se prépara mentalement à ouvrir la porte pour accéder au pont. Des bourrasques le cinglèrent, comme insultées par sa présence. Il referma la porte derrière lui, fixa son mousqueton au filin longeant la tour. Une quinzaine de mètres séparaient la mitrailleuse du bas de la tour, un espace totalement dégagé : si une lame l'emportait, il s'écraserait contre le plat-bord ou tomberait à la mer. Le harnais de sécurité ne servirait pas à grand-chose. Timur serait traîné derrière le bateau comme un morceau d'appât jusqu'à ce que la corde se rompe. Il jeta un coup d'œil au panneau troué par les balles. Quelque chose attira son attention : un chiffon poussé par quelqu'un dans l'un des trous. Genrikh s'apprêtait à tirer de nouveau.

Timur se rua en travers du pont au moment où une lame menaçait de s'abattre sur lui. Il plongea vers l'arme, s'y cramponna, poussa le canon de la mitrailleuse vers le ciel. Genrikh fit feu. La vague se brisa. Les jambes de Timur se soulevèrent. S'il avait lâché prise, il aurait été balayé. La vague reflua, laissant Timur allongé sur le pont. Le nez et la bouche pleins d'eau de mer, il hoqueta. Reprenant sa respiration, il saisit Genrikh par le cou et, de rage, le secoua comme un pantin. Il le poussa violemment en arrière, récupéra la cartouche de munitions, la jeta à la mer.

La mitrailleuse maintenant inutilisable, il repartit vers la tour en titubant, vérifiant au passage l'état du panneau. D'autres trous avaient été colmatés à l'aide de chiffons. Au pied de la tour, il sentit l'impact d'une nouvelle lame et se retourna. L'eau déferlait vers lui. Déséquilibré, il s'écroula. Le silence. Il ne voyait que des millions de bulles. Puis l'eau se retira, le bruit de la tempête revint. Timur se redressa, regarda vers le large. La tourelle de la mitrailleuse avait disparu, arrachée comme une dent cariée. Les débris avaient glissé vers l'avant du navire. Genrikh était prisonnier du métal tordu.

Timur avait suffisamment de longueur de corde pour aller secourir le jeune gardien. Genrikh tentait pitoyablement de se dégager. En vain. Si l'amas de métal passait par-dessus bord, il l'entraînerait dans sa chute. Timur pouvait le sauver. Pourtant il ne bougeait pas. Il contemplait la mer. Le bateau chevauchait une nouvelle lame ; il plongerait bientôt dans un creux, et la force qui avait précipité la tourelle à l'autre extrémité du pont les emporterait à leur tour.

Tournant le dos à Genrikh, Timur s'aida de sa corde pour regagner la tour. Le navire piqua du nez. Timur atteignit la porte, s'engouffra à l'intérieur, la referma hermétiquement derrière lui.

Une lame souleva Genrikh, qui se débattait pour surnager. L'eau était si froide qu'il ne sentait plus ses jambes. Lorsqu'il était tombé à la mer, il avait souffert le martyre au moment où le métal lui avait déchiré les chairs. En état de choc, il avait l'impression que les vagues glaciales avaient refermé leurs mâchoires sur une moitié de son corps. L'espace d'un instant il vit les lumières du bateau, puis elles disparurent.

## 10 kilomètres au nord de Moscou

*8 avril*

ZOYA AVAIT LES CHEVILLES ET LES POIGNETS LIGOTÉS avec un fil de fer qui lui cisaillait la chair dès qu'elle tentait de changer de position. Bâillonnée, les yeux bandés, elle était couchée sur le côté, sans la moindre couverture pour amortir les cahots. À en juger par le bruit du moteur et l'espace qui l'environnaient, elle se trouvait à l'arrière d'un camion. Elle sentait les accélérations et les vibrations à travers la tôle du châssis. Chaque arrêt brutal la faisait rouler d'avant en arrière, plus comme un cadavre que comme un être vivant. Lorsqu'elle eut retrouvé le sens de l'orientation, elle put visualiser son voyage. Au début, ils avaient beaucoup tourné, slalomé entre les voitures. Ils étaient en ville – probablement à Moscou, encore qu'elle ne puisse pas l'affirmer. Désormais, ils roulaient droit devant eux à vitesse constante. Sans doute avaient-ils quitté la capitale. Hormis le vrombissement du moteur, il n'y avait aucun son, aucune circulation. On l'emmenait dans un endroit isolé. Ces détails et le mépris pour sa sécurité – ce bâillon enfoncé si profondément dans sa gorge qu'il l'étouffait presque – lui donnaient la certitude qu'elle allait mourir.

Était-elle depuis longtemps prisonnière ? Aucun moyen de le savoir : elle avait du mal à mesurer le temps écoulé. Après son enlèvement, on l'avait droguée. Tandis qu'on la poussait à l'intérieur d'une voiture, elle avait vu Raïssa tomber du balcon. C'était la seule chose dont elle se souvenait avant son réveil, le crâne comme pris dans un étau, la bouche sèche, poussiéreuse, les bras en croix sur le sol d'une pièce aux murs aveugles. Même si elle était évanouie à son arrivée, elle avait la sensation de se trouver à plusieurs mètres sous terre. L'air restait humide et frais ; la brique des murs ne se réchauffait jamais, ne permettant même pas de suivre l'alternance du jour et de la nuit. La puanteur ambiante suggérait la présence d'égouts à proximité. Zoya entendait souvent des bruits d'eau, assez sonores pour provenir de rivières se déversant dans des canaux souterrains. Elle avait reçu de la nourriture et des couvertures de ses ravisseurs, qui ne faisaient aucun effort pour dissimuler leur identité. Ils ne lui adressaient la parole que brièvement, pour donner des ordres et poser des questions : en dehors de la nécessité de la maintenir en vie, ils lui témoignaient peu d'intérêt. De temps à autre, pourtant, elle avait eu vaguement conscience qu'on l'observait depuis le couloir sombre à l'extérieur de sa cellule. Dès qu'elle s'approchait pour tenter de voir qui, l'inconnu s'évanouissait dans la pénombre.

Depuis deux semaines elle pensait à la mort, tournant et retournant cette idée dans sa tête comme elle aurait sucé un bonbon acidulé. Qu'est-ce qui la retenait à la vie, au juste ? Elle ne se faisait aucune illusion sur ses chances d'être secourue. La perspective d'être libérée ne la faisait pas pleurer de joie. Elle identifiait la liberté à sa vie de lycéenne impopulaire et malheureuse – vie détestable et détestée. Elle ne se sentait pas plus solitaire en captivité que dans l'appartement de Leo. Ni plus prisonnière qu'auparavant. Seul le décor avait changé. Et l'identité de ses geôliers. Sa vie était la même. Elle ne fondait pas en larmes au souvenir de sa chambre et des repas chauds pris en famille dans la cuisine. Ni même en pensant à sa petite sœur. Peut-être Elena serait-elle plus heureuse sans elle ; peut-être l'empêchait-elle d'aller de l'avant, de mener une vie normale avec Leo et Raïssa.

*Pourquoi est-ce que je n'arrive pas à pleurer ?*

Elle se pinçait. En pure perte. Aucune larme ne venait.

Elle espérait que Raïssa avait survécu à sa chute. Même cet espoir, pourtant, aussi sincère fût-il, lui semblait extérieur, comme s'il s'agissait d'une idée que d'autres lui prêtaient au lieu d'une émotion profondément ancrée en elle. Il manquait un rouage essentiel à son psychisme : au lieu de relier les émotions à l'expérience, le mécanisme tournait à vide. Elle aurait dû avoir peur, au lieu de quoi elle avait l'impression de flotter dans une mer de résignation. Si on voulait la tuer, tant pis. Si on voulait la libérer, tant mieux. Honnêtement, ça lui était parfaitement égal.

Le camion quitta la route pour s'engager en cahotant sur un chemin de terre. Au bout d'un certain temps il ralentit et tourna plusieurs fois avant de s'arrêter complètement. Les portières avant s'ouvrirent et se refermèrent. Des pas crissèrent sur le sol, se rapprochèrent de l'arrière. On souleva la bâche. On déchargea Zoya comme un carton de marchandises et on la mit sur ses pieds : elle tenait à peine debout, le fil de fer qui lui ligotait les chevilles l'empêchant de trouver son équilibre. Le sol était couvert de boue et de cailloux. Le voyage lui avait donné mal au cœur et elle se demanda si elle n'allait pas vomir. Elle ne voulait pas passer pour une petite nature et une poule mouillée auprès de ses ravisseurs. On lui retira son bâillon. Elle prit une profonde inspiration. Un homme se mit à rire avec condescendance tandis qu'on desserrait les fils de fer, qu'on enlevait le bandeau.

Zoya cligna des yeux à la lumière du jour qui l'éblouissait comme si elle se trouvait à quelques centimètres de la surface du soleil. Telle une goule surprise hors de son repaire souterrain, elle tourna le dos au ciel. S'habituant à la lumière, elle découvrit peu à peu le monde qui l'entourait. Elle était debout au milieu du chemin de terre. Face à elle, sur le bas-côté, de minuscules fleurs blanches ressemblaient à des gouttes de lait qu'on aurait renversé. Levant la tête elle aperçut un bois. Faute de stimuli, ses yeux se comportaient comme une éponge desséchée qui, lâchée dans l'eau, se gonflerait toujours plus : ils absorbaient la moindre tache de couleur devant elle.

Se rappelant l'existence de ses ravisseurs, elle se retourna. Ils étaient deux : un homme trapu aux bras et au cou massifs, au torse trop musclé. Tout, dans sa personne, était compact, comme s'il avait grandi dans une boîte trop petite. À côté de lui, contraste saisissant, se tenait un adolescent de treize ou quatorze ans – le même âge que Zoya –, mince et élancé. De ses yeux rusés, il la regardait avec un dédain évident, tel un adulte toisant une petite fille. Il lui inspira une profonde haine.

L'homme trapu désigna les arbres :

— Va te dégourdir les jambes. Fraera ne veut pas que tu t'affaiblisses.

Zoya avait déjà entendu ce prénom – Fraera – en surprenant des bribes de conversation entre les *vorys* pris de boisson. Fraera était leur chef. Zoya ne l'avait rencontrée qu'une seule fois. Elle était entrée dans sa cellule sans se présenter. Elle n'en avait pas besoin. L'autorité l'enveloppait comme une toge. Alors que Zoya n'avait pas peur des autres brutes, dont la force se mesurait à l'épaisseur de leurs biceps, elle avait été impressionnée par cette femme. Fraera avait étudié l'adolescente froidement, d'un air calculateur, tel un horloger examinant les rouages d'une montre d'occasion. Au lieu de profiter de l'occasion pour poser la question qui lui brûlait les lèvres – « Que comptez-vous faire de moi ? » –, Zoya s'était tue, pétrifiée. Fraera n'avait pas passé plus d'une minute dans la cellule avant de se retirer sans avoir prononcé une parole.

Libre de ses mouvements, Zoya quitta le chemin de terre et pénétra dans le bois, ses orteils s'enfonçant dans le sol marécageux sous le tapis de feuilles mortes. Peut-être ses ravisseurs allaient-ils la tuer pendant qu'elle marchait vers les arbres ? Peut-être la tenaient-ils déjà en joue ? Elle jeta un coup d'œil par-dessus son épaule. L'homme fumait une cigarette. Le jeune garçon ne la quittait pas des yeux. Se méprenant sur le sens de ce coup d'œil, il s'écria :

— Si tu essaies de t'enfuir, je te rattraperai !

Son ton supérieur la hérissa. Il était un peu trop sûr de lui. S'il y avait une chose qu'elle savait faire, c'était courir vite.

Au bout d'une vingtaine de pas, elle s'arrêta, posa la paume sur un tronc d'arbre, impatiente d'éprouver d'autres sensations que la fraîcheur humide de la brique. Oubliant la surveillance dont elle était l'objet, elle s'accroupit, prit une poignée de terre qu'elle serra dans sa main. Un filet noir dégoulina de part et d'autre de sa paume. Durant son enfance au kolkhoze, elle avait travaillé avec ses parents. Dans les champs, il arrivait à son père de se baisser pour prendre une motte de terre et l'écraser entre ses doigts comme elle-même le faisait à présent. Elle ne lui avait jamais demandé le pourquoi de ce geste. Que lui apportait-il ? N'était-ce qu'une habitude ? Elle regrettait de ne pas avoir la réponse, de même qu'elle regrettait beaucoup de choses : chaque seconde perdue à bouder ou à rire bêtement au lieu d'écouter ce qu'il voulait lui dire ; ou encore à mal se conduire et à mettre ses deux parents en colère. Maintenant ils n'étaient plus là et elle ne pourrait plus jamais leur parler.

Elle ouvrit son poing, fit tomber la terre d'un revers de main. Elle ne voulait plus se souvenir. Si elle ne voyait pas l'utilité de vivre, en revanche elle voyait celle de mourir. La mort mettrait un terme à tous ces souvenirs déprimants, à tous ces regrets. Elle serait moins vide que la vie. Zoya en était sûre. Elle se releva. Ces bois ressemblaient trop à ceux de Kimov, près du kolkhoze. Mieux valait la fraîcheur monotone de la brique humide : elle ne lui rappelait rien. Il était temps de repartir.

Zoya se tourna vers le camion. Elle sursauta en découvrant l'homme trapu debout juste derrière elle. Elle ne l'avait pas entendu approcher. Il lui adressa un grand sourire, laissant voir ses gencives presque entièrement édentées. Il jeta la cigarette par terre et Zoya la regarda se consumer sur le sol détrempé. Il avait déjà enlevé sa parka. À présent il retroussait ses manches.

— Fraera a donné l'ordre de te faire prendre de l'exercice. Et tu n'en as pas pris.

Il toucha le col du chemisier de Zoya, passa les doigts sur son visage comme pour sécher une larme. Il avait les ongles rongés jusqu'au sang. Il baissa la voix.

— On est moins bien élevés que toi. Moins polis. Quand on veut quelque chose, on le prend.

Zoya s'efforçait de ne pas céder à la panique, s'éloignant à mesure qu'il avançait.

— Nous, on sait prendre. Les jeunes filles, elles, savent se soumettre. Certains parlent de viol. Moi, j'appelle ça de l'exercice.

Ce type avait envie de faire peur et de dominer. Zoya ne lui donnerait pas ce plaisir.

— Si vous me touchez, je me défendrai à coups de pied. Si vous me plaquez au sol, je vous arracherai les yeux. Si vous me brisez les doigts, je vous mordrai le visage.

L'homme éclata de rire.

— Et comment tu feras ça, petite, si je t'assomme d'abord ?

Dès que Zoya faisait un pas, il l'imitait, dressant devant elle son corps massif jusqu'à ce qu'elle se retrouve dos à un arbre, dans l'impossibilité d'aller plus loin. Sans qu'il la voie, elle palpa le tronc, en quête de quelque chose pour se défendre. Elle cassa une petite branche, en testa l'extrémité du bout de l'index. Il faudrait s'en contenter. Elle jeta un coup d'œil au jeune garçon. Il attendait près du camion. Suivant la direction de son regard, l'homme se tourna vers l'adolescent.

— Elle croit que tu vas la sauver !

Zoya brandit sa branche et lui en écrasa de toutes ses forces l'extrémité en plein visage. Elle espérait que le sang jaillirait. Mais la branche se brisa dans sa main en plusieurs morceaux. Clignant des yeux sous l'effet de la surprise, l'homme contempla les morceaux de bois sur la paume de l'adolescente et, comprenant ce qui s'était passé, il se mit à rire.

Zoya s'élança d'un bond mais il se jeta sur elle. Elle réussit à l'éviter. Elle courut vers le camion aussi vite qu'elle le pouvait, sentant l'homme sur ses talons. Le jeune garçon stopperait sûrement sa course, mais elle ne le voyait pas. Elle ouvrit la portière du côté du conducteur, se précipita à l'intérieur. Son poursuivant n'était qu'à quelques mètres, et il ne souriait plus. Elle eut juste le temps de lui claquer la portière au nez et de la verrouiller. Pourvu qu'il n'ait pas les clés. Non, elles étaient sur le tableau de bord. S'installant derrière le volant, elle mit le contact. Le moteur démarra avec un hoquet.

Sans trop savoir que faire, elle empoigna le levier de vitesse, le poussa brutalement vers l'avant dans un bruit de métal. Apparemment sans résultat. L'homme avait enlevé sa chemise, l'avait enroulée autour de son poing : il prit son élan et brisa la vitre, emplissant la cabine d'éclats de verre. Trop petite pour atteindre de son siège la pédale d'accélérateur, Zoya se laissa glisser et appuya le pied dessus, faisant rugir le moteur. Le camion s'ébranla alors que l'homme ouvrait la portière, se hissait sur le siège du passager. Elle se recroquevilla le plus loin possible. Il l'attrapa par les cheveux et tira. Elle poussa un hurlement, lui griffa les mains.

Contre toute attente, il lâcha prise.

Zoya retomba sur le sol et s'accroupit, hors d'haleine. Le moteur toussota. Le camion n'avançait plus. Son assaillant avait disparu. La portière était grande ouverte. Zoya se redressa avec précaution, jeta un coup d'œil au siège du passager. Elle entendait l'homme jurer. Se penchant, elle le vit étendu à terre.

Perplexe, elle remarqua le jeune garçon debout à proximité, un couteau à la main. La lame était tachée de sang. L'homme se tenait la cheville. Elle saignait abondamment : il avait les doigts tout rouges. L'adolescent le dévisageait sans rien dire. Incapable de se relever, l'homme voulut lui saisir les jambes. Il fit un bond de côté, hors d'atteinte. Le blessé tenta de se mettre debout, retomba sur le dos. Il avait le tendon d'Achille tranché. Son pied gauche pendait lamentablement. Le visage déformé par la douleur, il proféra de terribles menaces. Il lui était toutefois impossible de les mettre à exécution en se traînant sur le sol – étrange spectacle, inquiétant et pathétique à la fois.

Imperturbable, l'adolescent s'adressa à Zoya :

— Descends du camion.

Elle sortit de la cabine, restant à bonne distance du blessé. Il se servait de sa chemise pour bander son pied. Le garçon essuya la lame de son couteau qui parut disparaître dans les plis de ses vêtements.

— Merci, dit Zoya, gardant l'homme à l'œil.

L'adolescent fronça les sourcils.

— Si Fraera m'avait donné l'ordre de te tuer, je l'aurais fait.

Zoya attendit un peu pour le questionner.

— Comment tu t'appelles ?

Il hésita avant de répondre.

— Malysh, marmonna-t-il enfin.

— Malysh..., répéta Zoya.

Elle contempla le blessé, puis le camion resté à l'écart du chemin. L'homme martelait le sol de ses poings en criant :

— Attends un peu que les autres apprennent ce que tu as fait. Ils te tueront !

Le visage assombri par l'inquiétude, Zoya regarda le garçon.

— C'est vrai ?

Malysh réfléchit.

— Ce n'est pas ton problème. On va rentrer à pied. Si tu tentes de t'enfuir, je te tranche la gorge. Si tu me lâches la main, même pour te gratter le nez…

Heureuse de connaître enfin l'identité de celui qui l'admirait en secret, Zoya termina sa phrase :

— Tu me tranches la gorge ?

La tête penchée, Malysh l'observa d'un air soupçonneux – se demandant sans doute si elle ne se moquait pas de lui. Pour le rassurer, Zoya mit sa main dans la sienne.

## Pacifique
## Kolyma
## Port de Magadan
## Navire pénitentiaire *Étoile bolchevique*

*Même jour*

LES ESCALIERS ÉTANT LES SEULES STRUCTURES permettant d'échapper à la montée de l'eau, ils étaient pris d'assaut par les prisonniers qui s'y agglutinaient comme des corbeaux sur un fil électrique. Les moins chanceux se rabattaient sur les débris des couchettes – amas de planches destiné à créer un îlot improvisé autour duquel clapotait une étendue d'eau glaciale. Des cadavres flottaient à la surface. Leo faisait partie des rares privilégiés installés en hauteur, sur l'escalier métallique conduisant au panneau troué par les balles.

Une fois les trous colmatés avec des lambeaux de tissu, Leo avait dû remettre du charbon dans la chaudière ; il avait le torse et le visage en feu alors que ses jambes, dans l'eau jusqu'aux genoux, étaient au contraire paralysées par le froid. Tremblant de fatigue, à peine capable de soulever sa pelle, il avait travaillé sans aide. Les autres détenus restaient assis dans le noir et l'humidité tels des hommes des cavernes, immobiles et muets. Condamnés à vie aux travaux forcés, pourquoi s'infligeraient-ils une journée supplémentaire de labeur ? Si la chaudière s'éteignait et que le bateau se mettait à dériver vers le large, aux gardiens de résoudre le problème. À eux de pelleter le charbon. Les codétenus de Leo ne lèveraient pas le petit doigt pour faciliter leur transport vers les camps. Et Leo n'avait pas l'énergie de les convaincre. Il savait que si les gardiens étaient obligés de descendre dans la cale après cette tentative de mutinerie, ils tireraient sans distinction pour rétablir l'ordre.

Seul, il continua le plus longtemps possible. Il fallut que la chaudière soit presque remplie et que la pelle lui glisse des mains pour qu'un autre prisonnier émerge de la pénombre et prenne sa place. Leo marmonna des remerciements inaudibles et gravit quelques marches – ses codétenus s'écartant pour le laisser passer – avant de s'écrouler en haut de l'escalier. Si on pouvait parler de sommeil, alors il dormit, grelottant et délirant sous l'effet de la faim et du froid.

Leo ouvrit les yeux. On marchait sur le pont. Il entendait des pas au-dessus de sa tête. Le bateau s'était arrêté. Quand il voulut se lever, il s'aperçut qu'il avait le corps rigide, les membres figés en position fœtale. Il étira les doigts, puis la nuque, faisant craquer ses articulations. Le panneau de descente s'ouvrit. Leo leva la tête et cligna des yeux, ébloui : le ciel avait l'éclat du métal en fusion. S'habituant lentement à la lumière, il dut se rendre à l'évidence : ce n'était que le gris plombé des nuages.

Des gardiens l'encerclèrent, mitraillettes au poing. L'un d'eux lança en direction de la cale :

— À la moindre tentative de rébellion, on saborde ce bateau avec vous à l'intérieur. Vous serez tous noyés !

Les détenus pouvaient à peine bouger, et encore moins défier l'autorité de leurs geôliers. Aucune gratitude pour le fait qu'ils avaient alimenté la chaudière, sauvé le navire : seulement des mitraillettes braquées sur eux. Quelqu'un d'autre hurla :

— Tous sur le pont ! Allez !

Leo reconnut la voix de Timur, ce qui le réconforta. Lentement il se redressa. Pareil à une marionnette aux articulations rouillées, il monta les dernières marches pour rejoindre le pont.

Le vieux cargo à vapeur était presque couché sur les flots. La tourelle de la mitrailleuse avait disparu. Il n'en restait que quelques bouts de métal tordus. Difficile d'imaginer que la mer, redevenue lisse et calme, ait pu se montrer si féroce. Échangeant un bref regard avec Timur, Leo remarqua les traits tirés de son ami, les cernes sombres sous ses yeux. La tempête avait été éprouvante pour lui aussi, mais ils devraient attendre pour comparer leurs expériences.

Leo se dirigea vers le plat-bord et s'y appuya afin de découvrir le port de Magadan, porte d'entrée de la région la plus reculée du pays, à laquelle lui-même était intimement lié tout en s'y sentant étranger. Même s'il n'y était jamais allé, il y avait envoyé des centaines d'hommes et de femmes. Il ne les avait pas condamnés à tel goulag plutôt que tel autre : cela ne relevait pas de ses compétences. Pourtant, beaucoup d'entre eux s'étaient forcément retrouvés à bord de ce navire, ou d'un autre, avançant pas à pas en file indienne comme lui à présent, prêts à affronter un nouveau transit.

Compte tenu de la sinistre réputation de la région, il s'attendait à un décor à la fois plus oppressant et plus spectaculaire. Mais les installations du port, qui dataient d'une vingtaine d'années, étaient discrètes et de taille modeste. Des cabanes en bois alternaient avec quelques bâtiments officiels en béton, aux pignons ornés de slogans et d'images de propagande – touches de couleur inattendues sur une palette uniformément grise. Au loin s'étendait un réseau de camps de travail nichés dans les replis de collines enneigées. Peu élevées près de la côte, celles-ci devenaient plus imposantes à l'intérieur des terres, leur sommet arrondi disparaissant dans les nuages. Aussi paisible que menaçant, cet environnement ne laissait aucune chance aux faibles, impitoyablement éliminés des pentes balayées par un vent polaire.

Leo descendit sur le quai où étaient alignés de petits bateaux de pêche, preuve qu'une vie existait en dehors du système carcéral. Des Tchouktches, les indigènes qui vivaient sur ces terres longtemps avant qu'elles ne soient colonisées par le goulag, transportaient des paniers emplis de défenses de morse et des premiers cabillauds de la saison. Ils lancèrent à Leo un coup d'œil peu amène, comme si les détenus étaient responsables de la transformation de ce territoire en prison de l'empire soviétique. Des gardiens postés sur le quai indiquaient le chemin aux nouveaux arrivants. Ils portaient plusieurs épaisseurs de fourrure et de feutre par-dessus leur uniforme – mélange de vêtements traditionnels tchouktches cousus à la main et de tenues militaires fabriquées à la chaîne.

Derrière eux, rassemblés pour un retour longtemps attendu dans leur foyer, se tenaient des prisonniers récemment libérés. Ils avaient fait leur peine, ou bien on les avait graciés. C'étaient des hommes libres, même si cela ne se voyait pas : ils avaient encore le dos voûté et le visage hâve. Leo chercha chez eux un signe de satisfaction, une jubilation perverse, mais compréhensible, à la vue d'autres hommes sur le point de partir vers les camps qu'eux-mêmes venaient de quitter. Il ne vit que des moignons de doigts, des plaies à vif et des corps décharnés. Sans doute la liberté en revigorerait-elle certains, leur permettrait-elle de retrouver un semblant de joie de vivre, mais elle ne les sauverait pas tous. Voilà donc ce qu'étaient devenus les hommes et les femmes qu'il avait arrêtés.

Debout sur le pont, Timur regardait les prisonniers se diriger sous bonne garde vers un hangar. Impossible de distinguer Leo parmi eux. Ils avaient tous deux réussi à préserver leur fausse identité. Malgré la tempête, ils étaient arrivés à bon port. Ce voyage en mer était une couverture indispensable. Bien que l'on puisse rallier Magadan par avion, l'organisation d'un tel vol les aurait empêchés de pénétrer incognito au cœur du système. Aucun prisonnier ne voyageait par avion. Heureusement, toutes ces précautions seraient inutiles pour le trajet de retour. Un avion-cargo attendait sur l'aérodrome de Magadan. Si tout se passait comme prévu, dans deux jours Leo et lui repartiraient pour Moscou avec Lazare. Ce qui venait de se passer sur l'*Étoile bolchevique* n'était que la partie la plus facile de leur plan.

On lui tapota l'épaule. Derrière lui se trouvaient le capitaine du navire et un homme que Timur n'avait jamais vu : un haut dignitaire, à en juger par son élégance. Pour quelqu'un de si haut placé, il était maigre, presque à l'égal des détenus, comme par une étrange solidarité avec ceux dont il avait la charge. Timur le crut d'abord gravement malade. L'homme prit la parole, le capitaine approuvant obséquieusement de la tête avant même qu'il ait fini sa phrase :

— Je suis Abel Prezent, directeur régional. L'officier Genrikh...

Il se tourna vers le capitaine.

— Comment s'appelait-il, déjà ?

— Genrikh Duvakin.

— Il est mort, à ce qu'il paraît.

Entendant le nom du jeune homme qu'il avait laissé mourir sur le pont, Timur sentit son estomac se nouer.

— Oui, il est tombé à la mer.

— Genrikh occupait un poste définitif sur ce bateau. Le capitaine a besoin de gardiens supplémentaires pour le trajet de retour. Il y a une pénurie chronique de personnel. Le capitaine me dit que vous vous êtes distingué en réprimant cette tentative de mutinerie. Il m'a personnellement demandé de vous nommer en remplacement de Genrikh.

Le capitaine sourit, s'attendant à ce que Timur soit flatté par ces compliments. Au lieu de quoi celui-ci rougit, pris de panique.

— Je ne comprends pas...

— Vous allez rester à bord de l'*Étoile bolchevique* pour le voyage de retour.

— Mais j'ai ordre de me rendre au goulag 57. Je dois seconder le commandant du camp. Faire appliquer les nouvelles directives de Moscou.

— Je sais. Vous serez affecté comme prévu au goulag 57. Si la météo le permet, il vous faudra une semaine pour rallier Buchta Nakhodka, et une autre pour revenir ici. Vous rejoindrez votre poste dans deux ou trois semaines au plus.

— Pardon d'insister, monsieur le directeur, mais je dois suivre les ordres que j'ai reçus. Il faut trouver quelqu'un d'autre.

Le visage congestionné de Prezent trahissait son agacement.

— Genrikh est mort. Le capitaine demande que vous le remplaciez. J'expliquerai ma décision à vos supérieurs. Affaire classée. Vous restez sur ce bateau.

## Moscou

*Même jour*

MALYSH ÉTAIT DEBOUT PRÈS DE SON ACCUSATEUR : Likhoï, le *vory* dont il avait tranché le tendon d'Achille. La cheville de Likhoï disparaissait sous un énorme pansement. À cause du sang qu'il avait perdu, il était pâle et avait l'air fiévreux. Malgré ses blessures, il avait insisté pour que le *skhodka*, procès destiné à résoudre les différends entre membres du gang, ait quand même lieu.

— Et notre code d'honneur, Fraera ? Un *vory* ne doit jamais s'en prendre à un autre *vory*. En me blessant, c'est toi qu'il a offensé. Il nous a tous offensés.

Appuyé sur une béquille, Likhoï refusait de s'asseoir, ce qui serait passé pour un aveu de faiblesse. De minuscules bulles de salive brillaient à la commissure de ses lèvres sans qu'il prenne la peine de les essuyer.

— J'avais envie de chair fraîche. C'est un crime ? Pas pour quelqu'un comme moi !

Les autres *vorys* sourirent. Certain d'avoir leur soutien, il s'adressa de nouveau à Fraera, inclinant la tête avec respect, baissant la voix :

— Je demande la mort de Malysh.

Fraera se tourna vers l'adolescent :

— Qu'as-tu à répondre ?

À la vue des visages hostiles qui l'entouraient, Malysh déclara :

— J'avais pour consigne de veiller à la sécurité de la prisonnière. C'étaient vos ordres. Je n'ai fait qu'obéir.

Même la peur de mourir ne le rendait pas plus loquace. Convaincu cependant que Fraera ne souhaitait pas sa mort, il savait que ses actes laissaient à celle-ci une marge de manœuvre très étroite. C'était indéniable : il avait enfreint leur code d'honneur. Un *vory* n'avait pas le droit de s'en prendre à un autre *vory* sans l'autorisation de Fraera. Ils étaient censés veiller les uns sur les autres comme si leurs vies dépendaient de toutes les autres. En violant ce code de manière impulsive, il avait pris le parti de la fille de leur ennemi.

Il regardait Fraera aller et venir à l'intérieur du cercle formé par ses hommes. Elle se demandait ce qu'ils pensaient. La majorité étaient contre Malysh. En de tels moments, le pouvoir devenait un exercice ambigu. Fraera avait-elle assez d'autorité pour aller contre la majorité ? Ou bien devait-elle au contraire s'allier à celle-ci pour préserver son autorité ? La position de Malysh était affaiblie par la popularité de son accusateur. Son surnom, « Likhoï », faisait référence à ses prouesses sexuelles. À l'inverse, « Malysh » était un surnom subalterne qui signifiait « petit », allusion à son inexpérience, aussi bien sur le plan sexuel que criminel. Il n'était membre de ce gang que depuis peu. Alors que les autres *vorys* avaient fait connaissance dans les camps de travail, il avait rejoint leurs rangs par hasard. Dès l'âge de cinq ans, il travaillait comme pickpocket à la gare Baltiysky de Leningrad. Enfant des rues, il s'était vite fait une réputation de prodige du vol à la tire. Fraera avait été l'une de ses victimes. Contrairement à beaucoup d'autres, elle s'était aussitôt rendu compte de la disparition de son argent et l'avait poursuivi. Surpris par sa vitesse et sa détermination, il avait fallu à Malysh toute son agilité et sa connaissance de la gare pour s'échapper par une fenêtre à peine assez grande pour un chat. Fraera avait néanmoins réussi à s'emparer d'une de ses chaussures. Croyant que l'affaire en resterait là, il avait repris ses activités le lendemain dans une autre gare, tombant sur Fraera qui l'attendait, sa chaussure à la main. Au lieu de le sermonner, elle lui avait proposé de quitter son groupe de pickpockets pour venir travailler avec elle. Il était le seul à pouvoir se vanter de lui avoir fait les poches.

Malgré ses talents, son accession au statut de *vory* avait suscité la controverse. Les autres membres du gang regardaient de haut son passé de voleur des rues. Il ne leur semblait pas mériter sa place parmi eux. Il n'avait jamais assassiné quiconque ni purgé de peine dans un goulag. Fraera avait écarté ces critiques. Elle s'était attachée à l'adolescent malgré son air sérieux et réservé, sa réticence à prononcer plus de deux ou trois mots à la suite. Les autres avaient fini par accepter, sans enthousiasme, qu'il soit des leurs. Avec le même manque d'enthousiasme, il avait accepté de faire partie de leur gang. Il était en réalité le protégé de Fraera, et tout le monde le savait. En échange de cette protection, il portait à celle-ci le même amour qu'un chien de garde à son maître, ne la quittant jamais d'une semelle, aboyant dès que quelqu'un s'en approchait trop. Il n'était pourtant pas naïf. Dès lors que l'autorité de Fraera était remise en cause, leur histoire ne comptait plus. Fraera refusait tout sentimentalisme. Non seulement Malysh avait fait couler le sang d'un autre *vory*, mais il avait mis son plan en péril. Dans l'incapacité de prendre le volant, lui et sa prisonnière avaient regagné la capitale à pied – près de huit heures de marche. Ils auraient pu se faire arrêter. Il avait expliqué à l'adolescente que si elle appelait au secours ou lui lâchait la main, il lui trancherait la gorge. Elle avait obéi. Elle ne s'était pas plainte de la fatigue, n'avait pas demandé à se reposer. Même dans les rues grouillantes de monde où elle aurait pu lui créer des problèmes, jamais elle ne lui avait lâché la main.

Fraera reprit la parole :

— Je ne conteste pas les faits. Selon notre loi, le châtiment encouru pour avoir blessé un autre *vory* est la mort.

Pas la mort au sens courant du terme : Malysh ne serait ni abattu ni pendu. La mort signifiait l'exclusion du gang. On le tatouerait de force sur une partie visible du corps, le front ou le dos de la main. Le tatouage représenterait un vagin ou un anus béant : indication pour tous les *vorys*, d'où qu'ils viennent, que le porteur du tatouage méritait les pires sévices sans que le coupable encoure de représailles de la part du gang adverse. Malysh aimait Fraera. Mais il n'accepterait pas un tel châtiment. Il bougea une jambe, y porta la main. Un couteau était caché dans les plis de son pantalon. Il le sortit du tissu, l'index sur le cran d'arrêt, tandis qu'il préparait sa fuite.

Fraera s'avança. Elle avait pris sa décision.

Elle étudia ces visages qui concentraient sur elle leurs regards, comme si ses hommes pouvaient ainsi obtenir le verdict souhaité. Elle avait mis des années à gagner leur confiance, récompensant généreusement leur obéissance, sanctionnant sans pitié la moindre infraction. Et voilà qu'un malheureux incident suffisait à tout remettre en question. Une rébellion avait besoin d'une cause. Aussi populaire que stupide, Likhoï avait rallié à la sienne les membres du gang. Ils le voyaient comme leur représentant. Ses pulsions étaient les leurs. S'il se retrouvait sur la sellette, eux aussi. Malgré le caractère trivial du différend, les problèmes créés par ce procès étaient tout sauf simples. Aux yeux de ces hommes, il n'y avait qu'un seul verdict acceptable : Fraera devait condamner Malysh à mort.

À les entendre citer leur code d'honneur comme s'il était parole d'évangile, Fraera n'en revenait pas de leur aveuglement. Son autorité reposait davantage sur une transgression des structures traditionnelles du gang que sur leur respect. L'évidence s'imposait : des hommes obéissant à une femme, c'était un fait sans précédent dans l'histoire des *vorys*. Contrairement aux autres chefs de gang, Fraera n'était pas mue par le désir de vivre en marge de l'État. Elle ne cherchait qu'à se venger de lui et de ceux qui le servaient. Elle avait décrit cette soif de vengeance à ses affidés en termes qu'ils pouvaient comprendre, présentant l'État comme un gang rival plus puissant contre lequel elle menait une guerre sanglante. Elle connaissait néanmoins le conservatisme des *vorys*. Ils auraient préféré avoir un homme pour chef. Ne parler que d'argent, de viols et d'alcool. Ils toléraient son projet de vengeance et le fait qu'elle était une femme uniquement parce qu'ils la savaient plus intelligente qu'eux. Puisqu'elle les payait et les protégeait, ils s'en remettaient à elle. Sans Fraera, plus d'unité : le gang éclaterait en plusieurs factions rivales.

Leur alliance contre nature avait vu le jour à Minlag, un camp situé au sud-est d'Arkhangelsk. Prisonnière politique à l'époque, Anisya – comme elle s'appelait alors – ne s'intéressait pas aux *vorys*. Elle et eux vivaient dans des sphères distinctes qui ne se mélangeaient pas plus que l'eau et l'huile. Seul comptait pour elle son fils nouveau-né : Aleksy. C'était pour lui qu'elle restait en vie, pour l'aimer et le protéger. Après trois mois durant lesquels elle l'avait allaité, lui donnant plus d'amour qu'elle ne croyait en avoir à offrir, l'enfant lui avait été arraché. Elle s'était réveillée en pleine nuit pour découvrir qu'il avait disparu. L'infirmière avait d'abord prétendu qu'Aleksy était mort dans son sommeil. Anisya s'était jetée sur elle et l'avait secouée en réclamant son fils jusqu'à ce qu'un gardien les sépare. L'infirmière avait craché qu'aucune femme condamnée aux termes de l'article 58 ne méritait d'éduquer un enfant : « Jamais tu ne seras mère. »

L'État tenait désormais lieu de parents à Aleksy.

Anisya était tombée malade de chagrin. Elle ne quittait plus son lit et refusait de se nourrir, en proie à des rêves délirants où elle se croyait encore enceinte. Elle assurait sentir son fils bouger en elle, se débattre et crier pour qu'elle lui vienne en aide. Infirmières et surveillantes attendaient sa mort avec impatience. Le monde entier conspirait pour lui donner toutes les raisons et toutes les occasions de mourir. Et pourtant quelque chose en elle résistait. Elle avait examiné cette résistance avec détachement, telle une archéologue balayant la fine poussière du désert pour découvrir ce qu'elle recouvrait. Elle n'avait exhumé ni le visage de son fils ni celui de son mari. C'est Leo qu'elle avait trouvé : le son de sa voix, le contact de ses mains sur les siennes, le mensonge et la trahison. Tel un breuvage magique, elle avait bu ces souvenirs d'un seul trait. Au bord de l'abîme, la haine lui avait redonné vie. La haine lui avait rendu sa jeunesse.

L'idée de se venger d'un officier du MGB vivant à des milliers de kilomètres de là aurait semblé risible si Anisya l'avait évoquée à voix haute. Loin de la déprimer, son impuissance fut une source d'inspiration : elle partirait de rien. Elle construirait sa vengeance à partir de rien. Alors que les autres patients dormaient, assommés par la codéine, elle cachait ses comprimés, les gardait en réserve. Restée à l'infirmerie, elle feignait la maladie, tout en reprenant des forces et en dissimulant d'autres doses de codéine dans la doublure de son pantalon. Dès qu'elle en eut accumulé une quantité suffisante, elle regagna le camp, à la grande surprise des infirmières, n'emportant que sa ruse et son pantalon à la doublure pleine de cachets.

Avant son arrestation, Anisya n'existait que par rapport à autrui : en tant que fille ou épouse. Désormais seule, elle entreprit de se redéfinir. Attribuant toutes ses faiblesses à la personne d'Anisya, elle rassembla toutes ses forces pour se forger une nouvelle identité : celle de la femme qu'elle allait devenir. Écoutant les *vorys*, se familiarisant avec leur jargon, elle s'était choisi un nouveau nom. Elle se ferait appeler Fraera, l'étrangère. Terme d'insulte chez les *vorys*, elle se l'approprierait, en ferait un atout. Elle avait confié la codéine à un *derzhat mast* – chef de gang – pour gagner ses faveurs, lui demandant l'autorisation de se mettre à son service. L'homme s'était esclaffé : il n'accepterait sa suggestion que si elle faisait ses preuves en exécutant un informateur notoire. Il avait pris la codéine à titre d'acompte non remboursable, lui lançant un défi qu'il la croyait incapable de relever. Trois mois plus tôt, elle allaitait encore son bébé. En admettant qu'elle ose tenter quoi que ce soit contre l'informateur, elle se ferait prendre, serait placée en cellule d'isolement ou exécutée. Le *derzhat mast* ne s'attendait pas à devoir honorer sa promesse. Trois jours plus tard, au dîner, l'informateur avait été pris d'une quinte de toux et s'était écroulé, la bouche en sang. Son ragoût aux choux et aux pommes de terre était truffé d'éclats de lames de rasoir. Impossible pour le *derzhat mast* de revenir sur sa promesse : le code d'honneur des *vorys* le lui interdisait. Fraera fut la première femme à devenir membre de son gang.

Elle ne comptait pas se satisfaire d'un rang subalterne. Pour que son plan réussisse, il lui fallait devenir chef. Mettant à profit les leçons reçues de ses codétenus, elle chercha à acquérir son indépendance. Ils lui avaient appris à considérer son corps comme une simple marchandise dont elle pouvait faire commerce sans honte. Elle entreprit de séduire le commandant du camp. Puisqu'il pouvait appeler n'importe quelle femme dans son bureau pour assouvir ses fantasmes, Fraera fit en sorte qu'il tombe amoureux d'elle. La répulsion qu'il lui inspirait n'était pour elle qu'un nouvel obstacle à surmonter. Cinq mois plus tard, à la demande de Fraera, le commandant transférait le gang tout entier dans un autre camp : elle avait le champ libre pour créer le sien.

Comme aucun *vory* digne de ce nom n'aurait accepté d'être sous les ordres d'une femme, elle s'était tournée vers les plus marginaux : les parias qui se nourrissaient d'arêtes de poisson et de légumes pourris sur les tas d'ordures. Leur exclusion résultait d'un différend, d'une trahison, d'une preuve d'incompétence. Ils étaient tombés si bas que les autres *vorys* n'avaient pas le droit de les approcher. La règle voulait que ces mesures de disgrâce soient irréversibles. Alors que personne d'autre ne se serait abaissé à prononcer leur nom, Fraera leur avait offert une seconde chance. Certains étaient au bout du rouleau, physiquement ou mentalement. D'autres la remercièrent en tentant de prendre sa place dès qu'ils en eurent la force. La majorité d'entre eux se mirent à son service.

Après la mort de Staline, la liberté arriva plus tôt que prévu ; femmes et enfants bénéficièrent d'une amnistie. Les membres du gang purgeaient des peines plus légères que les prisonniers politiques.

Fraera ne comptait pas traquer Leo pour le poignarder dans le dos ou l'abattre d'une balle dans le crâne. Elle voulait qu'il souffre ce qu'elle-même avait souffert. Il faudrait du temps et des moyens pour atteindre cet objectif. Nombre de gangs se livraient au marché noir. Les occasions étaient limitées au sein d'un système déjà bien en place. Fraera ne voyait pas l'intérêt de commencer en bas de l'échelle, de tirer de maigres bénéfices du commerce de produits importés, alors qu'elle avait accès à des marchandises autrement plus précieuses.

Au moment où les persécutions antireligieuses atteignaient leur paroxysme, beaucoup d'objets de culte avaient été cachés : icônes, livres rares, argenterie, tout ce qui aurait pu être brûlé ou fondu. La plupart des prêtres étaient entrés en résistance pour sauver le patrimoine de l'Église. Ils en avaient enterré une partie au milieu des champs, avaient rempli les cheminées d'argenterie, et même glissé des icônes enveloppées de cuir imperméable dans le moteur rouillé de tracteurs au rebut. Il n'existait aucune carte de ces caches. Seuls quelques privilégiés en connaissaient les emplacements exacts, transmis de bouche à oreille, souvent introduits par ces mots : « Si jamais je meurs... »

Presque tous avaient été arrêtés ou abattus, quand ils n'étaient pas morts de faim ou de froid au goulag. Parmi les détenteurs du secret, Fraera avait été l'une des premières à être libérée. L'un après l'autre, elle avait exhumé ces trésors. Ayant appris des *vorys* comment fonctionnait le marché noir et à qui verser des pots-de-vin, elle avait expédié des objets à l'étranger, négociant en Occident avec des organisations religieuses aussi bien qu'avec des acheteurs privés ou de grands musées. Certains ecclésiastiques hésitaient à acquérir des biens appartenant à une autre Église, mais les techniques de vente de Fraera se révélaient d'une efficacité imparable : s'ils refusaient de payer le prix, la sécurité des biens en question ne serait plus assurée. Elle avait envoyé à ses acheteurs une icône de saint Nicolas de Mozaïsk datant du XVIIe siècle. Pour lui rendre son éclat, on l'avait enduite de peinture dorée et argentée. Fraera imaginait les prêtres, les larmes aux yeux en découvrant à l'ouverture du colis l'icône irrécupérable et le saint défiguré. Jamais elle n'avait avoué son rôle dans cet acte de vandalisme. Dans l'intérêt de son commerce, elle avait accusé l'excès de zèle de certains membres du Parti. Ensuite elle avait pu fixer ses prix, et passer pour une bienfaitrice plutôt que pour une profiteuse.

Payée en or, elle apportait à ses *vorys* la richesse qu'elle leur avait promise, récupérant ses trésors un à un pour le cas où on croirait pouvoir se passer d'elle. Prudente, ne faisant confiance à personne, son premier achat avait été une ampoule de cyanure qu'elle avait fièrement exhibée : ceux qui espéraient lui faire révéler sous la torture l'emplacement des objets manquants se trompaient, avait-elle lancé. Plutôt mourir que parler. À en juger par les réactions du gang, deux hommes nourrissaient ce genre de projet. Elle les tua avant la fin de la semaine.

Restait à régler le sort du commandant du camp de Minlag, venu demander à Fraera de l'épouser comme ils en avaient rêvé ensemble et de partager ses bénéfices.

« Voilà ta part », répondit-elle.

Un coup de couteau dans le ventre. Ce n'était pas juste : elle lui devait la vie. Il avait mis un peu moins d'une heure à mourir, se tordant de douleur sur le sol et se demandant comment il avait pu se tromper à ce point. Jusqu'au moment où la pointe du couteau lui était entrée dans le ventre, il avait sincèrement cru qu'elle l'aimait.

Le suspense était palpable dans la pièce. Fraera leva la main pour parler :

— Nous n'appliquons pas à la lettre la loi des *vorys*. Autrefois vous n'aviez rien. Pas même de quoi vous nourrir. Je vous ai sauvé la vie, alors que selon cette loi j'aurais dû vous laisser mourir. Quand vous tombez malades, je vous donne des médicaments. Quand vous allez mieux, je vous fournis de l'alcool et de l'opium. Je n'ai qu'une seule exigence : être obéie. C'est notre unique loi. Or Likhoï m'a désobéi.

Personne ne bougea. Les hommes se regardaient furtivement du coin de l'œil, chacun s'efforçant de deviner ce que pensait le voisin. Appuyé sur sa béquille, Likhoï eut un rictus haineux.

— Tuons cette sale garce ! Choisissons un homme comme chef ! Pas une femme pour qui c'est un crime de baiser.

Fraera s'approcha de Likhoï.

— Qui commanderait ce nouveau gang ? Toi, Likhoï ? Toi qui à une époque me léchais les bottes pour un quignon de pain ? Tu es gouverné par tes pulsions, et ça te rend idiot. Tu conduirais ce gang à sa ruine.

Likhoï se tourna vers les autres :

— Baisons-la ! Vivons comme des hommes !

Fraera aurait pu avancer de quelques pas et trancher la gorge de Likhoï pour le faire taire. Comprenant qu'elle devait gagner les *vorys* à sa cause, elle répliqua :

— Il m'a insultée.

La décision leur revenait.

Aucune réaction. Puis une main empoigna Likhoï, et encore une autre. Quelqu'un donna un coup de pied dans sa béquille. Il s'écroula. On lui arracha ses vêtements. Nu, il fut plaqué au sol, bras et jambes immobilisés par des hommes accroupis. Ceux qui restaient se dirigèrent vers le poêle, prirent un morceau de charbon incandescent. Fraera toisa le réprouvé.

— Tu n'es plus des nôtres.

Quelqu'un appliqua le charbon sur les tatouages de Likhoï. Sa peau grésilla. Les cicatrices seraient telles qu'aucun nouveau tatouage ne pourrait recouvrir les anciens. Selon la tradition, on devait maintenant le laisser partir, à jamais banni. Mais Fraera, qui connaissait trop bien la force du désir de vengeance, voulut s'assurer qu'il ne survivrait pas à ses blessures. Elle jeta un coup d'œil entendu à Malysh. Le jeune garçon sortit son couteau, fit jaillir la lame. Il allait découper ce qui restait des tatouages.

Agrippée aux barreaux de sa cellule, Zoya écoutait l'écho des hurlements résonner dans le couloir. Le cœur battant à tout rompre, elle se concentrait sur ces cris. C'étaient ceux d'un adulte, pas d'un adolescent. Elle poussa un soupir de soulagement.

Kolyma
50 kilomètres au nord de Magadan
Port de Magadan
7 kilomètres au sud du goulag 57

*9 avril*

DEBOUT LES UNS CONTRE LES AUTRES, condamnés à regarder les épaules de leur voisin, ils se balançaient au rythme des cahots du camion. Même en l'absence de gardien pour les empêcher de s'asseoir, il n'y avait pas de bancs, et le sol était si froid qu'ils avaient collectivement décidé de rester debout, piétinant pour se réchauffer comme un troupeau d'animaux captifs. Leo se retrouvait contre la bâche. Elle s'était détachée, faisant chuter la température mais offrant en échange une vue partielle du panorama dès que le vent la soulevait. Le convoi grimpait à flanc de montagne par la route de la Kolyma, modeste ruban de bitume qui semblait avoir conscience de faire intrusion dans cette nature sauvage. Il y avait trois camions en tout. Aucune voiture ne fermait le convoi, pour éviter que des prisonniers tentent de fuir en sautant sur la route. Il n'y avait aucune issue.

La pente devint soudain plus raide : l'arrière du camion bascula vers la vallée enneigée au point que Leo dut se cramponner aux arceaux métalliques, les autres prisonniers glissant vers lui. Incapable de poursuivre son ascension, le véhicule s'immobilisa et tangua légèrement, prêt à repartir en sens inverse. Le conducteur mit le frein à main. Le moteur s'arrêta. Les gardiens remontèrent la bâche, déversant leurs prisonniers sur la route.

— Continuez à pied !

Les deux premiers camions avaient disparu de l'autre côté du col. Déchargé de sa cargaison, le dernier redémarra et accéléra dans la pente. Les prisonniers suivaient péniblement en haletant comme des vieillards, les gardiens sur leurs talons, mitraillette au poing. Dans ce décor, le zèle de ces derniers paraissait absurde. Les regardant avec des yeux de prisonnier, Leo fut ébahi par leur air supérieur : des hommes conduisant du bétail. Il aurait voulu leur dire, rien que pour voir leur air surpris : « Je suis des vôtres. »

L'idée le laissa songeur. Était-il vraiment des leurs ? Sûr de son pouvoir, investi d'une mission confiée par l'État ? Naguère, oui, il l'avait été.

En haut du col, il marqua une pause, reprit son souffle et contempla le panorama. Les larmes aux yeux à cause des rafales de vent glacial, il découvrit un paysage lunaire : un plateau de la taille d'une grande ville recouvert de glace et de permafrost, constellé de cratères. La route solitaire traçait une diagonale incertaine en direction d'une montagne plus imposante que toutes celles qu'ils avaient vues jusque-là. Elle s'élevait au-dessus du plateau telle la bosse d'un dromadaire monstrueux. Au pied se trouvait le goulag 57.

Tandis que les prisonniers se réinstallaient dans le camion, Leo jeta un coup d'œil aux deux autres véhicules. Il fallait se rendre à l'évidence : Timur n'était pas dans le convoi. Impossible que son ami soit monté dans l'un de ces camions sans prendre contact avec lui, même d'un simple regard. Leo ne l'avait pas revu depuis la veille, lorsqu'il l'avait croisé à bord de l'*Étoile bolchevique*. Puis lui-même avait été conduit au camp de transit de Magadan, rasé à cause des poux, examiné par un médecin qui l'avait déclaré apte et affecté aux *tyazoly fezichesky trud* – travaux pénibles, sans limitation de durée. Cette étape franchie, il avait patienté dans l'une des immenses tentes dressées pour les nouveaux arrivants, l'odeur de la toile lui rappelant les hôpitaux de campagne de la Grande Guerre patriotique, où étaient alignés des centaines de lits. Timur et lui s'étaient donné rendez-vous le soir même. Or Timur n'était pas réapparu. Leo avait cherché diverses explications pour se rassurer : il avait dû y avoir du retard, ils se verraient le lendemain matin. Il était dangereux de poser des questions : outre le risque d'être démasqué, Leo pouvait passer pour un informateur. Incapable de trouver le sommeil, il s'était levé à l'aube dans l'espoir de voir son ami. Au moment de remonter dans les camions, il avait attendu la dernière minute, ayant de plus en plus de mal à imaginer des explications rassurantes.

Pour la première fois depuis sept ans, il allait revoir Lazare. L'instant fatidique où leurs regards se croiseraient serait sans doute l'étape la plus périlleuse de toute l'opération. Inutile de croire que la haine de Lazare ait pu s'atténuer avec le temps. S'il ne tentait pas de tuer Leo sur-le-champ, il le dénoncerait comme tchékiste et tortionnaire responsable de l'incarcération de centaines d'innocents, hommes et femmes. Leo survivrait-il, entouré de ceux qui avaient été interrogés et torturés ? Voilà pourquoi la présence de Timur était essentielle. Ils avaient prévu la violence de ces retrouvailles. Ils en avaient même tenu compte dans leurs préparatifs. En tant que gardien, Timur pourrait intervenir et mettre fin à une altercation. Suivant le règlement, les deux hommes seraient séparés, envoyés à l'isolement. Placé dans une cellule voisine de celle de Lazare, Leo pourrait lui expliquer qu'il venait le libérer, que son épouse était vivante et que c'était son unique chance de quitter le camp. Soit il acceptait cette proposition, soit il mourrait en captivité.

Passant des doigts glacés sur son crâne rasé, Leo chercha fébrilement des solutions de rechange. Il n'en voyait qu'une seule : différer les retrouvailles avec Lazare jusqu'à l'arrivée de Timur. Mais il lui serait difficile de se cacher. Depuis la mort de Staline, la superficie du goulag 57 s'était réduite au même rythme que le nombre de prisonniers. Le camp se composait à l'origine de plusieurs *lagpounkts* éparpillés à flanc de montagne, sous-colonies tellement exposées aux intempéries et au rendement minier si faible qu'elles ne pouvaient avoir d'autre objectif que l'extermination. Le goulag 57 avait fermé toutes ces unités, et l'empire carcéral se trouvait désormais replié sur sa base principale au pied de la montagne, seul endroit où l'exploitation des mines d'or était rentable. À la vue du plan, Leo avait trouvé rudimentaire même ce noyau central. La *zona*, ou zone de détention, était de forme rectangulaire. Alors qu'un cercle ou un ovale auraient été mieux adaptés au relief, le règlement imposait des lignes droites. Les courbes étaient interdites au goulag, sauf celles que dessinaient les rouleaux de barbelés du périmètre extérieur, tendus entre des poteaux de six mètres de haut, enfouis à deux mètres. Plusieurs baraquements abritaient les dortoirs et un réfectoire, séparés de ceux du commandement par une clôture de barbelés délimitant une seconde enceinte rectangulaire – sorte de camp à l'intérieur du camp. La surveillance était assurée par des miradors érigés aux quatre coins du camp, et par les deux imposants postes de contrôle qui encadraient la porte principale, avec leurs mitrailleuses et leurs murs en rondins. Du haut des miradors, les sentinelles inspectaient la zone derrière leurs jumelles. Même s'ils s'endormaient, épuisés ou pris de boisson, il fallait escalader la montagne ou marcher pendant des kilomètres sur le plateau balayé par les vents pour retrouver la liberté.

À son arrivée, Leo serait dirigé vers l'enceinte des prisonniers. Les dortoirs étant au nombre de trois, il pourrait théoriquement se faire oublier pendant vingt-quatre heures au moins, le temps que Timur le rejoigne.

Le camion ralentit. De peur d'être repéré par un tireur trop zélé du poste de contrôle, Leo se contenta de jeter un coup d'œil furtif à la montagne. Ses pentes abruptes rendaient périlleuse toute tentative d'escalade. Au pied de ce colosse de roche et de neige, la mine – son réseau de tranchées et de canaux creusés par les prisonniers pour laver et tamiser les sables aurifères – paraissait minuscule.

Des ombres bougeaient au sommet des postes de contrôle, à une quinzaine de mètres du sol : des sentinelles guettaient les nouveaux arrivants. Ils avaient grimpé par des échelles branlantes qui pouvaient être enlevées à tout moment. D'autres gardes ouvrirent la porte principale. Ils poussèrent les doubles vantaux qui crissèrent sur la neige, et les camions pénétrèrent dans le camp. À l'arrière du véhicule, Leo regarda la lourde porte se refermer sur lui.

*Même jour*

À SA DESCENTE DU CAMION, Leo rejoignit sous la conduite des gardes une longue rangée de prisonniers. Debout de front, ils grelottaient, prêts à être passés en revue. Sans écharpe et coiffé d'un bonnet trop petit, Leo avait glissé des lambeaux de tissu dans le col de sa parka pour se protéger du froid. Malgré tout, il claquait des dents. Il inspecta la zone carcérale du regard : de simples baraquements sur un sol gelé, surélevés par des rondins. Rien d'autre à l'horizon que des barbelés et un ciel pâle. Ces constructions rudimentaires donnaient l'impression d'un retour en arrière, comme si les forteresses d'une civilisation déchue avaient été remplacées par des baraques en bois. Voilà où étaient morts les hommes et les femmes qu'il avait arrêtés et dont il avait oublié les noms. Voilà où ils avaient vécu. Voilà ce qu'ils avaient eu sous les yeux. À ceci près que Leo ne pouvait ressentir ce qu'ils avaient ressenti. Eux n'avaient sûrement aucun plan d'évasion. Aucun projet.

Tandis qu'ils attendaient en silence, le commandant du camp, Zhores Sinyavksy, restait invisible. Colportée par les survivants, sa réputation dépassait le goulag 57 : son nom était maudit dans tout le pays. Vétéran du goulag, Sinyavksy avait consacré l'essentiel de sa vie d'adulte à réduire des hommes en esclavage. Il avait supervisé, entre autres, la construction du canal Fergana par des prisonniers, et celle, avortée, de la ligne de chemin de fer qui devait relier l'Ob à l'Ienisseï : plusieurs centaines de kilomètres manquant pour opérer la jonction, les voies existantes rouillaient dans le sol, tel un gigantesque squelette préhistorique en acier. L'échec de ce projet, qui avait coûté des milliers de vies humaines et des millions de roubles, n'affecta en rien la carrière de Sinyavksy. Contrairement à d'autres commandants de camp, qui tenaient compte des revendications des prisonniers relatifs à la nourriture et au temps de repos, il atteignait toujours ses objectifs. Il faisait travailler ces derniers au plus fort de l'hiver comme en plein été. Plutôt qu'un chemin de fer, c'était sa réputation qu'il construisait, gravant son nom dans les os d'autres hommes. Peu importait que les traverses des voies n'aient pas été renforcées, qu'elles se soient fissurées sous le soleil de juillet ou déformées sous l'effet du gel en janvier. Peu importait que les prisonniers s'écroulent d'épuisement. Sur le papier, il avait rempli les quotas. On pouvait lui faire confiance.

À lire son dossier, ses motivations n'étaient pas purement professionnelles. Il ne recherchait pas les honneurs. L'argent ne l'intéressait pas. Lorsqu'on lui avait offert des postes administratifs plus reposants sous un climat tempéré, le commandement d'un camp à proximité d'une grande ville, il avait refusé. À cinquante-cinq ans, il voulait régner sur le territoire le plus hostile jamais colonisé et s'était porté volontaire pour la Kolyma. À la vue de ces paysages désolés, il avait décidé que l'endroit lui convenait.

Un grincement fit lever la tête à Leo. Sinyavksy venait d'apparaître sur les marches des baraquements administratifs, enveloppé dans une pelisse en fourrure de renne si épaisse qu'il semblait avoir doublé de volume. À le voir drapé dans ce manteau aussi impressionnant que confortable, on pouvait croire qu'il avait tué le renne de ses mains au terme d'un combat héroïque. Le caractère théâtral de cette apparition aurait paru grotesque de la part de n'importe qui d'autre. Mais pas de la sienne. Il était le seigneur de ces lieux.

Contrairement aux autres prisonniers, à l'instinct de survie plus développé après avoir passé plusieurs mois dans les trains et les camps de transit, Leo dévisageait le commandant avec une fascination non dissimulée. Se rappelant un peu tard qu'il n'était plus officier de la milice, il baissa les yeux et fixa le sol à ses pieds. Un prisonnier pouvait être abattu pour avoir soutenu le regard d'un garde. Même si le règlement avait changé en théorie, impossible de savoir si ces changements avaient pris effet.

— Toi ! cria Sinyavksy.

Leo ne bougea pas. Les marches grincèrent tandis que le commandant descendait de son estrade, puis le sol enneigé crissa sous ses pas. Deux magnifiques bottes de feutre entrèrent dans le champ visuel de Leo. Il garda les yeux rivés au sol, tel un chien en pénitence. Une main lui empoigna le menton, l'obligeant à relever la tête. Le visage du commandant, creusé par de profondes rides noires, ressemblait à de la viande séchée. Il avait le blanc des yeux du même jaune que la teinture d'iode. Leo venait de commettre une erreur élémentaire, il s'était fait remarquer. À l'arrivée, on humiliait couramment un prisonnier pour l'exemple.

— Pourquoi as-tu baissé les yeux ?

Silence. Leo sentit le soulagement émaner de ses codétenus comme une onde de chaleur. C'était lui qu'on avait repéré, pas eux. La voix du commandant se fit doucereuse :

— Réponds.

— Je ne voulais pas vous insulter.

Sinyavksy lâcha le menton de Leo, recula d'un pas, fouilla dans sa poche.

Il fallut quelques instants à Leo, certain de voir apparaître le canon d'un pistolet, pour en croire ses yeux. Sinyavksy avait le bras tendu, certes, mais tourné vers le ciel. Sur sa paume se trouvaient de petites fleurs pourpres, pas plus grosses qu'un bouton de chemise. Leo se crut pris de folie, le crâne traversé par une balle, images et souvenirs se télescopant. Mais quelques secondes s'écoulèrent, et ces fleurs fragiles palpitaient toujours au vent. Bien réelles.

— Prends-en une.

Était-elle vénéneuse ? Allait-il se tordre de douleur devant les autres prisonniers ? Il resta immobile, les bras ballants.

— Prends-en une.

Obéissant, réduit à l'impuissance, Leo tendit le pouce et l'index, tremblants comme ceux d'un ivrogne, vers la paume de Sinyavksy, manquant faire tomber les fleurs. Il finit par en saisir une, aux pétales desséchés.

— Sens-la.

De nouveau, Leo resta immobile, ne comprenant pas la consigne.

— Sens-la, répéta Sinyavksy.

Leo la porta à ses narines, inspira, ne sentit rien. Aucun parfum. Sinyavksy sourit.

— Jolie, non ?

Leo réfléchit, se demandant s'il s'agissait d'un piège.

— Oui.

— Elle te plaît ?

— Beaucoup.

Sinyavksy lui donna une tape sur l'épaule.

— Tu seras jardinier. Ce territoire a l'air aride, mais il est plein de ressources. Le dégel ne dure que vingt semaines par an. Pendant cette période, j'autorise tous les prisonniers à cultiver la terre. Tu peux faire pousser ce que tu veux. La plupart préfèrent les légumes. Mais les fleurs d'ici ont leur beauté, malgré leur modestie. Les fleurs les plus simples sont souvent les plus belles, tu ne trouves pas ?

— Si.

— Crois-tu pouvoir en faire pousser ? Je ne veux pas te l'imposer. Tu peux choisir autre chose.

— Les fleurs... c'est beau.

— Oui, c'est beau. Et les plus simples sont aussi les plus jolies.

Le commandant se pencha pour lui chuchoter à l'oreille :

— Je te réserverai un bon lopin de terre. Ce sera notre secret...

Il referma les doigts sur le bras de Leo avec tendresse. Reculant, il s'adressa à toute la rangée de prisonniers, la paume tendue, les petites fleurs pourpres bien en évidence :

— Prenez-en une !

Les hommes hésitaient.

— Allez, prenez, prenez ! insista-t-il.

Agacé par leur manque de réaction, il lança les fleurs en l'air : leurs pétales pourpres voletèrent autour des crânes rasés. Il en sortit plusieurs poignées de sa poche, les lança l'une après l'autre en pluie sur les détenus. Certains levèrent la tête et les pétales se posèrent sur leurs cils. D'autres continuaient de fixer le sol, sans doute convaincus d'être les seuls à avoir réussi un test particulièrement vicieux.

La fleur toujours au creux de sa paume, Leo, interloqué, ne comprenait pas : avait-il lu le dossier de quelqu'un d'autre ? Cet homme aux poches remplies de fleurs ne pouvait pas être celui qui ordonnait à des prisonniers de travailler à côté des cadavres en décomposition de leurs camarades ; ni celui qui avait supervisé la construction du canal Fergana et de la ligne de chemin de fer Ob-Ienisseï. Sa réserve de fleurs épuisée, Sinyavksy poursuivit son discours, tandis que les derniers pétales descendaient en tourbillonnant vers le sol enneigé :

— Ces fleurs ont poussé sur les terres les plus ingrates du monde ! De la beauté née de la laideur : voilà ce à quoi on croit ici ! Vous n'êtes pas venus pour souffrir. Vous êtes là pour travailler, exactement comme moi. On n'est pas si différents, vous et moi. Il est vrai qu'on ne fait pas le même travail. Peut-être que le vôtre est plus difficile, et pourtant on va travailler ensemble pour notre pays. On va progresser. Ici, dans cet endroit où personne ne s'attend à trouver le bien, on deviendra meilleurs.

Ses paroles semblaient sincères, prononcées avec conviction. Que le commandant soit rongé par le remords ou qu'il redoute les critiques du nouveau régime, il avait de toute évidence perdu la tête.

Il fit un geste à l'intention des gardes : l'un d'eux se dirigea en toute hâte vers le réfectoire, et revint quelques instants plus tard avec plusieurs prisonniers portant chacun une bouteille et un plateau couvert de gobelets métalliques. Ils les remplirent d'un liquide sombre et sirupeux, puis en offrirent un à chaque nouvel arrivant.

— Cette boisson, le *khvoya*, est un mélange d'eau de rose et d'extrait d'aiguilles de pin, expliqua Sinyavksy. Elle est très riche en vitamines. Elle vous maintiendra en bonne santé. Tant que vous aurez la santé, vous produirez. Votre vie au camp sera plus productive qu'à l'extérieur. Ma mission est de vous aider à devenir des citoyens productifs. Ainsi je deviendrai moi-même plus productif. Ma réussite dépend de la vôtre. Si vous progressez, moi aussi.

Leo était resté dans la même position, la paume toujours tendue devant lui. Le vent emporta la fleur qui se posa sur la neige. Leo se baissa pour la ramasser. Lorsqu'il se releva, le prisonnier porteur du *khvoya* était près de lui. Leo prit le gobelet, ses doigts effleurant ceux de cet anonyme. Une fraction de seconde plus tard, les deux hommes s'étaient reconnus.

*Même jour*

LES YEUX DE LAZARE SEMBLAIENT ÉNORMES, deux astres couleur d'obsidienne avec un soleil rouge brillant derrière eux. Lui-même était maigre, un concentré de ce qu'il avait été : les traits plus durs, les os saillants, sauf sur la moitié gauche du visage, où sa mâchoire et sa pommette s'étaient affaissées comme un bloc de cire laissé trop près d'une flamme. Leo se demanda s'il ne souffrait pas de paralysie faciale, puis revit soudain la nuit de son arrestation. Il serra instinctivement le poing, le même que celui avec lequel il avait roué Lazare de coups jusqu'à lui réduire la mâchoire en charpie. Sept ans auraient pu suffire à guérir n'importe quelle blessure. Mais Lazare n'avait pas dû recevoir de soins médicaux à la Loubianka. Sans doute ses tortionnaires s'étaient-ils même servis de sa blessure, déplaçant l'os fracturé quand ses réponses ne donnaient pas satisfaction. Dans les camps, on n'avait droit qu'au traitement minimal – l'idée même de chirurgie reconstructrice paraissait fantaisiste. Cet acte impulsif d'une violence insensée, ce crime dont Leo avait oublié l'existence dès que ses jointures avaient cessé de lui faire mal, était gravé à jamais dans le corps de Lazare.

Celui-ci ne manifesta aucune réaction visible aux retrouvailles avec Leo, marquant seulement un temps d'arrêt lorsque leurs regards se croisèrent tels deux silex frappés l'un contre l'autre. Le rictus causé par sa mâchoire affaissée rendait son expression impénétrable. En silence il longea la rangée de prisonniers, versant à chacun un gobelet de *khvoya* sans jamais se retourner, comme si de rien n'était, comme si Leo et lui redevenaient des inconnus l'un pour l'autre.

Les doigts crispés sur son gobelet, Leo n'avait pas bougé. Sa main tremblait, faisant onduler la surface gélatineuse du sirop d'aiguilles de pin. Il avait perdu toute capacité à réfléchir ou à élaborer des stratégies. D'humeur joviale, le commandant du camp s'écria :

— Toi, là-bas ! L'amoureux des fleurs ! Bois ! Ça te donnera des forces !

Leo porta le gobelet à ses lèvres, laissa l'épais liquide noirâtre couler dans sa bouche. Amer, celui-ci lui enduisait la gorge comme du goudron, lui donnant des haut-le-cœur. Il ferma les yeux, se força à l'avaler.

Rouvrant les paupières, il vit Lazare terminer sa tâche et retourner sans hâte vers le réfectoire. Il passa à la hauteur de Leo sans un regard, sans nervosité ni surexcitation apparentes. Le commandant discourut encore quelque temps, mais Leo ne l'écoutait plus. Il avait refermé son poing poisseux sur la fleur pourpre, la réduisant en poussière. Le prisonnier debout à sa droite lui souffla :

— Attention ! On y va !

Sinyavksy avait fini son discours. Ses consignes une fois données, les nouveaux arrivants furent dirigés de la zone administrative à celle des prisonniers. Leo fermait presque la marche. La nuit tombait, rendant l'horizon invisible. Des lumières apparurent dans les miradors. Aucun projecteur ne parcourait le camp. À l'exception de quelques lueurs aux fenêtres des cabanes, la zone carcérale était plongée dans l'obscurité.

Ils franchirent la seconde clôture de barbelés. Les gardes restèrent à la limite entre les deux zones, mitraillette au poing, les dirigeant vers les baraquements. Aucun officier ne s'aventurait dans cette enceinte la nuit. C'était trop dangereux, trop facile pour un détenu de leur éclater le crâne et de disparaître. Se contentant de surveiller le périmètre et de s'assurer que personne n'en sortait, ils laissaient les prisonniers livrés à eux-mêmes.

Leo fut le dernier à pénétrer dans le dortoir. Il allait devoir affronter Lazare seul, sans Timur. Il tenterait de lui parler, de le raisonner. C'était un prêtre : il écouterait sa confession. Leo avait beaucoup à dire. Il avait changé. Depuis trois ans il tentait de s'amender. Comme un condamné montant à l'échafaud, il gravit les marches d'un pas lourd. Il poussa la porte et prit une profonde inspiration, recevant de plein fouet la puanteur ambiante et le spectacle d'une assemblée de visages haineux.

*Même jour*

LEO S'ÉTAIT ÉVANOUI. Reprenant connaissance, il s'aperçut qu'il était par terre, traîné par les chevilles, submergé par une marée de prisonniers qui le rouaient de coups de pied. Il palpa ses cheveux poisseux, son cuir chevelu en sang. Incapable de se concentrer et de se défendre, réduit à l'impuissance au milieu de ce déferlement de férocité, il ne survivrait pas longtemps. Un crachat lui atterrit sur l'œil. Un talon lui cogna la tempe. Sa mâchoire heurta le sol ; ses dents s'entrechoquèrent. Soudain les coups de pied, les crachats et les cris s'espacèrent. La vague de prisonniers reflua, le laissant hoquetant comme un naufragé après une tempête. Pour passer de cette haine rugissante à un silence de mort, il avait fallu l'intervention de quelqu'un.

Leo resta où il était, de peur que ces précieux instants de calme se terminent dès qu'il oserait jeter un coup d'œil. Une voix s'éleva :

— Debout !

Ce n'était pas Lazare, mais un homme plus jeune. Renonçant à sa position fœtale, Leo découvrit les silhouettes penchées sur lui, au nombre de deux : Lazare et, près de lui, âgé d'une trentaine d'années, un rouquin barbu.

Après avoir essuyé le crachat sur son œil, le sang qui coulait de sa bouche et de son nez, Leo s'assit péniblement. Quelque deux cents prisonniers l'observaient, perchés sur leurs couchettes ou debout à proximité, comme s'ils assistaient à une pièce de théâtre sans que tous aient réussi à trouver une place. Regroupés dans un coin, les nouveaux arrivants semblaient soulagés que personne ne s'occupe d'eux.

Leo se leva, voûté comme un invalide. Lazare s'approcha de lui, l'examina sous toutes les coutures avant de revenir face à lui et de le regarder droit dans les yeux. Son expression trahissait une incroyable énergie ; la peau de son visage émacié tressaillait. Lentement il ouvrit la bouche tout en fermant les yeux, visiblement en proie à une intense souffrance. Le mot qu'il prononça dans un souffle, un minuscule soupir, fut à peine audible :

— Max... ime.

Tout ce que Leo avait prévu de dire sur son changement – l'histoire de sa prise de conscience, la genèse de sa transformation – fondit comme neige au soleil. Il s'était toujours rassuré en se répétant qu'il valait mieux que la plupart des collègues avec lesquels il travaillait, des hommes capables de se fabriquer un appareil en or avec les dents arrachées aux suspects lors des interrogatoires. Qu'il y avait pire que lui, et de loin. Qu'il était dans la moyenne, peut-être même un peu en dessous, caché dans l'ombre des monstres qui avaient des meurtres sur la conscience. À son modeste niveau, il avait mal agi, mais il n'était au pire qu'un méchant de médiocre envergure. Entendant ce prénom, le pseudonyme qu'il s'était choisi, les larmes lui vinrent aux yeux. Il tenta de les retenir – en vain. Lazare toucha l'une d'elles, la garda au bout de son index. Après l'avoir contemplée quelques instants, il la remit où il l'avait prise, l'enfonçant dans la joue de Leo et l'écrasant avec mépris, comme pour dire : « Garde tes larmes. Elles ne comptent pas. »

Il prit la main de Leo – à la paume couverte de cicatrices datant de la poursuite dans les égouts – et l'appliqua contre la partie gauche de son visage. Sa joue était granuleuse, donnant l'impression de contenir du gravier. Il rouvrit la bouche, grimaça, ferma les yeux. À rebours des lois de la physique, comme si les odeurs voyageait plus vite que la lumière, ce furent d'abord des relents de pourriture, de dents cariées qui assaillirent Leo. Lazare, presque édenté, avait les gencives déformées, noirâtres, avec des plaques sanguinolentes. Là se trouvait la transformation, là se trouvait le changement : un brillant orateur frappé de mutisme après trente ans de sermons, et affligé d'une haleine nauséabonde.

Lazare referma la bouche, recula d'un pas. Le rouquin approcha sa joue comme une toile vierge attendant d'être peinte. Lazare se pencha si près de lui que sa bouche touchait presque l'oreille de l'homme. Tandis qu'il parlait, ses lèvres bougeaient à peine. Le rouquin traduisit à la première personne :

— Je te considérais comme un fils. Je t'avais ouvert ma maison. Je te faisais confiance. Je t'aimais.

Leo répondit :

— Je suis indéfendable, Lazare. Je te supplie quand même de m'écouter. Ta femme est vivante. C'est elle qui m'envoie pour te libérer.

Leo et Timur s'étaient demandé si le prêtre n'aurait pas déjà reçu une lettre codée contenant le plan de Fraera. La surprise de Lazare parut toutefois sincère. Il était sans nouvelles de son épouse. Il ignorait combien elle avait changé. Avec agacement il fit signe au rouquin, qui bondit vers Leo et le mit à genoux d'un coup de pied.

— Tu mens !

— Ta femme est vivante, répéta Leo. C'est la raison de ma présence. Je dis la vérité.

Le rouquin jeta un coup d'œil par-dessus son épaule, attendant de nouvelles consignes. Lazare hocha la tête. Le rouquin traduisit aussitôt :

— Que sais-tu de la vérité ? Tu es un tchékiste ! On ne peut pas te faire confiance !

— Anisya a été libérée du goulag il y a trois ans. Elle a changé, Lazare. Elle fait partie d'un gang.

Plusieurs *vorys* présents éclatèrent de rire à l'idée que l'épouse d'un prêtre dissident ait pu rejoindre leurs rangs. Leo poursuivit malgré tout :

— Elle est même à la tête de ce gang. Elle ne s'appelle plus Anisya. Elle est connue sous le nom de Fraera.

Les rires incrédules redoublèrent. Plusieurs hommes crièrent et gesticulèrent, offensés à l'idée qu'une femme pourrait leur donner des ordres. Leo haussa la voix :

— Elle dirige ce gang, déterminée à se venger. Ce n'est plus la femme dont tu as gardé le souvenir, Lazare. Elle a enlevé ma fille. Si je ne réussis pas à te libérer, elle la tuera. Tu n'as aucune autre chance de quitter ce camp. Si tu refuses mon aide, tu mourras ici. Notre vie à tous dépend de ta libération.

Indignés par ce récit, les prisonniers lancèrent une seconde volée d'insultes et encerclèrent Leo, prêts à l'attaquer une nouvelle fois. Lazare les fit reculer d'un geste. Il avait visiblement de l'autorité sur eux, car ils obéirent sans discuter et se réinstallèrent sur leurs couchettes. Puis il rappela le rouquin pour lui parler à l'oreille. L'homme hocha la tête. Dès que Lazare eut terminé, il prit la parole d'un air important :

— Tu es un homme désespéré, prêt à dire n'importe quoi. Tu n'es qu'un menteur. Tu l'as toujours été. Tu m'as abusé une fois, tu ne le feras pas deux fois.

Si Timur avait été là, il aurait montré la lettre de Fraera, preuve qu'elle était vivante. Elle l'avait écrite précisément pour lever ce genre de soupçon. Sans cette lettre, Leo ne pouvait rien faire. En désespoir de cause il déclara :

— Tu as un fils…

Le silence se fit dans la pièce. Lazare se mit à trembler, comme si quelque chose en lui voulait sortir. Sa bouche se tordit en un rictus et, malgré son indignation, le mot qu'il lâcha fut presque inaudible :

— Non !

Sa voix, aussi déformée que sa joue, se brisa. Ce « Non » lui avait tant coûté qu'il était à bout de forces. On lui apporta une chaise sur laquelle il s'assit, essuyant la sueur qui perlait sur son visage blême. Incapable d'ajouter autre chose, il fit de nouveau signe au rouquin qui parla pour la première fois en son nom :

— Lazare est notre prêtre. La plupart d'entre nous sont ses fidèles. Je suis sa voix. Au camp, il peut parler de Dieu sans craindre de tenir des propos compromettants. L'État ne peut pas l'envoyer en prison puisqu'il y est déjà. Il a trouvé ici la liberté qu'on lui refusait à l'extérieur. Je m'appelle Gueorgui Vavilov. Lazare est mon mentor, comme il a autrefois tenté d'être le tien. À une différence près : je préférerais mourir plutôt que le trahir. Je te méprise.

— Je peux te libérer toi aussi, Gueorgui.

Le rouquin secoua la tête.

— Tu joues des faiblesses des hommes. Je n'ai aucun désir d'être ailleurs qu'auprès de mon maître. Lazare croit que c'est la justice divine qui t'envoie à lui. Tu seras jugé, et par ceux-là mêmes que tu as un jour jugés.

Lazare se tourna vers un vieillard qui, debout au fond du dortoir, s'était jusque-là tenu à l'écart. Il lui fit signe d'avancer. L'homme s'exécuta lentement, en claudiquant. Il s'adressa à Leo :

— Voilà trois ans, j'ai rencontré celui qui m'avait interrogé. Comme toi, il avait été envoyé au camp, là où lui-même avait envoyé tant de monde. On a imaginé un châtiment pour lui. On a établi une liste de toutes les tortures que notre groupe avait subies. Notre liste en détaillait près de cent. Chaque soir, on lui a infligé une de ces tortures, en suivant l'ordre de la liste. S'il survivait à toutes, on lui laisserait la vie sauve. On ne voulait pas qu'il meure. On voulait qu'il les connaisse toutes. C'est pourquoi on l'a empêché de se pendre. On l'a nourri. On l'a maintenu en forme pour qu'il souffre davantage. Il a tenu jusqu'à la trentième torture avant de courir délibérément vers la clôture de barbelés où il s'est fait abattre pour tentative d'évasion. La torture qu'il m'avait infligée était la première de la liste. C'est celle que tu subiras ce soir.

Le vieillard retroussa les jambes de son pantalon, laissant voir ses genoux tuméfiés, noirâtres et difformes.

## Kolyma
## 30 kilomètres au nord de Magadan
## 17 kilomètres au sud du goulag 57

*10 avril*

LA COUCHE NUAGEUSE ÉTAIT DESCENDUE DE MILLE MÈTRES, obscurcissant la vue. Dans l'air saturé de gouttelettes argentées – brume formée à parts égales d'eau, de glace et de magie –, la route déroulait devant eux mètre après mètre son tapis monotone, grisâtre et bosselé. Le camion progressait lentement. Exaspéré par ce retard supplémentaire, Timur jeta un coup d'œil à sa montre, oubliant qu'elle ne marchait plus, la tempête l'avait brisée. Il l'avait toujours au poignet, inutile, le verre fêlé, le mécanisme grippé par le sel. Serait-elle réparable ? À en croire son père, elle était dans leur famille depuis des générations. Timur le soupçonnait d'avoir menti, refusant par orgueil d'avouer à son fils qu'il lui offrait une montre d'occasion pour son dix-huitième anniversaire. Contre toute attente, ce mensonge avait fait de la montre en question le bien le plus précieux de Timur. Il comptait la transmettre à son fils aîné quand celui-ci aurait dix-huit ans, bien qu'il n'ait pas encore décidé s'il lui expliquerait la valeur sentimentale du mensonge paternel ou se contenterait de perpétuer la mythologie familiale.

Il se consola du retard pris en se disant qu'au moins il avait échappé au voyage de retour vers Buchta Nakhodka et à une nouvelle traversée de la mer d'Okhotsk. La veille au soir il était à bord de l'*Étoile bolchevique* prêt à appareiller : on avait remis la cale en état, pompé l'eau, chargé les prisonniers fraîchement libérés, le visage tendu à la pensée de la liberté toute proche. Ne voyant pas comment sortir de ce guêpier, Timur restait sur le pont, pétrifié, à regarder les marins du port défaire les amarres. Encore quelques minutes et le navire prendrait la mer, ne lui laissant aucune chance d'atteindre le goulag 57 avant un mois.

En désespoir de cause il avait rejoint la passerelle du capitaine, dans l'espoir de trouver in extremis une excuse plausible. Quand l'homme s'était tourné vers lui, il avait bredouillé :

— J'ai quelque chose d'important à vous dire.

Piètre menteur, il se souvenait qu'il valait toujours mieux s'éloigner le moins possible de la vérité.

— En fait, je ne suis pas gardien de convoi. Je travaille pour le MVD. On m'a envoyé ici pour vérifier la mise en place des réformes décidées après le rapport Khrouchtchev. J'en sais assez maintenant sur la façon dont les choses se passent à bord de ce bateau.

À la mention de Khrouchtchev, le capitaine avait blêmi.

— J'ai commis des erreurs ?

— Malheureusement le contenu de mon rapport est confidentiel.

— Mais je ne suis pour rien dans ce qui s'est passé à l'aller. Je vous en prie, tenez-en compte si vous révélez que j'ai perdu le contrôle de ce navire.

Timur n'en revenait pas de l'effet produit par son excuse. Le capitaine s'était rapproché, implorant :

— Aucun de nous ne pouvait prévoir que la cloison de la salle des machines lâcherait. Ne me faites pas perdre mon emploi. Je n'en trouverai pas d'autre. Qui acceptera de travailler avec moi sachant comment je gagnais ma vie ? Capitaine d'un navire pénitentiaire. Je serai haï. C'est le seul endroit où je me sens chez moi. Je vous en supplie, je n'ai nulle part ailleurs où aller.

Le désespoir de l'homme devenait gênant. Timur s'était écarté.

— L'unique raison pour laquelle je vous divulgue cette information, c'est parce que je ne peux pas faire le voyage de retour. Il faut que je parle au directeur régional. Vous allez devoir vous débrouiller sans moi. Vous trouverez bien le moyen d'expliquer mon absence à l'équipage.

Le capitaine s'était incliné avec un sourire obséquieux.

Quittant le bateau pour regagner le port, Timur s'était félicité de ses capacités d'improvisation. Confiant, il pénétra dans les locaux administratifs du camp de transit et gravit l'escalier menant au bureau d'Abel Prezent, le directeur régional qui l'avait nommé sur l'*Étoile bolchevique*. Lorsqu'il frappa et entra, Prezent parut contrarié :

— Un problème ?

— J'en ai vu suffisamment à bord de ce bateau pour rédiger mon rapport.

Tel un chat pressentant le danger, Prezent s'était redressé :

— Quel rapport ?

— Je suis envoyé par le MVD pour rassembler des informations sur l'application des réformes en cours depuis le rapport Khrouchtchev. Je comptais rester anonyme pour juger plus objectivement de la manière dont les camps sont dirigés, mais mon affectation sur l'*Étoile bolchevique*, qui va à l'encontre des ordres que j'ai reçus, m'oblige à me faire connaître. Il va sans dire que je n'ai aucun papier d'identité. Ça ne paraissait pas nécessaire. On n'avait pas prévu que ma mission serait remise en cause. Mais s'il vous faut des preuves, je connais vos états de service par le menu.

Timur et Leo avaient étudié le dossier de tous les hauts dignitaires de la région.

— Vous avez travaillé pendant cinq ans au Karlag, au Kazakhstan, et avant cela…

Prezent l'interrompit d'un geste poli. Il avait une voix sourde, comme si des doigts invisibles étreignaient son cou pâle et maigre.

— Je vois…

Il s'était levé, l'air songeur, les mains derrière le dos.

— Donc vous êtes ici pour faire un rapport ?

— Exact.

— Je me doutais que ça arriverait.

Timur confirma d'un signe de tête, satisfait de la crédibilité de son excuse improvisée.

— Moscou réclame des évaluations régulières.

— Des évaluations… Quel horrible mot !

Timur n'avait pas prévu cette attitude mélancolique et méditative. Il tenta d'atténuer la menace contenue dans son propos :

— Il s'agit juste de rassembler des informations.

— Je me suis beaucoup dévoué pour l'État, répondit Prezent. J'habite une région où personne ne veut vivre. Je travaille avec les prisonniers les plus dangereux au monde et j'ai fait des choses que tout le monde refusait de faire. On m'a appris à commander. Et puis on m'a appris que cet enseignement n'était plus valable. D'une minute à l'autre une disposition légale peut devenir un crime. La loi me demande tantôt d'être impitoyable, tantôt d'être indulgent.

Il avait gobé le mensonge de Timur. Ils tremblaient tous à la moindre référence au rapport Khrouchtchev. Contrairement au capitaine de l'*Étoile bolchevique*, Prezent ne suppliait pas Timur de se montrer indulgent. Il exprimait simplement sa nostalgie d'une époque révolue, où sa place et sa mission étaient claires. Timur profita de la situation :

— Il me faut un moyen de transport pour me rendre au goulag 57.

— Certainement.

— Je dois partir au plus vite.

— On ne peut pas aller dans les montagnes en pleine nuit.

— Dangereux ou pas, je préférerais faire le voyage maintenant.

— Je comprends. Je vous ai retardé. Excusez-moi mais ce n'est pas possible. Demain à l'aube, oui. Pas avant. Tant qu'il fait nuit, je ne peux rien pour vous.

Timur se tourna vers le conducteur :

— On arrive dans combien de temps ?

— Deux ou trois heures – je dirais plutôt trois, à cause du brouillard.

Dans un éclat de rire, l'homme ajouta :

— Jamais vu quelqu'un aussi pressé d'aller au goulag.

Timur ne releva pas, essayant malgré son énervement de se concentrer sur son plan. Pour qu'il réussisse, il fallait que tout soit en place. On ne pouvait pas tabler sur la coopération de Lazare. Timur avait en sa possession une lettre écrite de la main de Fraera : il l'avait lue et relue pour vérifier qu'elle ne contenait pas de mise en garde ni de consigne codée. À titre d'argument supplémentaire, et à l'insu de Fraera, Leo avait insisté pour qu'ils prennent avec eux la photo d'un garçonnet de sept ans. Ce n'était pas le fils de Lazare, mais ce dernier l'ignorait. Une preuve visible serait sans doute plus convaincante que la simple mention de son existence. En cas d'échec, Timur avait également sur lui un flacon de chloroforme.

Le camion ralentit, puis s'arrêta. Le conducteur désigna une passerelle en rondins qui enjambait une profonde ligne de faille.

— À la fonte des neiges, le courant est très fort, expliqua-t-il.

Timur se pencha en avant pour mieux voir la passerelle branlante dont l'extrémité opposée disparaissait dans la brume. Le conducteur fronça les sourcils.

— Des prisonniers ont construit cette passerelle. Elle n'est pas solide !

Avec eux voyageait un autre garde qui dormait depuis le départ. À en juger par l'odeur de ses vêtements, il avait dû se soûler la veille au soir, peut-être comme tous les soirs. Le conducteur le secoua.

— Debout, espèce de bon à rien ! Debout !

L'homme se réveilla et regarda la passerelle en se frottant les yeux. Il descendit de la cabine d'un bond, rota bruyamment, commença à guider le conducteur. Timur hocha la tête.

— Attendez.

Il descendit à son tour, fit quelques pas pour se dégourdir les jambes, claqua la portière et s'approcha de la passerelle. Le conducteur avait raison de se méfier : elle semblait à peine plus large que le camion, trente centimètres de part et d'autre. Rien pour empêcher les pneus de déraper si le véhicule n'était pas parfaitement au milieu. Timur s'avança et aperçut la rivière à une dizaine de mètres en contrebas. Des plaques de glace dépassaient des berges. Elles étaient en train de fondre, alimentant l'étroit cours d'eau. Quelques semaines suffiraient à le transformer en torrent.

Le camion avançait doucement. Pour dissiper les effets de l'alcool, le garde alluma une cigarette, content d'être déchargé de ses responsabilités. Timur fit signe au conducteur de rouler un peu plus à droite : le camion déviait de sa trajectoire. Il dut répéter son geste. Malgré la mauvaise visibilité, il voyait le conducteur, donc celui-ci devait le voir.

— À droite ! lui cria-t-il.

Sans avoir rectifié sa trajectoire, le camion accéléra. Au même instant les phares s'allumèrent, leur faisceau jaune soufre aveuglant Timur. Le véhicule fonçait sur lui.

Il s'écarta d'un bond, mais trop tard : le pare-chocs métallique le heurta de plein fouet, le projetant au-dessus du ravin. Après être resté brièvement en suspens, tourné vers le ciel éclairé par les lueurs de l'aube, il tomba en tournoyant vers la rivière, droit sur une plaque gelée. Il s'y écrasa la tête la première, dans un craquement d'os et de glace.

Il resta étendu l'oreille contre la glace, comme un sourcier. Impossible de bouger les doigts ou les jambes. Impossible de tourner la tête. Il ne ressentait aucune douleur.

En haut quelqu'un lui hurla quelque chose :

— Traître ! Prêt à espionner tes semblables ! On est solidaires ! Tous contre eux !

Timur était incapable de lever les yeux, mais il reconnut la voix du conducteur.

— Il n'y aura ni rapport ni reproches, ni remords – pas à la Kolyma, en tout cas. À Moscou, peut-être, mais pas ici. On a fait ce qu'on avait à faire ! On a fait ce qu'on nous a dit de faire ! Khrouchtchev peut aller se faire foutre avec son rapport ! Et toi aussi avec le tien ! Essaye un peu de l'écrire, là où tu es !

Le garde à la cigarette ricana. Le conducteur s'adressa à lui :

— Descends.

— Pourquoi ?

— Sinon tout le monde verra le cadavre.

— Qui ça ? Il n'y a personne ici.

— Je ne sais pas, moi, quelqu'un comme lui, s'ils en envoient un autre.

— Pas besoin de descendre. La glace va fondre.

— Dans trois semaines. On ne sait pas qui peut passer par là entre-temps. Alors descends et pousse-le dans la rivière. Fais ça bien.

— Je sais pas nager.

— Il est sur la glace.

— Et si elle cède ?

— Tu te mouilleras les pieds. Descends, je te dis ! Il ne faut rien négliger.

Les yeux fixés sur la rivière, la respiration sifflante, Timur écouta son bourreau descendre maladroitement la pente en geignant comme un adolescent paresseux.

D'aussi loin qu'il lui souvienne, sa plus grande crainte était qu'un membre de sa famille meure au goulag. Jamais il ne s'était inquiété pour lui-même, sûr de se tirer d'affaire et de trouver un moyen de rentrer chez lui.

Il vivait ses derniers instants. Il pensa à sa femme. Il pensa à ses fils.

Furieux d'avoir à obéir, la tête comme prise dans un étau après sa soirée de beuverie, dérapant sur la paroi du ravin au risque de se tordre une cheville, le garde finit par atteindre la berge. Du bout de sa botte il testa la solidité de la glace. Dans l'espoir de mieux répartir son poids, il se mit à quatre pattes et rampa vers le corps de l'espion envoyé par Moscou. Il le tapota du canon de son pistolet. Pas de réaction.

— Il est mort !

— Fouille ses poches ! cria le conducteur.

Il s'exécuta, trouva une lettre, un peu d'argent et un couteau : aucun objet de valeur.

— Rien d'intéressant.

— Et sa montre ?

Il la détacha du poignet de l'homme.

— Elle est cassée !

— Jette son cadavre à l'eau.

Assis sur la glace, il poussa le corps vers la rivière d'un coup de pied. Malgré son poids, celui-ci glissa sans trop de difficulté sur la glace. Arrivé au bord, l'espion cligna des yeux : il n'était pas mort.

— Il est vivant !

— Pas pour longtemps. Pousse-le dans la rivière. J'ai froid.

Le garde regarda l'homme cligner encore une fois des yeux puis le fit basculer lourdement dans l'eau. Le corps oscilla avant d'être entraîné vers l'aval, vers une nature hostile où personne ne le reverrait jamais.

Toujours assis sur la glace, le garde examina la montre. Bon marché et cassée, elle ne valait rien. Mais au moment de la lancer dans la rivière, quelque chose le retint. Cassée ou pas, ça paraissait dommage de la jeter.

## Moscou

*Même jour*

— QUAND EST-CE QUE ZOYA SERA DE RETOUR À LA MAISON ? demanda Elena.

— Bientôt, répondit Raïssa.

— Quand je rentrerai de faire les courses ?

— Non, pas si tôt.

— Alors quand ?

— Lorsque Leo reviendra, il ramènera Zoya. Je ne sais pas quel jour exactement, mais dans pas très longtemps.

— Promis ?

— Leo fait tout ce qu'il peut. Il faut patienter encore. Tu veux bien essayer pour me faire plaisir ?

— Si tu me promets que Zoya va bien.

Raïssa n'avait guère le choix.

— Je te le promets.

Elena posait les mêmes questions tous les jours. Comme si elle ne les avait jamais posées. Moins que des réponses précises, c'étaient les réactions de Raïssa qui l'intéressaient : elle guettait le plus infime changement d'intonation. Au moindre signe d'agacement, à la moindre hésitation, elle retombait dans l'état d'abattement qui l'avait gagnée aussitôt après l'enlèvement de Zoya. Elle avait refusé de quitter sa chambre, pleurant jusqu'à ce qu'elle n'ait plus de larmes à verser. Leo, refusant la proposition du médecin de lui administrer un sédatif, était resté tous les soirs à son chevet pendant des heures. Il avait fallu le retour de Raïssa de l'hôpital pour qu'Elena commence à aller mieux. Les progrès les plus spectaculaires avaient eu lieu quand Leo avait quitté Moscou, et pas parce qu'elle souhaitait son départ : c'était la première preuve concrète qu'il tentait quelque chose pour ramener Zoya. Elle avait vite compris que le jour où il reviendrait, Zoya serait avec lui. Elena n'avait pas besoin de savoir où se trouvait sa sœur ni ce qu'elle faisait, simplement qu'elle allait rentrer le plus vite possible.

Les parents de Leo les attendaient devant la porte d'entrée. Encore affaiblie par ses blessures, Raïssa ne pouvait se passer de leur aide. Ils étaient venus vivre dans l'immeuble réservé aux fonctionnaires du ministère de l'Intérieur, faisaient la cuisine et le ménage, maintenaient un semblant de normalité. Prête à partir, Elena s'immobilisa :

— Tu ne peux vraiment pas venir avec nous ? On marchera très doucement.

Raïssa sourit.

— Je n'ai pas encore assez de forces. Donne-moi un jour ou deux de plus, et on fera un tour ensemble.

— Avec Zoya ? On pourrait aller au zoo. Zoya adorait le zoo. Elle faisait croire que non, mais je sais que ça lui plaisait. C'était son secret. J'aimerais que Leo vienne lui aussi. Et Anna, et Stepan.

— On ira tous ensemble.

Elena sourit en fermant la porte, son premier sourire depuis longtemps.

Restée seule, Raïssa s'allongea sur le lit de Zoya. Elle s'était installée dans la chambre des filles car la petite ne s'endormait que si elle était couchée près d'elle. Les mesures de sécurité avaient été renforcées dans l'immeuble comme dans toute la ville. Retraités ou en activité, les fonctionnaires du ministère changeaient leurs habitudes, ajoutaient des verrous à leur porte, des barreaux à leurs fenêtres. Bien que l'État ait tenté de contrôler la diffusion de l'information, il y avait eu trop de meurtres pour que des rumeurs ne circulent pas. Tous ceux qui avaient dénoncé un ami ou un collègue redoublaient de précautions. Tous ceux qui s'étaient enrichis grâce à la peur des autres avaient peur à leur tour, exactement comme Fraera l'avait promis.

Raïssa ouvrit les yeux, se demandant combien de temps elle avait dormi. Même tournée contre le mur, sans voir ce qui se passait derrière elle, elle savait qu'il y avait quelqu'un dans la pièce. Une fois sur le dos, en levant la tête elle distingua un uniforme d'officier dans l'encadrement de la porte, une silhouette androgyne. Raïssa se sentait comme dans un rêve. Elle n'éprouvait ni peur ni surprise. C'était leur première rencontre, et pourtant il y avait entre elles quelque chose d'étrangement familier, une intimité naturelle.

Fraera enleva sa casquette, laissant voir ses cheveux coupés ras. Elle s'approcha.

— Ou tu cries, ou on parle.

Raïssa s'assit sur le lit.

— Je ne crierai pas.

— Je m'en doutais.

Raïssa avait souvent entendu cette intonation condescendante chez un homme s'adressant à une femme. Elle la trouva bizarre dans la bouche d'une femme de deux ou trois ans son aînée. Fraera perçut son agacement.

— Ne le prends pas mal. Il fallait que j'en aie le cœur net. Ça n'a pas été facile de réussir à te voir. J'ai essayé plusieurs fois. Ce serait dommage d'abréger cette visite.

Elle s'assit sur le lit voisin, celui d'Elena. Adossée au mur, les jambes en tailleur, elle déboutonna sa veste d'uniforme.

— Est-ce que Zoya va bien ? lui demanda Raïssa.

— Oui.

— Elle n'est pas blessée ?

— Non.

Raïssa n'avait aucune raison de la croire, et pourtant elle la crut. Fraera prit l'oreiller d'Elena, le serra contre elle sans nervosité apparente.

— C'est une jolie chambre, pleine de jolies choses offertes par deux parents adorables à leurs deux adorables filles. Combien de jolies choses faut-il pour compenser l'assassinat d'une mère et d'un père ? Quelle douceur les draps doivent-ils avoir pour qu'une enfant pardonne ce meurtre ?

— Jamais nous n'avons cherché à acheter leur amour.

— Difficile à croire si je regarde autour de moi.

Raïssa luttait pour contenir sa colère.

— Aurions-nous été davantage une famille en ne leur achetant rien ?

— Mais vous n'êtes pas une famille. De l'extérieur, bien sûr, on pourrait le croire. Je me demande si c'est ce que Leo avait en tête : une illusion de normalité. Ce ne serait pas la réalité, bien sûr, mais il pourrait en profiter, en admirer le reflet dans le regard d'autrui. Leo sait très bien se mentir à lui-même. Vos deux filles ne seraient alors rien de plus que des poupées joliment vêtues pour qu'il puisse jouer à être père.

— Elles étaient à l'orphelinat. Nous leur avons laissé le choix.

— Le choix entre la maladie, la pauvreté et la malnutrition d'une part, et la vie avec celui qui avait assassiné leurs parents… Drôle de choix.

Raïssa hésita, incapable de la contredire.

— Ni Leo ni moi n'avons eu le sentiment que cette adoption allait de soi.

— Tu ne m'as pas reprise quand j'ai parlé de l'homme qui avait assassiné leurs parents. Je m'attendais au moins à entendre : « Ce n'est pas Leo qui les a abattus, il a tenté de les sauver. Un homme honnête entouré de brutes. » Mais tu n'y crois pas, hein ?

— C'était un officier du MGB. Il a fait des choses horribles.

— Et pourtant tu l'aimes ?

— Pas depuis le début.

— Et maintenant ?

— Il a changé.

Fraera se pencha vers elle.

— Pourquoi tu ne veux pas répondre ? Tu l'aimes vraiment ?

— Oui.

— Je veux te l'entendre dire.

— Je l'aime.

Fraera se redressa, pensive.

— Ce n'est plus l'homme qui t'a arrêtée, ajouta Raïssa. Il a changé.

— D'accord. Il y a une différence fondamentale. Avant, personne ne l'aimait. Aujourd'hui, il a l'amour de quelqu'un. Le tien.

Gênée par le col de sa chemise, Fraera défit quelques boutons, laissant apparaître le haut des tatouages qui recouvraient son corps tels d'anciens symboles de sorcellerie.

— Que sais-tu de lui, Raïssa ? Que sais-tu de son passé ?

— Il a infiltré l'Église de ton mari. Il vous a tous trahis : toi, Lazare et vos fidèles.

— Rien que pour ça, il mérite de mourir. Mais sais-tu aussi qu'avant d'avouer sa trahison, il m'avait demandé ma main ? Comme un amoureux au clair de lune ?

Les yeux baissés, Raïssa fit signe que oui.

— Oui, je sais qu'il t'avait demandé de quitter Lazare. Il croyait que tu voulais devenir sa femme, j'en suis certaine. Il était aveuglé par ses sentiments. Il s'est laissé aveugler par beaucoup de choses, dont l'amour. Surtout l'amour.

Fraera parut déçue de n'avoir rien révélé que Raïssa ne sache déjà. Avec moins de conviction, elle poursuivit :

— Il croyait me sauver. En fait, c'est lui-même qu'il tentait de sauver. Si j'avais accepté sa demande en mariage, il aurait pu croire qu'il était vraiment quelqu'un de bien. Je ne voulais pas qu'il s'en tire si facilement. Je lui ai prédit que jamais personne ne l'aimerait. J'étais sûre que l'avenir me donnerait raison : comment peut-on aimer un monstre ? Qui pourrait l'aimer ?

Croisant le regard de Fraera, Raïssa rougit :

— Je ne compte pas justifier ses actions passées.

— Il va pourtant falloir. Tu l'aimes. Je vous ai vus ensemble, tous les deux. Je vous ai surveillés, épiés comme Leo m'avait épiée. Tu le rends heureux. Pire encore, lui te rend heureuse. Ton amour représente tout pour lui. Voilà pourquoi je le mets sur la sellette. Voilà pourquoi je suis venue. Je veux savoir comment tu réussis à vivre avec cet homme. À lui faire l'amour. Je t'ai d'abord prise pour une idiote, pour une de ces ravissantes femmes d'officier qui vivent sans se poser de questions. J'ai cru que tu te moquais des crimes que Leo avait pu commettre.

Fraera se leva et vint s'asseoir sur le même lit que Raïssa, à la manière de deux amies partageant des secrets en pleine nuit.

— Or tu ne témoignes pas à l'État une loyauté servile. La rumeur t'a même fait passer pour une dissidente. Ton amour pour Leo est alors devenu un véritable mystère que je devais élucider à tout prix. J'ai dû fouiller dans ton passé. Tu souhaites entendre ce que j'ai découvert ?

— Tu as ma fille. Fais ce que tu veux.

— Toute ta famille a été tuée pendant la guerre. Tu es devenue une réfugiée...

Pétrifiée, Raïssa écoutait Fraera brandir ses informations comme un couteau.

— À la même époque tu as été violée.

Elle resta bouche bée, ce qui pouvait passer pour une confirmation. Elle ne chercha pas à nier, sentant qu'elle n'avait pas tout entendu.

— Comment l'as-tu appris ?

— En visitant l'orphelinat où tu as abandonné ton enfant.

Raïssa fut frappée de stupeur. On exhumait ses secrets les plus intimes, des événements du passé qu'elle avait soigneusement enfouis, et on les lui jetait au visage. Devant sa réaction, Fraera prit sa main dans les siennes.

— Leo n'est pas au courant ?

— Si, répondit Raïssa sans baisser les yeux.

Une fois encore, la déception se lut sur le visage de Fraera.

— Je ne te crois pas.

— Il m'a fallu des années pour lui en parler, mais je l'ai fait. Il sait, Fraera. Il sait tout : que je suis stérile, et pour quelle raison ; que j'ai abandonné le seul enfant que j'aurai jamais porté. Il connaît le poids de mes remords comme je connais le poids des siens.

Fraera caressa le visage de Raïssa.

— C'est pour ça que tu l'as épousé ? Parce que tu sentais son besoin désespéré d'être aimé ? Il aurait accepté avec joie de devenir le père de ton enfant. Tu as vu en lui l'occasion de refaire ta vie. Ton enfant échapperait à l'orphelinat.

— Non, j'avais appris sa mort avant de rencontrer Leo. Je suis allée à l'orphelinat dès que j'en ai eu la force, que j'ai trouvé à me loger, que je me suis sentie capable d'être une bonne mère. On m'a dit que mon fils était mort du typhus.

— Alors pourquoi avoir épousé Leo ? Pourquoi lui avoir dit oui ?

— Après avoir abandonné mon fils pour survivre, je ne trouvais pas si compromettant, en comparaison, d'épouser un homme que je craignais plus que je ne l'aimais.

Fraera se pencha pour embrasser Raïssa.

— Je sens ton amour pour lui, dit-elle en se redressant. Et ta haine pour moi...

— Tu m'as pris ma fille.

Fraera se leva, alla jusqu'à la porte, reboutonna sa chemise.

— Ce n'est pas ta fille. Tant que tu aimes Leo, tu ne me laisses pas le choix. C'est grâce à ton amour pour lui qu'il peut encore se regarder dans une glace. Lui qui a commis des crimes sans nom, qui est un meurtrier, il a su se faire aimer. Et par une femme que n'importe quel homme admirerait, que moi-même j'admire. Ton amour l'absout. C'est sa rédemption.

Fraera ferma sa veste d'uniforme et remit sa casquette, disparaissant derrière son déguisement.

— J'ai parlé à Zoya avant de venir te voir. Je voulais savoir comment on vivait dans cette prétendue famille. Zoya est intelligente, mais sa vie est brisée. Je l'aime beaucoup. Elle m'a confié qu'elle t'avait fait une suggestion : quitter Leo pour qu'elle puisse être heureuse.

Raïssa était atterrée. Alors que Zoya était censée être retenue en otage, elle confiait à Fraera, leur ennemie, tous les secrets de famille dont celle-ci avait besoin.

— Je m'étonne que tu aies eu la cruauté de répondre à sa requête par une déclaration d'amour pour Leo. Elle est perturbée au point d'aller chercher un couteau dans votre cuisine en pleine nuit et de regarder Leo dormir en projetant de l'égorger dans son sommeil.

Raïssa fut prise de court. Elle ignorait de quoi il était question. Un couteau ? Dirigé contre Leo ? Après plusieurs tentatives, Fraera était enfin tombée sur une faille : un mensonge, un secret. Elle sourit :

— Apparemment, il t'a caché quelque chose. C'est vrai : Zoya l'a plus d'une fois regardé dormir, un couteau à la main. Leo l'a prise en flagrant délit. Il ne t'en a pas parlé ?

En une fraction de seconde, Raïssa y vit plus clair. Le matin où elle avait trouvé Leo assis devant la table de la cuisine, l'air sombre, ce n'était pas pour Nikolaï qu'il s'inquiétait, mais pour Zoya. Raïssa lui avait demandé ce qui n'allait pas. Rien, avait-il répondu. Il lui avait menti.

Fraera contrôlait désormais la situation :

— En gardant cet incident à l'esprit, réfléchis bien à ce que je vais te dire. Je te renouvelle la proposition de Zoya. J'accepte de te la rendre saine et sauve. En échange, toi et les deux filles ne devez jamais revoir Leo. Les aimer, ou aimer Leo : voilà l'alternative à laquelle tu es confrontée depuis trois ans. Maintenant, Raïssa, tu dois choisir.

# Kolyma
# Goulag 57

*Même jour*

LEO POUVAIT À PEINE TENIR DEBOUT, et encore moins creuser la terre. Dans une tranchée rudimentaire, à trois mètres de profondeur, il donnait en pure perte des coups de pioche dans le permafrost. Plusieurs feux de bois brûlaient lentement, tels les bûchers funéraires de héros tombés au champ d'honneur, pour ramollir le sol gelé. Mais aucun n'était proche de Leo, envoyé par son chef de groupe dans la partie la plus froide et la plus reculée des mines d'or, la tranchée la moins exploitée où, même au mieux de sa forme, il n'aurait jamais pu atteindre la norme – la quantité minimale de roche à extraire pour recevoir la ration réglementaire de nourriture.

Ses jambes épuisées n'arrivaient plus à le porter. Ses genoux boursouflés, violacés, avaient doublé de volume. La veille au soir on l'avait fait agenouiller, les mains derrière le dos et les chevilles ligotées à ses poignets, de sorte que tout son poids reposait sur ses rotules. Pour l'empêcher de basculer en avant, on l'avait attaché à l'échelle d'une couchette. Au fil des heures il lui avait été impossible de diminuer la pression : sa peau était tendue à craquer, ses rotules raclaient le bois, lui mettant la chair à vif. Comme il hurlait à chaque changement de position, on l'avait bâillonné pour permettre aux autres prisonniers d'aller dormir. Il était resté à genoux, rongeant comme un cheval furieux le bâillon crasseux que ses codétenus avaient préalablement frotté sur leurs plaies purulentes. Tandis que des ronflements s'élevaient dans le baraquement, un seul homme n'avait pas fermé l'œil : Lazare. Il était resté toute la nuit au chevet de Leo, lui enlevant son bâillon pour lui permettre de vomir et le lui remettant, faisant preuve d'un dévouement sans faille : celui d'un père pour son fils malade, un fils qui avait besoin d'une bonne leçon.

À l'aube, Leo avait repris connaissance avec un haut-le-cœur quand on lui avait versé de l'eau glacée sur la tête. Une fois ses liens défaits et son bâillon enlevé, il s'était affalé par terre, ses pieds ayant perdu toute sensation comme si on l'avait amputé à la hauteur des genoux. Il lui avait fallu plusieurs minutes d'atroces douleurs pour pouvoir étirer les jambes, puis se lever avec la lenteur d'un centenaire. Ses codétenus l'avaient autorisé à prendre son petit-déjeuner, à manger sa ration assis à une table, les mains tremblantes. Ils voulaient qu'il reste vivant. Ils voulaient le voir souffrir. De même qu'un homme perdu dans le désert rêve d'une oasis, Leo se concentrait sur l'image de Timur comme sur un mirage. Puisqu'il était impossible de faire le voyage de nuit depuis Magadan, il se raccrochait à l'espoir de voir arriver son ami en début de soirée.

De ses bras engourdis il leva sa pioche, mais ses jambes se dérobèrent sous lui. Il s'écroula de tout son poids sur ses genoux enflés. La violence du choc fit éclater ses capsules synoviales. Il ouvrit la bouche en un hurlement muet et, les yeux ruisselants de larmes, se laissa tomber sur le côté pour soulager ses rotules. Il gisait au fond de la tranchée, son instinct de survie anesthésié par la fatigue. Un bref instant, il eut envie de fermer les yeux et de s'endormir. Dans ce froid polaire, il ne se serait jamais réveillé.

Au souvenir de Zoya, de Raïssa et d'Elena – sa famille –, il se rassit et prit appui sur ses mains. Il tentait de se mettre debout lorsque quelqu'un lui empoigna l'épaule, lui chuchotant d'une voix sifflante :

— Pas de repos pour les tchékistes !

Pas de pitié non plus, d'ailleurs : tel était le verdict de Lazare. Une sentence appliquée avec zèle. La voix à son oreille n'était pas celle d'un garde, mais d'un codétenu : son chef de groupe, mû par une intense haine personnelle, refusait de lui épargner une seule minute de souffrance, de faim ou d'épuisement – quand ce n'étaient pas les trois à la fois. Leo n'avait arrêté ni cet homme ni sa famille. Il ignorait jusqu'à son nom. Peu importait. Il était devenu un symbole pour chaque prisonnier, un ambassadeur de l'injustice. « Tchékiste » lui tenait désormais lieu de nom et d'identité, justifiant que chacun le haïsse personnellement.

Une cloche retentit. Les outils furent abandonnés sur place. Leo avait survécu à son premier jour de travail à la mine, modeste épreuve en comparaison de la nuit qui l'attendait – porteuse d'une torture dont il ignorait la nature. Tandis qu'il se hissait hors de la tranchée et suivait ses codétenus vers les baraquements en traînant la jambe, son unique source de réconfort demeurait la perspective de l'arrivée prochaine de Timur.

Aux abords du camp, la lumière crépusculaire avait presque entièrement disparu sous la couche nuageuse. Dans la pénombre, Leo aperçut les phares d'un camion sur le plateau. Deux points jaunes pas plus gros que des lucioles à cette distance. S'il avait eu moins mal aux genoux, il se serait laissé tomber à terre pour pleurer de soulagement, se prosterner devant ce dieu compatissant. Rudoyé par les gardes, qui ne l'injuriaient qu'hors de la présence de leur commandant nouvellement adepte des réformes, Leo rejoignit la zone carcérale en se retournant sans cesse pour regarder le camion approcher. Incapable de contrôler ses émotions, il réintégra son dortoir les lèvres tremblantes. Peu importait la torture qu'on lui réservait, il serait secouru. Il resta debout à la fenêtre, le nez écrasé contre la vitre, tel un gamin sans le sou devant la vitrine d'une confiserie. Le camion entra dans le camp. Un garde descendit de la cabine, suivi par le conducteur. Leo attendit, griffant de ses ongles le châssis de la fenêtre. Timur était sûrement du nombre, sans doute assis à l'arrière. Plusieurs minutes s'écoulèrent : personne d'autre n'apparut. Leo ne quittait pas le camion des yeux, le désespoir l'emportant sur la raison jusqu'à ce qu'il se rende à l'évidence : il aurait beau regarder ce camion, il n'y avait personne d'autre à l'intérieur.

Timur n'était pas là.

Leo ne put rien avaler, la faim avait été remplacée par un sentiment de déception si intense qu'il lui emplissait l'estomac. Au réfectoire, il demeura attablé longtemps après le départ des autres prisonniers, jusqu'à ce que les gardes lui ordonnent sèchement de sortir. Mieux valait être puni par eux que par ses codétenus, mieux valait passer la nuit à l'isolement – dans une cellule glaciale – que subir une nouvelle torture. Après tout, ces gardes n'étaient-ils pas sous les ordres du commandant Sinyavksy nouvelle version ? Celui-ci n'avait-il pas parlé de justice, d'équité, d'occasions de s'élever ? Tandis que les gardes le poussaient vers la porte, Leo, dans un geste de provocation délibérée, leur décocha un coup de poing. Trop lent, trop faible pour atteindre sa cible. Leo reçut la crosse d'une carabine en plein visage.

Traîné par les bras et par les jambes dans la neige, il ne fut pas conduit à l'isolement, mais ramené dans son dortoir – jeté sur le sol où il atterrit les bras en croix. Les gardes repartirent. Il contempla les poutres. Il avait le nez et la bouche en sang. Lazare se pencha sur lui.

On le déshabilla entièrement et on lui enserra le torse dans des serviettes humides, nouées dans le dos. Les bras immobilisés le long du corps, il ne pouvait plus bouger. Même s'il n'avait jamais officiellement conduit d'interrogatoires, il connaissait parfaitement les méthodes de ses collègues. On avait parfois réclamé sa présence. Pourtant cette technique-là lui était inconnue. On le fit rouler sur lui-même et on le laissa allongé sur le dos. Ses codétenus vaquaient à leurs activités de la soirée. Il avait froid au ventre à cause des serviettes humides. Mais, trop épuisé pour s'inquiéter, il ferma les yeux.

Il fut réveillé en partie par le bruit que faisaient les prisonniers en se couchant, mais surtout par la sensation d'avoir la poitrine dans un étau. Lentement, il comprit en quoi consistait cette torture. Les serviettes rétrécissaient en séchant et lui broyaient la cage thoracique. La subtilité du châtiment résidait dans la certitude que la douleur ne pouvait qu'augmenter. Pendant que les autres se préparaient pour la nuit, Lazare vint s'installer au chevet de Leo. Le rouquin, son interprète, les rejoignit.

— Tu as besoin de moi ?

Lazare secoua la tête, lui faisant signe d'aller se coucher. L'homme foudroya Leo du regard à la manière d'un amoureux jaloux avant de se retirer. Une fois les prisonniers endormis, la douleur devint si intense que, sans son bâillon, Leo aurait imploré la pitié. Regardant le visage de ce dernier se contracter comme s'il était dans un carcan, Lazare s'agenouilla près de lui et approcha la bouche de son oreille. Sa voix ressemblait au bruissement des feuilles mortes.

— Difficile... de regarder quelqu'un d'autre souffrir... quoi qu'il ait pu faire... ça te transforme... quelle que soit la légitimité... de ton désir de vengeance.

Lazare s'interrompit pour reprendre son souffle. Lui-même n'avait jamais cessé de souffrir ; il vivait avec la douleur comme avec une compagne, sachant que jamais elle ne s'atténuerait ni ne lui laisserait un moment de répit.

— J'ai demandé aux autres... « Y a-t-il un seul tchékiste qui vous ait aidé ? Qui ait manifesté de la compassion... ? » Ils ont tous... répondu... non.

De nouveau il s'interrompit pour essuyer la sueur sur son front avant de se remettre à chuchoter à l'oreille de Leo.

— C'est toi que l'État a choisi... pour me trahir... Parce que tu as un cœur... J'aurais repéré un homme sans cœur... Voilà ton drame... Je ne peux pas t'épargner, Maxime... Il y a si peu de justice... On ne peut pas la refuser quand elle se présente...

La douleur de Leo fit place à un délire d'une intensité euphorisante. Il ne voyait plus le baraquement : les murs en rondins se dissolvaient, le laissant seul au milieu d'un plateau enneigé – un plateau différent : plus blanc, plus doux, plus éclatant, ni hostile ni glacial. De l'eau coulait du ciel, une pluie froide qui tombait droit sur lui. Il cligna des yeux, secoua la tête. Il se trouvait dans une des cabanes, à même le sol. On avait versé de l'eau sur lui, enlevé son bâillon, dénoué les serviettes. Il ne pouvait malgré tout aspirer que de minuscules bouffées d'air, ses poumons s'étant habitués à être comprimés. Il s'assit, respira par à-coups. Le jour se levait. Il avait survécu à une deuxième nuit.

Les prisonniers passèrent près de lui d'un pas lourd, avec des grognements dédaigneux, en allant prendre leur petit-déjeuner. La respiration de Leo s'apaisa, devint plus régulière. Il était seul dans le dortoir et se demanda s'il avait jamais éprouvé un tel sentiment de solitude. Il se leva, s'appuya au montant d'une couchette pour tenir debout. Un garde l'appela, furieux de ce retard. La tête basse, incapable de marcher normalement, Leo avançait en faisant glisser ses pieds sur le plancher usé, tel un patineur infirme.

Au moment où il pénétrait dans la zone de commandement, il s'immobilisa. Il ne résisterait pas à une deuxième journée de travail. Ni à une troisième nuit semblable aux précédentes. Il revoyait les diverses tortures auxquelles il avait naguère assisté. Laquelle lui réservait-on cette fois ? Le mirage de Timur était trop lointain pour le réconforter. Leur plan risquait d'échouer.

— Avance ! aboya un garde près de lui.

Leo devait improviser. Il était seul. Il se tourna vers le bureau du commandant du camp.

— Commandant ! cria-t-il.

Devant cette violation du règlement, d'autres gardes accoururent. Depuis le réfectoire Lazare observait la scène. Leo devait attirer au plus vite l'attention du commandant.

— Commandant ! Je connais l'existence du rapport Khroutchev !

Les gardes arrivèrent à sa hauteur. Avant qu'il ait pu en dire plus, Leo fut violemment frappé dans le dos, puis au ventre. Il s'accroupit et se mit en boule tandis que les coups pleuvaient.

— Arrêtez !

Les gardes se figèrent. Se redressant, Leo jeta un coup d'œil vers le bureau du commandant. Sinyavksy était debout au sommet de l'escalier.

— Amenez-moi cet homme.

*Même jour*

LES GARDES POUSSÈRENT LEO EN HAUT DES MARCHES, puis à l'intérieur du bureau. Le commandant s'était replié dans un angle, près d'un gros poêle ventru. Des cartes de la région ornaient les murs en rondins, ainsi que plusieurs cadres avec des photos de lui en compagnie de prisonniers au travail – il souriait comme s'il se trouvait avec des amis, alors que les visages autour de lui restaient impassibles. Des zones plus sombres autour des cadres indiquaient que d'autres photos, plus grandes, avaient été récemment décrochées pour être remplacées par celles qui se trouvaient là.

Ses vêtements en lambeaux, le corps tuméfié, Leo attendait la tête dans les épaules, tremblant comme un *bezprizornik*, un gosse des rues en haillons. D'un geste, Sinyavksy éloigna les gardes.

— Je souhaite parler seul à seul avec le prisonnier.

Les gardes échangèrent un regard surpris.

— Cet homme s'en est pris à nous hier soir. Il vaut mieux qu'on reste.

Sinyavksy secoua la tête.

— Ridicule.

— Vous n'êtes pas en sécurité avec lui.

Compte tenu de leur grade, leur ton menaçant était déplacé. Ils défiaient à l'évidence l'autorité du commandant. Celui-ci s'adressa à Leo :

— Tu ne vas pas m'attaquer, hein ?

Leo secoua la tête.

— Non, commandant.

— « Non, commandant » ! Il est même poli ! Allez, partez tous. J'insiste.

Les gardes battirent en retraite à contrecœur, sans dissimuler leur mépris pour son indulgence.

Après leur départ, Sinyavksy s'approcha de la porte pour vérifier qu'ils n'attendaient pas de l'autre côté. Il guetta le grincement des marches sous leurs pas. Une fois sûr de n'être pas dérangé, il verrouilla la porte et se tourna vers Leo :

— Assieds-toi, je t'en prie.

Leo s'installa dans le fauteuil placé face à la table de travail. Il faisait chaud dans la pièce et une odeur de sciure flottait dans l'air. Il tombait de sommeil. Le commandant sourit.

— Tu dois avoir froid.

Sans attendre la réponse de Leo, il alla jusqu'au poêle. Il saisit la poignée d'une petite casserole métallique posée dessus, remplissant de liquide ambré un gobelet similaire à ceux qui avaient servi pour la distribution de *khvoya*. Il le tendit à Leo :

— Attention, c'est chaud.

Leo contempla le liquide fumant. Il porta le gobelet à ses lèvres. L'odeur était agréable. La boisson avait un goût de miel et de fleurs sauvages. Il ne la sentit pas descendre dans sa gorge : telles les premières pluies sur le lit desséché d'une rivière, le sucre et l'alcool furent aussitôt absorbés. Le sang lui monta à la tête. Ses joues s'empourprèrent. La pièce se mit à tourner autour de lui. Cette sensation fit place à un bien-être grisant, aussi doux qu'une berceuse, comme s'il venait d'avaler un élixir de bonheur.

Sinyavksy s'assit en face de lui, ouvrit un tiroir, en sortit une boîte en carton. Il la posa sur la table devant lui. Sur le couvercle, ces mots :

NE PAS DIFFUSER DANS LA PRESSE

Le commandant tapota le couvercle.

— Tu sais ce qu'il y a à l'intérieur ?

— Oui.

— Tu es un espion, n'est-ce pas ?

Leo n'aurait jamais dû accepter cette boisson. On soûlait fréquemment les suspects affamés pour leur délier la langue. Or il avait besoin de toute sa lucidité. C'était une grossière erreur que de faire confiance à cet homme. En pénétrant dans la pièce, il comptait dévoiler sa véritable identité, montrer qu'il savait tout de la carrière de Sinyavksy, ainsi que le nom de ses supérieurs. Cette accusation lancée à brûle-pourpoint le désarçonnait. Le commandant rompit le silence qui s'était installé :

— N'essaie pas de mentir, je connais la vérité. Tu es ici pour faire un rapport sur l'application des réformes, pas vrai ? Comme ton ami ?

Leo eut un coup au cœur.

— Mon ami ?

— Contrairement à moi qui suis favorable au changement, beaucoup dans cette région ne le sont pas.

— Vous avez entendu parler de mon ami ?

— C'est toi qu'ils cherchent, ces deux officiers arrivés hier soir. Ils sont convaincus que l'homme venu les espionner n'était pas seul.

— Qu'est-il devenu ?

— Ton ami ? Ils l'ont exécuté.

Les doigts de Leo tressaillirent, mais il ne lâcha pas son gobelet. Il sentit son corps se vider de ses forces, sa colonne vertébrale se liquéfier. Il baissa la tête, fixa le sol des yeux.

— Ils pourraient bien te tuer toi aussi, poursuivit le commandant. Ton allusion à ce discours secret a révélé ton identité. Ils ne te laisseront pas repartir d'ici. Comme tu l'as vu, j'ai eu du mal à rester seul avec toi.

Leo secoua la tête. Timur et lui avaient survécu à des situations impossibles. Son ami ne pouvait pas être mort. Il devait y avoir une erreur. Il se redressa :

— Il n'est pas mort.

— L'homme dont je parle est arrivé à bord de l'*Étoile bolchevique*. Il devait me seconder. Ce n'était qu'une couverture. Il venait faire un rapport. Il l'a lui-même reconnu : il était là pour nous évaluer. Alors ils l'ont tué. Ils refusent d'être jugés. Ils ne se laisseront pas faire.

Timur avait dû inventer cette histoire pour parvenir jusqu'au camp et sauver Leo. Il n'aurait jamais fallu lui demander son aide. Tout à ses efforts pour sauver Zoya, Leo n'avait pas mesuré les risques encourus par Timur. Il les avait sous-estimés, convaincu de l'efficacité de son plan. Il avait détruit une famille heureuse pour en réunifier une qui ne l'était pas. Par amour pour Zoya, il avait tout gâché. Il ne put retenir ses larmes : Timur, son seul ami, un homme intègre que sa femme et ses fils adoraient, que lui-même appréciait au plus haut point, était mort.

Quand il releva la tête, Zhores Sinyavksy pleurait lui aussi. Leo regarda avec incrédulité ce commandant vieillissant aux yeux rougis et brillants de larmes, aux joues ridées : comment quelqu'un ayant sacrifié tant d'innocents pour construire une ligne de chemin de fer jamais terminée pouvait-il pleurer la mort d'un inconnu, dont il n'était même pas responsable ? Sans doute pleurait-il tous les morts sur lesquels il n'avait jamais versé une larme, tous ces anonymes qui s'étaient écroulés dans la boue dans la neige ou sous un soleil de plomb pendant qu'il fumait une cigarette, satisfait d'avoir rempli ses quotas. Leo sécha ses larmes, se rappelant le mépris qu'elles avaient inspiré à Lazare – mépris justifié. Pleurer ne servait à rien, et Timur méritait mieux. Si Leo ne sauvait pas sa peau, la femme et les fils de son ami ne sauraient jamais comment il était mort. Et il ne pourrait jamais leur demander pardon.

Les gardes l'empêcheraient par tous les moyens de regagner Moscou. Ils protégeaient leur fief. Leo était un espion haï par les deux camps : celui des prisonniers comme celui des gardes, à l'exception du commandant, au jugement visiblement altéré par le remords. Au mieux, c'était un allié peu fiable qui ne contrôlait plus vraiment le goulag 57. Telle une meute de loups, les gardes encerclaient la zone, attendant que Leo réapparaisse.

Inspectant la pièce du regard à la recherche d'une idée, celui-ci aperçut un interphone sur la table de travail. Il était relié à plusieurs haut-parleurs installés dans la zone carcérale.

— Vous pouvez parler à tous les prisonniers ?

— Oui.

Leo se leva, prit son gobelet et le remplit à ras bord d'alcool ambré. Il le tendit au commandant :

— Buvez avec moi.

— Mais…

— À la mémoire de mon ami !

Sinyavksy avala le liquide d'un trait. Leo remplit à nouveau le gobelet.

— À la mémoire de tous ceux qui sont morts ici…

Le commandant s'exécuta. Leo le servit une dernière fois.

— Et à celle de tous les innocents tués dans ce pays.

Sinyavksy but l'alcool jusqu'à la dernière goutte et s'essuya les lèvres. Leo désigna l'interphone :

— Allumez-le.

*Même jour*

DANS LE RÉFECTOIRE, LAZARE RÉFLÉCHISSAIT À LA DÉCISION de Leo de réclamer la protection du commandant. Récemment converti aux vertus de la compassion, Zhores Sinyavksy lui donnerait peut-être satisfaction. Les autres prisonniers s'indignaient de ne pouvoir se faire justice eux-mêmes. Ils avaient déjà prévu les tortures suivantes, chacun attendant avec impatience le soir où Leo endurerait ce qu'il avait enduré, où son visage trahirait la même souffrance que celle qu'il avait subie, où il implorerait leur pitié et où ils pourraient lui répondre, comme ils en rêvaient depuis si longtemps : « Non. »

Quant à ce que Leo lui avait raconté sur son épouse Anisya, il y pensait sans cesse. Mais les *vorys* de son baraquement lui avaient assuré que jamais une femme habituée à faire la cuisine, le ménage et à chanter des cantiques n'aurait pu devenir chef de gang. Leo n'était qu'un menteur. Cette fois, Lazare ne se laisserait pas abuser.

Les haut-parleurs extérieurs se mirent à grésiller. Bien qu'il s'agisse d'un simple bruit de fond, la routine quotidienne du camp était tellement immuable que Lazare haussa le sourcil en raison de l'heure inhabituelle. Il se leva, contourna le groupe de prisonniers qui terminaient leur petit-déjeuner, ouvrit la porte.

Les haut-parleurs étaient fixés au sommet de grands poteaux de bois, un devant chaque baraquement de prisonniers et un dans la zone de commandement, près des cuisines et du réfectoire. Ils servaient rarement. Mus par la curiosité, quelques détenus avaient suivi Lazare – dont Gueorgui, son interprète, qui ne le quittait pas d'une semelle. Ils levèrent les yeux vers le haut-parleur le plus proche qui pendait lamentablement, secoué par les rafales de vent. Un fil électrique entortillé le long du poteau rejoignait le sol gelé et continuait sa route jusqu'au bureau du commandant. Les grésillements reprirent, remplacés par la voix métallique de Sinyavksy. Il semblait hésiter.

— « Rapport spécial… »

Il se tut, puis reprit deux fois plus fort :

— « Vingtième Congrès du Parti communiste de l'Union soviétique. Séance à huis clos. Vingt-cinq février 1956. Rapport spécial du Premier secrétaire, Nikita Sergueïevitch Khrouchtchev. »

Lazare descendit les marches et s'approcha du haut-parleur. Les gardes avaient interrompu leurs activités. Passé le premier moment de surprise, ils se mirent à chuchoter entre eux, ignorant visiblement les intentions du commandant. Quelques-uns se dirigèrent vers les baraquements administratifs tandis que le commandant poursuivait sa lecture à voix haute. Plus il lisait, plus les gardes semblaient inquiets.

— « … Ce qui s'est passé du vivant de Staline, qui répondait par la violence non seulement à toute résistance, mais aussi à tout ce qui lui semblait, de son point de vue de tyran capricieux, contredire ses thèses… »

Les gardes gravirent les marches en toute hâte, frappèrent à la porte et appelèrent plusieurs fois de suite le commandant pour s'assurer qu'il n'agissait pas sous la menace.

— Est-ce qu'on vous retient en otage ? cria naïvement l'un d'eux.

La porte resta fermée. Lazare n'avait pas l'impression que le commandant lisait contre son gré. Il semblait se prendre au jeu.

— « Staline a créé le concept d'"ennemi du peuple". Cette formule a rendu possible, en violation de tous les principes révolutionnaires, la plus cruelle des répressions contre les opposants au régime… »

Lazare leva la tête vers le haut-parleur, bouche bée comme s'il assistait à un miracle venu des cieux.

Abandonnant leur petit-déjeuner ou leur bol à la main, tous les prisonniers entouraient le haut-parleur, immense grappe humaine hypnotisée par ces paroles entrecoupées de grésillements. Des critiques contre l'État. Et contre Staline. Lazare n'avait jamais rien entendu de pareil, du moins pas sous cette forme : ces propos n'étaient pas échangés à voix basse par deux amants, ou par deux prisonniers sur leurs couchettes. Ils étaient répétés par leur commandant après avoir été prononcés lors du XXe Congrès, transcrits, imprimés, reliés et diffusés jusque dans les régions les plus reculées du pays.

— « Comment quelqu'un peut-il avouer des crimes qu'il n'a pas commis ? Seulement sous la torture, qui lui fait perdre connaissance, le prive de sa raison et de sa dignité… »

L'homme le plus proche de Lazare l'entoura fraternellement de son bras. Son voisin l'imita, et bientôt tous les prisonniers se tinrent par l'épaule.

Lazare s'efforçait de se concentrer sur le rapport Khrouchtchev et de ne pas s'occuper des gardes, mais il était distrait par leurs discussions : fallait-il interrompre le commandant dans sa lecture ou empêcher les prisonniers de l'écouter ? Trouvant plus facile d'affronter un seul homme qu'un millier, ils martelèrent la porte de leurs poings et ordonnèrent au commandant d'arrêter immédiatement. Pour lutter contre le froid polaire, cette porte avait été construite en rondins. Les minuscules fenêtres étaient protégées par des volets. Difficile d'entrer. En désespoir de cause, un garde fit feu avec sa mitraillette : les balles ricochèrent sur le bois. La porte ne s'ouvrit pas, mais l'homme obtint le résultat escompté. La lecture s'arrêta net.

Lazare ressentit ce silence comme une perte. Il ne fut pas le seul. En colère devant cette interruption, les prisonniers à sa droite et à sa gauche se mirent à taper du pied, aussitôt imités par d'autres, jusqu'à ce qu'un millier de jambes frappent en cadence le sol gelé.

— Encore ! Encore ! Encore !

Leur énergie était incroyable. Bientôt il tapa du pied lui aussi.

Leo et le commandant écoutaient le tapage au-dehors. N'osant ouvrir les volets de peur que les gardes leur tirent dessus, ils ne voyaient pas ce qui se passait. Le sol vibrait jusqu'au plancher. La mélopée des prisonniers traversait les murs épais.

— Encore ! Encore ! Encore !

Sinyavksy sourit, la main sur le cœur, interprétant visiblement cette réaction comme une approbation de sa volonté de réforme.

Le vent était en train de tourner dans le camp, exactement ce que souhaitait Leo. Il désigna les quelques pages qu'il venait de sélectionner hâtivement, réduisant le rapport Khrouchtchev à une série de révélations stupéfiantes. Il tendit à Sinyavksy la page suivante. Celui-ci secoua la tête.

— Non.

— Pourquoi arrêter maintenant ? demanda Leo, interloqué.

— Je veux prononcer mon propre rapport. J'ai... trouvé l'inspiration.

— Vous allez dire quoi ?

Sinyavksy approcha l'interphone de sa bouche pour s'adresser au goulag 57.

— Je m'appelle Zhores Sinyavksy. Vous me connaissez en tant que commandant de ce goulag où je travaille depuis nombre d'années. Les nouveaux arrivants me considèrent sûrement comme un homme honnête, juste et généreux.

Leo en doutait. Il prit néanmoins un air convaincu. Sinyavksy parlait avec le plus grand sérieux.

— Ceux qui sont ici depuis plus longtemps seront moins indulgents. Vous venez d'entendre Khrouchtchev reconnaître les erreurs commises par le régime et la cruauté de Staline. Je souhaite suivre l'exemple de notre Premier secrétaire et faire mon autocritique.

À cause de l'emploi du verbe « suivre », Leo se demanda si le commandant était mû par le remords ou par la servilité dont il avait fait preuve toute sa vie. Cette rédemption était-elle feinte ou sincère ? Si le régime revenait à une politique de terreur, Sinyavksy retrouverait-il sa brutalité aussi vite qu'il s'était converti à la tolérance ?

— J'ai fait des choses que je regrette et il est temps pour moi de vous demander pardon.

Leo prit conscience que l'effet de cette confession risquait d'être encore plus puissant que celui des révélations de Khrouchtchev. Les prisonniers connaissaient Sinyavksy. Ils connaissaient aussi les hommes qu'il avait tués à la tâche. La mélopée et le martèlement s'interrompirent. Ils attendaient sa confession.

Lazare remarqua que même les gardes ne tentaient plus de défoncer la porte, attendant eux aussi la suite du discours du commandant. Après un silence, la voix métallique de celui-ci résonna dans tout le camp :

— Arkhangelsk : mon premier poste. J'étais chargé de surveiller des prisonniers qui travaillaient dans la forêt. Ils abattaient les arbres, les débitaient pour le transport. J'étais novice, soucieux de bien faire. J'avais ordre de fournir un certain nombre de stères par mois. Rien d'autre ne comptait. Je devais atteindre les objectifs, comme vous tous. À la fin de la première semaine, je me suis aperçu qu'un prisonnier trichait pour atteindre les siens. Si je ne l'avais pas découvert, mes comptes auraient été faux et on m'aurait accusé de sabotage. Alors vous voyez… C'était une question de survie, rien d'autre. Je n'ai pas eu le choix. Je l'ai fait attacher nu à un tronc d'arbre. C'était l'été. Au crépuscule, il avait le corps noir de moustiques. Le lendemain matin il avait perdu connaissance. Le surlendemain il était mort. J'ai ordonné qu'on laisse son cadavre dans la forêt à titre d'avertissement. Pendant vingt ans je n'ai pas eu une seule pensée pour cet homme. Ces derniers temps je pense à lui tous les jours. J'ai oublié son nom. Je ne suis pas certain d'avoir jamais su comment il s'appelait, mais je me souviens qu'il avait le même âge que moi à l'époque : vingt et un ans.

Lazare nota que le commandant tempérait ses efforts d'honnêteté par des justifications.

*Je n'ai pas eu le choix.*

Des milliers d'innocents étaient morts à cause de cette phrase, pas sous les balles, mais au nom d'une logique perverse et de savants calculs. Lorsque Lazare se concentra de nouveau sur le discours du commandant, celui-ci ne parlait plus de ses débuts dans les forêts d'Arkhangelsk. Il évoquait sa nomination dans les mines de sel de Solikamsk : une promotion.

— Dans les mines de sel, par souci d'efficacité, je faisais dormir les hommes sous terre. En ne les laissant pas remonter à la surface en fin de journée, j'ai économisé des milliers d'heures de travail au profit de notre État.

Les prisonniers hochèrent la tête à la pensée des conditions de vie dans cet enfer souterrain.

— Mon but était de trouver de nouvelles méthodes pour faire des bénéfices. Ai-je vraiment eu le choix ? Si je n'y avais pas pensé, mon subordonné l'aurait suggéré à ma place et j'aurais été sanctionné. Ces hommes avaient-ils davantage besoin de voir la lumière du jour que l'État de produire du sel ? Qui avait le pouvoir d'en décider ? Qui aurait osé parler en leur nom ?

Un garde que Lazare n'avait encore jamais vu s'approcha d'eux en brandissant un couteau. Il allait couper le fil électrique et interrompre le discours. Tout fier de sa solution, il souriait.

— Dégagez !

Au premier rang un prisonnier vint se placer sur le fil, barrant la route au garde. Un deuxième prisonnier se joignit à lui, puis un troisième et un quatrième : le fil était hors d'atteinte.

Avec un rictus de mauvais augure, comme pour dire qu'il s'en souviendrait, le garde se dirigea vers une autre portion du fil électrique. Aussitôt plusieurs prisonniers avancèrent, occupant l'espace, protégeant le fil. Ils se déployèrent pour former une ligne ininterrompue allant du poteau auquel était fixé le haut-parleur jusqu'au bureau du commandant. Le garde n'avait plus qu'un seul moyen pour atteindre le fil : ramper sous les baraquements, ce que sa fierté lui interdisait.

— Dégagez !

Aucune réaction. Le garde se tourna vers les deux *vakhtas* – les deux postes de contrôle fortifiés qui dominaient le camp. Il fit signe aux sentinelles, leur désigna les prisonniers avant de s'éloigner en courant.

Une mitrailleuse crépita. Les prisonniers tombèrent à genoux comme un seul homme. Lazare regarda autour de lui, s'attendant à découvrir des morts et des blessés. Personne ne semblait touché. On avait dû tirer en l'air, entre les baraquements, à titre de sommation. Lentement chacun se releva. Au fond, des voix s'élevèrent :

— À l'aide !

— Allez chercher le médecin !

Leo était trop loin pour voir ce qui se passait. Les appels à l'aide continuèrent sans que personne ne vienne. Les gardes ne bougèrent pas. Les cris se turent. La rumeur monta parmi les prisonniers : un de leurs camarades était mort.

Conscient de l'hostilité croissante, le garde rangea son couteau et mit son fusil en joue. Il tira sur le haut-parleur, le rata plusieurs fois avant qu'il se désintègre dans une gerbe d'étincelles et se taise. Les quatre autres marchaient encore, mais ils étaient plus loin : la voix du commandant se réduisit à un bruit de fond inaudible. Son fusil toujours en joue, le garde aboya :

— Regagnez vos baraquements ! Personne d'autre ne sera tué !

La menace était malvenue.

Arrachant le fil électrique qui courait au ras du sol, un prisonnier s'élança vers le garde et tenta de l'étrangler avec. Ses camarades firent cercle autour des deux hommes. Plusieurs sentinelles accoururent pour s'interposer. Un prisonnier s'empara du fusil du garde et fit feu. L'un des hommes s'écroula. Les autres mirent leurs armes en joue et tirèrent à vue.

Les prisonniers se dispersèrent. La prise de conscience fut instantanée. Si les gardes reprenaient le contrôle de la situation, et en dépit des beaux discours prononcés à Moscou, les représailles seraient sanglantes. Au même instant les deux postes de contrôle ouvrirent le feu.

Le commandant discourait toujours, enchaînant des aveux tous plus atroces les uns que les autres, apparemment indifférent à la fusillade. Il n'avait plus toute sa tête : sous Staline on l'avait poussé le plus loin possible dans une direction. À présent on le poussait dans la direction opposée. Il avait perdu son centre de gravité, ne savait plus qui il était vraiment : un homme ni bon ni méchant, mais brisé.

Le laissant à son autocritique, Leo entrouvrit un volet pour jeter un coup d'œil dehors. Des prisonniers rebelles couraient en tous sens. Des cadavres gisaient dans la neige. Leo évalua les forces en présence : environ un garde pour quarante détenus, taux d'encadrement élevé qui expliquait en partie le coût de fonctionnement des camps. Le travail forcé ne suffisait pas à financer la nourriture, le logement, le transport et la surveillance des détenus. Ce dernier poste budgétaire était le plus important, à cause des primes versées aux gardes travaillant dans des régions reculées. Voilà pourquoi ces derniers n'hésitaient pas à tuer pour défendre leur autorité. Hors du camp il n'avaient pas d'avenir, pas de famille prête à les accueillir. Aucune communauté ouvrière ne voudrait d'eux. Ils s'enrichissaient grâce aux prisonniers. Les deux camps allaient livrer un combat désespéré.

Les postes de contrôle ouvrirent le feu : les vitres volèrent en éclats. Leo s'écroula sous une pluie de verre brisé et de balles qui se logèrent dans le plancher. À l'abri des murs en rondins, il se redressa lentement pour tenter de fermer les volets. Ils volèrent à leur tour en éclats. La pièce était à découvert. Soulevé par une balle, l'interphone posé sur le bureau bascula dans le vide et s'écrasa par terre. Sinyavksy tomba à la renverse et se recroquevilla dans un coin.

— Vous avez une arme ? cria Leo pour couvrir le fracas.

Du regard, Sinyavksy lui indiqua une caisse en bois dans un angle de la pièce, au couvercle cadenassé. Leo s'élança vers elle, mais le commandant, plus rapide, lui barra la route.

— Non !

Leo le bouscula, s'empara d'une lourde lampe de bureau, cogna sur le cadenas avec le socle en métal. À la seconde tentative le cadenas céda et Leo l'arracha. D'un bond, le commandant se jeta sur la caisse.

— Je vous en supplie…

Leo le repoussa et souleva le couvercle.

La caisse ne contenait qu'un bric-à-brac hétéroclite. Dans ce fouillis d'objets se trouvaient plusieurs cadres avec des photos de Sinyavksy prenant fièrement la pose devant un canal, tandis qu'à l'arrière-plan des prisonniers décharnés s'activaient. Sans doute les photos accrochées à l'origine sur les murs du bureau. Leo les lança dans un coin, fouillant parmi les dossiers, les certificats, les décorations, les lettres félicitant Sinyavksy d'avoir rempli les quotas : autant de vestiges de sa brillante carrière. Tout au fond était caché un fusil de chasse avec vingt-trois encoches sur la crosse : vingt-trois proies abattues. Certain que ce n'étaient ni des loups ni des ours, Leo chargea l'arme avec les énormes cartouches et alla se poster près de la fenêtre.

Les deux postes de contrôle des miradors avaient une importance stratégique. Les sentinelles avaient déjà remonté les échelles, empêchant quiconque d'atteindre leurs positions. Protégé par d'épais murs en rondins, le sommet de chaque mirador abritait des mitrailleuses montées sur des trépieds et capables de tirer plusieurs rafales à la minute – puissance de feu bien supérieure à celle des hommes au sol. Leo devait détourner les tirs pour aider ces derniers. Il visa le poste de contrôle situé juste en face. Il avait peu de chances de mettre dans le mille du premier coup et de transpercer les rondins. Il fit feu par deux fois, vacillant sous l'effet du recul. Aussitôt les sentinelles concentrèrent leurs tirs sur lui.

Accroupi, tête baissée, Leo jeta un coup d'œil à Sinyavksy. Assis comme si de rien n'était dans un coin de son bureau dévasté par les balles, le commandant parcourait calmement les dernières pages du rapport Khrouchtchev. Levant les yeux vers Leo, il lut à voix haute :

— « Que mes cris d'horreur parviennent à vos oreilles : ne restez pas sourds, faites cesser le cauchemar des interrogatoires et prouvez qu'il s'agit d'une erreur ! »

Sinyavksy se leva.

— « Il s'agit bien d'une terrible erreur ! Tout cela n'aurait jamais dû arriver ! »

— Baissez-vous ! lui hurla Leo.

Une balle atteignit le commandant à l'omoplate. Pour lui éviter d'être tué, Leo plongea vers lui et le plaqua au sol. Atterrissant sur ses genoux blessés, il faillit s'évanouir de douleur.

— Ce discours m'a sauvé la vie, murmura Sinyavksy.

Une odeur de fumée flottait dans l'air. Leo roula sur le dos pour soulager ses genoux. À grand-peine il se releva et alla à la fenêtre. La fusillade avait cessé. Par la vitre brisée il inspecta du regard toute la zone carcérale et repéra l'origine de la fumée. Le feu avait pris sous un poste de contrôle : les flammes léchaient les rondins. On avait roulé des barils d'essence sous le mirador et on y avait mis le feu. Le poste de contrôle s'était embrasé. À l'intérieur, les sentinelles n'avaient aucun moyen de s'échapper.

Dans l'impossibilité de descendre par une échelle, les hommes tentaient de se glisser entre les rondins, mais il n'y avait pas assez d'espace. L'un d'eux était coincé, ne pouvant bouger ni dans un sens ni dans l'autre alors que l'incendie progressait. Il se mit à hurler.

Dans l'espoir d'échapper à un sort similaire, le second poste de contrôle mitraillait les prisonniers qui apportaient d'autres barils. Mais ils étaient trop nombreux : ils arrivaient de partout. Une fois qu'ils furent sous le mirador, les sentinelles ne purent plus rien contre eux. Un nouveau feu fut allumé. Les deux postes de contrôle étaient neutralisés. Le rapport de force s'était inversé : les prisonniers avaient pris le contrôle du camp.

La porte du bureau de Sinyavksy fut ébranlée, puis fendue à coups de hache. Avant que les assaillants ne fassent leur entrée, Leo posa le fusil du commandant, ouvrit la porte et avança les mains en l'air en signe de capitulation. Un petit groupe de prisonniers fit irruption dans la pièce, brandissant des couteaux, des pistolets et des barres de fer. Leur chef contempla les deux hommes désormais à sa merci :

— Emmenez-les dehors.

Les prisonniers empoignèrent Leo par les bras, l'entraînèrent en bas des marches où attendaient les gardes qui venaient d'être capturés – spectaculaire renversement des rôles. Assis dans la neige, hébétés et en sang, ils regardaient brûler les postes de contrôle. Des colonnes de fumée obscurcissaient une bonne partie du ciel, annonçant la rébellion à toute la région.

*Même jour*

SOURCILS FRONCÉS DANS UN EFFORT DE CONCENTRATION, Malysh étudiait une liste manuscrite. On lui avait dit qu'elle comportait le nom des hommes et des femmes que Fraera projetait d'éliminer. Ne sachant pas lire, il ne voyait qu'une série de signes cabalistiques. Jusqu'à une date récente, peu lui importait de ne savoir ni lire ni écrire, de ne reconnaître que les lettres de son *klikukha* tel un chien répondant à son nom. D'où son insistance, lors de sa cérémonie d'initiation, à refuser le moindre mot parmi ses tatouages, de peur que les autres *vorys* exploitent son ignorance et mettent une obscénité. Malgré l'interdiction de tatouer un faux surnom sous peine de mort, ils auraient été capables de marquer « Petite Tête » pour lui faire une blague.

Il était assez intelligent pour se passer de certificats et de diplômes. Il n'avait pas besoin de savoir lire et écrire. Ça lui aurait servi à quoi ? On ne demandait pas à un enseignant d'apprendre à forcer les serrures ou à lancer des couteaux. Pourquoi un pick-pocket devrait-il savoir lire ? Même si Malysh raisonnait encore en ces termes, quelque chose avait changé. Il avait honte, de plus en plus honte, depuis qu'il avait tenu Zoya par la main.

Elle ne pouvait pas savoir qu'il était illettré. Peut-être qu'elle imaginait le pire, qu'elle le voyait comme un voyou et un drogué. Il s'en fichait. Au lieu de le juger, elle ferait mieux de se demander s'il n'allait pas lui trancher la gorge. Il se montait la tête. Respirant à fond, il se concentra de nouveau sur sa liste de noms : ceux d'anciens tchékistes. À en croire Fraera, elle contenait aussi des adresses et une description des crimes de chacun – enquêteur, informateur ou préposé aux interrogatoires. Suivant ligne à ligne de son pouce crasseux, il identifia la colonne des noms : la plus étroite. Celle avec les chiffres contenait les adresses. Par déduction, la dernière, la plus large, devait décrire les crimes commis. Qui croyait-il abuser ? Il ne lisait pas. Loin de là. Jetant la liste, il se mit à arpenter la galerie. C'était la faute de cette fille s'il éprouvait ce sentiment de malaise. Il regrettait de l'avoir rencontrée.

Après un moment d'hésitation, il s'enfonça en courant dans la galerie, dans la puanteur nauséabonde des égouts. D'après Fraera, ils vivaient dans les vestiges d'une bibliothèque disparue, celle d'Ivan le Terrible, qui possédait une collection de manuscrits hébreux et byzantins d'une valeur inestimable. Un illettré caché dans une ancienne bibliothèque… L'ironie de la situation lui avait échappé jusqu'à l'arrivée de Zoya. Bibliothèque ou pas, il considérait surtout leur repaire comme un labyrinthe d'horribles caves humides. Évitant les autres *vorys*, occupés comme d'habitude à se soûler, il s'approcha sans bruit de la cellule de Zoya.

Il récupéra son tabouret, s'assit dessus et regarda entre les barreaux. Zoya était endormie dans un coin, pelotonnée sur son matelas. Accrochée au plafond, hors d'atteinte, une lanterne restait allumée pour permettre une surveillance constante. Aussitôt la colère de Malysh se dissipa. Il contempla le corps de Zoya assoupie, sa poitrine qui se soulevait lentement au rythme de sa respiration. Malgré son appartenance à un gang, il était encore puceau. Il avait déjà tué, mais pas fait l'amour, ce qui amusait beaucoup les autres. Pour se moquer, on lui disait que son sexe allait s'infecter et tomber, qu'il deviendrait une fille. Après son initiation ils l'avaient emmené chez une prostituée, le poussant dans la pièce et refermant la porte sur lui, avec ordre de « grandir ». Assise nue sur le lit avec un air de profond ennui, la femme avait la chair de poule. Sa cigarette achevait de se consumer : Malysh attendait de voir si la cendre brûlante allait lui tomber sur les seins. La secouant sur le sol, elle avait demandé au jeune homme ce qu'il attendait, les yeux fixés sur sa braguette. Après avoir maladroitement enlevé son ceinturon, il l'avait remis en expliquant à cette femme qu'il ne voulait pas coucher avec elle, qu'elle pouvait garder l'argent à condition de ne rien dire aux autres *vorys*. Avec un haussement d'épaules, elle lui avait suggéré de s'asseoir sur le lit et de patienter cinq minutes avant de quitter la pièce – de toute façon, personne ne le croyait capable de tenir plus longtemps. Les cinq minutes écoulées, il s'était levé et il était parti. Tandis qu'il longeait le couloir en préparant son mensonge, elle avait appelé les autres pour leur dire qu'ils avaient raison : le petit s'était défilé. Les *vorys* avaient ricané comme des hyènes. Même Fraera avait eu l'air déçue.

Entendant des pas derrière lui, il se retourna, sortit son couteau. Une main se referma sur la sienne, lui arracha le couteau. Repliant la lame avant de le lui rendre, Fraera se pencha par-dessus son épaule et jeta un coup d'œil dans la cellule.

— Elle est belle, hein ?

Malysh ne répondit pas. Fraera le toisa.

— C'est rare que tu te laisses surprendre, Malysh.

— Je surveillais la prisonnière.

— Tu la « surveillais » ?

Il rougit. Fraera le prit par l'épaule.

— Elle t'accompagnera dans ta prochaine mission.

Malysh leva les yeux.

— La prisonnière ?

— Appelle-la par son prénom.

— Zoya ?

— Elle a plus de raisons que beaucoup de haïr les tchékistes. Ils ont assassiné ses parents.

— Elle ne sait pas se battre. Elle ne me servira à rien. Ce n'est qu'une fille.

— Moi aussi je n'étais qu'une fille, autrefois.

— Toi, tu n'es pas comme les autres.

— Elle non plus.

— Elle essaiera de s'enfuir. Elle appellera au secours.

— Pourquoi ne pas lui poser la question ? Elle nous écoute.

Fraera se tut quelques instants.

— Je sais que tu es réveillée, lança-t-elle.

Zoya se redressa, se tourna vers eux.

— Je n'ai pas dit que je dormais.

— Tu es courageuse. J'ai une proposition pour une jeune fille courageuse. Tu veux accompagner Malysh dans sa prochaine mission ?

Zoya dévisagea l'adolescent.

— Pour quoi faire ?

— Tuer un tchékiste, répondit Fraera.

## Kolyma
## Goulag 57

*Même jour*

DES POSTES DE CONTRÔLE EN RONDINS ne subsistaient que deux tas de braises sur lesquels s'élevaient quelques flammes vacillantes. Des panaches de fumée striaient le ciel, emportant les cendres d'au moins huit sentinelles – dont l'ultime acte sur terre était d'obscurcir les étoiles – avant de se dissiper au-dessus du plateau. D'autres gardes abattus ailleurs dans le camp gisaient là où ils étaient tombés. Un cadavre pendait d'une fenêtre. L'acharnement mis à le tuer semblait proportionnel à la cruauté dont il avait fait preuve dans ses fonctions – poursuivi par des prisonniers en colère, rattrapé, roué de coups et poignardé alors qu'il tentait désespérément de fuir. Son corps laissé en travers de la fenêtre ressemblait à l'emblème d'un nouvel empire.

Les gardes et le personnel qui avaient survécu, une cinquantaine d'individus en tout, étaient parqués au centre de la zone de commandement. Blessés pour la plupart, privés de couvertures et de soins médicaux, ils étaient assis dans la neige, entassés les uns contre les autres. Leur souffrance ne suscitait que l'indifférence : les prisonniers avaient retenu la leçon. Leo, en raison de son statut ambigu, était considéré comme un garde. Assis lui aussi dans la neige, grelottant, il regardait les anciennes structures du pouvoir s'écrouler, tandis que de nouvelles se mettaient en place.

Trois meneurs, dont l'autorité s'était affirmée dans le microcosme de leur baraquement, semblaient émerger. Chacun avait un groupe distinct de partisans. Lazare était du nombre, entouré des prisonniers les plus âgés : intellectuels, artistes et joueurs d'échecs. Plus jeune, bel homme à la carrure athlétique, le deuxième leader était sans doute un ancien ouvrier d'usine – un Soviétique modèle, et pourtant condamné au goulag comme les autres. Des jeunes gens déterminés le suivaient. Le troisième, un *vory* d'une quarantaine d'années, avait de petits yeux sournois, les dents cariées, un sourire de squale. Il s'était approprié le manteau de fourrure du commandant. Trop grand pour lui, celui-ci traînait dans la neige. Voleurs ou meurtriers, les autres *vorys* s'étaient ralliés à lui. Trois groupes, chacun représenté par son chef, chacun défendant son point de vue. Des différends surgirent. Lazare, par la voix de Gueorgui le rouquin, conseillait l'ordre et la prudence :

— Il faut établir des postes de guet, placer des hommes armés sur tout le périmètre du camp.

Des années de pratique avaient rendu Gueorgui capable de traduire en simultané les propos de Lazare.

— De plus, il faut protéger et rationner nos réserves de nourriture. On ne peut pas laisser la désorganisation s'installer.

L'ouvrier à la mâchoire carrée, l'air tout droit sorti d'un film de propagande, n'était pas d'accord :

— On a bien le droit de prendre toute la nourriture et la boisson qu'on trouve, pour compenser les années de salaire perdues et fêter notre liberté !

Le *vory* au manteau de renne exprima une seule revendication :

— Après avoir obéi vingt-quatre heures sur vingt-quatre, on a le droit de désobéir.

Un quatrième groupe de prisonniers, ou plutôt un non-groupe, n'obéissait à personne. Ivres de liberté, certains galopaient de baraquement en baraquement comme des chevaux sauvages, explorant le camp, poussant des cris de joie irraisonnés ; rendus fous par la violence ou la captivité, ils pouvaient enfin donner libre cours à leur démence. D'autres dormaient dans les lits confortables des gardes, la liberté représentant pour eux la possibilité de fermer les yeux dès que la fatigue se faisait sentir. D'autres encore avaient fait main basse sur la morphine et la vodka de leurs anciens geôliers. En riant ils abattaient les clôtures, sectionnaient les barbelés honnis dont ils faisaient des couronnes qu'ils enfonçaient sur le crâne des gardes captifs aux cris de :

— Crucifiez ces salauds !

Voyant que l'anarchie menaçait, Lazare fit valoir son point de vue à l'oreille de Gueorgui qui répéta :

— La priorité est de protéger les réserves. Un homme affamé peut mourir d'avoir trop mangé. Il faut cesser de sectionner les barbelés. Ils nous protégeront des soldats qui vont forcément arriver. On ne peut pas préconiser une liberté absolue. On n'y survivra pas.

À en juger par le silence du *vory* en manteau de renne, le pillage avait eu lieu. Les ressources les plus précieuses étaient déjà tombées aux mains de son gang.

L'ancien ouvrier, dont Leo ignorait le nom, accepta certaines mesures concrètes à condition de régler d'abord une question urgente : le châtiment des gardes capturés.

— Mes hommes réclament justice ! Voilà des années qu'ils attendent ! Ils ont souffert ! Ils n'attendront pas plus longtemps !

Ses phrases sonnaient comme des slogans. Malgré sa réticence à différer la réorganisation du camp, Leo fit une concession pour s'assurer le soutien de l'homme. Les gardes devaient être jugés, et Leo avec eux.

Un partisan de Leo, avocat dans son ancienne vie, comme il disait, joua un rôle éminent dans la mise en place du tribunal. Il s'acquitta de sa tâche avec jubilation. Après des années de soumission, il se réjouissait de pouvoir utiliser ses compétences et son autorité naturelle.

— On est d'accord : seuls les gardes seront jugés. Le personnel médical et les anciens prisonniers travaillant pour les services administratifs sont exemptés.

La proposition fut acceptée.

— L'escalier menant au bureau du commandant servira de box des accusés. Chaque garde sera conduit sur la marche la plus basse. Nous, les hommes libres, donnerons des exemples de sa brutalité. Dès qu'un incident sera retenu contre lui, il montera d'une marche. S'il atteint la dernière, il sera exécuté. Sinon il aura le droit de redescendre s'asseoir – même s'il a atteint l'avant-dernière.

Leo compta les marches : treize en tout. En partant de celle du bas, il fallait douze accusations pour atteindre la dernière et mourir, onze ou moins pour avoir la vie sauve.

Baissant la voix et prenant un ton solennel, l'avocat appela le premier accusé :

— Colonel Zhores Sinyavksy !

L'intéressé fut conduit sur la première marche, face à ses juges. Son épaule avait été sommairement bandée et l'hémorragie stoppée pour le maintenir en vie le temps qu'il soit condamné. Son bras blessé pendait, inerte. Lui-même souriait malgré tout comme un écolier pendant la représentation de fin d'année, cherchant un visage amical parmi la foule des prisonniers. Personne ne représentait la défense et l'accusation : l'innocence ou la culpabilité seraient décidées par l'ensemble des prisonniers. C'était un tribunal populaire.

Aussitôt les insultes se mêlèrent aux exemples de crimes, rendant ces derniers inaudibles. D'un geste, l'avocat demanda le silence.

— Chacun son tour ! Levez la main, et vous prendrez la parole quand je vous ferai signe. Tout le monde aura son mot à dire.

Il désigna un prisonnier âgé. L'homme garda la main levée.

— Tu peux baisser la main, dit l'avocat. Tu as la parole.

— Ma main est la preuve de ses crimes.

Deux doigts amputés, aux moignons noirâtres.

— Ils ont gelé. Pas de gants par moins cinquante : un froid tel que si on crache la salive gèle avant de toucher terre. Il nous envoyait quand même dehors par ce temps ! Dehors ! Jour après jour ! Deux doigts : deux marches !

Tout le monde approuva bruyamment. L'avocat tira sur sa veste grise de prisonnier comme il l'eût fait de la robe noire de sa corporation.

— Le nombre de doigts perdus n'est pas pertinent. Tu mentionnes l'inhumanité des conditions de travail. Accusation retenue. Mais c'est un seul exemple : donc, une seule marche.

Une voix s'éleva dans la foule :

— J'ai perdu un orteil. Pourquoi il ne compte pas pour une marche ?

Il y avait assez de doigts et d'orteils noirs et difformes pour envoyer le commandant sur la dernière marche. Débordé, l'avocat ne parvenait pas à instaurer de nouvelles règles pour calmer l'agitation de la foule.

Intervenant dans le débat, le commandant s'écria :

— Vous avez raison ! Chacune de vos blessures est un crime.

Il monta d'une marche. Les insultes se turent, les prisonniers tendant l'oreille pour entendre la suite.

— À vrai dire, j'ai commis plus de crimes que cet escalier n'a de marches. Même si elles allaient jusqu'au sommet de la montagne, je les monterais toutes.

Dépité de voir ses dispositions remises en cause par cette confession, l'avocat lança :

— Vous reconnaissez que vous méritez la mort ?

Le commandant éluda la question.

— Si on peut monter d'une marche, ne peut-on également en descendre une ? Après s'être mal conduit, ne peut-on pas bien agir ? N'ai-je aucune chance de réparer mes torts ?

Il s'adressa au prisonnier qui avait perdu un orteil :

— À cause de ton orteil gelé, j'ai monté d'une marche. Mais l'an passé, tu as voulu envoyer ton salaire à ta famille. Après avoir admis qu'à cause de notre système injuste tu ne gagnais assez pour subvenir à leurs besoins, n'ai-je pas complété la différence ? N'ai-je pas veillé personnellement à ce que ta femme reçoive l'argent à temps ?

Le prisonnier regarda autour de lui sans rien dire.

— C'est vrai ? demanda l'avocat.

Le prisonnier acquiesça à contrecœur.

— C'est vrai.

Le commandant descendit d'une marche.

— Pour cette bonne action, n'ai-je pas le droit de descendre cette marche ? Je concède n'avoir pas encore fait tout ce qu'il fallait pour réparer mes torts. Alors pourquoi ne pas me laisser la vie sauve ? Pour que je puisse essayer de m'amender. N'est-ce pas mieux que de m'exécuter ?

— Et tous ceux que tu as tués ?

— Et tous ceux que j'ai sauvés ? Depuis le décès de Staline, le taux de mortalité dans ce camp est le plus bas de toute la Kolyma. Grâce à mes réformes. J'ai augmenté les rations alimentaires. J'ai allongé vos périodes de repos et raccourci vos journées de travail. J'ai amélioré la qualité des soins médicaux. Les malades ne meurent plus, ils guérissent ! Vous savez que c'est vrai ! Si vous avez pu neutraliser les gardes, c'est parce que vous êtes mieux nourris, plus reposés et plus forts que vous ne l'avez jamais été ! Si ce soulèvement a pu avoir lieu, c'est grâce à moi !

L'avocat, agacé du tour pris par les événements, s'approcha du commandant.

— La possibilité de descendre d'une marche n'a pas été discutée.

Il consulta les trois leaders des prisonniers rebelles :

— Souhaitons-nous modifier le système ?

L'ancien ouvrier se tourna vers ses camarades.

— Le commandant réclame une seconde chance. Vous la lui accordez ?

D'abord un murmure, la réponse s'amplifia :

— Pas de seconde chance ! Pas de seconde chance !

La déception se lut sur le visage de Sinyavksy. Il croyait sincèrement avoir fait le maximum pour être épargné. L'avocat se tourna vers le condamné. À l'évidence ils n'avaient pas pensé à tout. Personne n'avait été choisi pour faire le bourreau. Le commandant sortit de sa poche une des petites fleurs séchées aux pétales pourpres et la broya dans son poing. Il monta sur la plus haute marche, contempla le ciel étoilé. L'avocat prit la parole d'une voix tremblante d'émotion :

— Le jugement a été rendu collectivement. Le châtiment doit être infligé collectivement.

Les armes furent mises en joue. L'avocat s'écarta.

— Une dernière chose…, implora le commandant.

Coups de pistolet, de fusil, rafales de mitraillette : le commandant s'écroula, comme poussé par une main gigantesque. De son vivant le méchant de l'histoire, il avait retrouvé à l'approche de la mort une certaine dignité. Les prisonniers lui en voulaient de ce retournement. Ils venaient de lui couper définitivement la parole.

Au sein du tribunal improvisé, l'atmosphère passa de la surexcitation à la solennité. L'avocat s'éclaircit la voix.

— Qu'allons-nous nous faire du corps ?

— Le laisser là, pour que le suivant le voie, répondit quelqu'un.

Tout le monde approuva. Le cadavre resterait là.

— Qui est le suivant ?

Leo se crispa.

— Leo Stepanovitch Demidov, déclara Gueorgui.

L'avocat se tourna vers les gardes :

— Qui est-ce ? Qui est Leo ?

L'intéressé ne bougea pas.

— Debout ! ordonna l'avocat. Sinon vous n'aurez pas de procès et vous serez exécuté sur-le-champ !

Lentement, se demandant si ses jambes n'allaient pas se dérober, Leo se leva. Conduit par l'avocat sur la première marche, il fit face à ses juges.

— Vous êtes garde ? demanda l'avocat.

— Non.

— Qui êtes-vous ?

— J'appartiens à la milice de Moscou. On m'a envoyé ici sous une fausse identité.

— C'est un tchékiste ! cria Gueorgui.

À la fois juge et jury, la foule donna libre cours à sa colère. Leo jeta un coup d'œil à son accusateur. Gueorgui avait agi de son propre chef. Lazare lisait un papier, peut-être la liste des crimes de Leo. L'avocat intervint :

— C'est vrai ? Vous êtes un tchékiste ?

— J'ai été membre du MGB.

— Quels sont ses crimes ? demanda l'avocat.

— Il a dénoncé Lazare ! répondit Gueorgui.

Sous les huées, Leo monta d'une marche.

— Il a passé Lazare à tabac ! continua Gueorgui. Il lui a fracturé la mâchoire !

On fit monter Leo sur la marche suivante.

— Il a arrêté la femme de Lazare !

Leo était à présent sur la quatrième marche.

— Il a arrêté des fidèles de la paroisse de Lazare !

Quand Leo arriva sur la cinquième marche, Gueorgui était à court d'accusations. Dans l'assistance, personne d'autre ne connaissait Leo. Personne ne pouvait citer ses crimes.

— Il faut d'autres exemples. Sept de plus !

— C'est un tchékiste ! répéta Gueorgui, furieux.

L'avocat secoua la tête.

— Ce n'est pas un exemple.

D'après les règles qu'ils avaient instaurées, personne ne connaissait suffisamment Leo pour le condamner – personne, sauf lui-même. Les prisonniers étaient mécontents. Ils avaient à juste titre la certitude que, du fait de son passé de tchékiste, Leo devait avoir d'autres crimes sur la conscience. Il sentit que le système ne le protégerait pas. S'il n'avait pas assisté à l'exécution du commandant, peut-être serait-il monté sur la plus haute marche pour avouer ses mauvaises actions. Mais il ne pourrait pas parler avec plus d'éloquence que Sinyavksy. Sa vie dépendait des règles de ce tribunal d'exception. Il leur fallait sept exemples supplémentaires. Ils ne les avaient pas.

Refusant de s'avouer vaincu, Gueorgui s'écria :

— Combien de temps as-tu été tchékiste ?

Après avoir servi dans l'armée, Leo avait été recruté par la police secrète. Il y était resté cinq ans.

— Cinq ans.

Gueorgui s'adressa à l'auditoire :

— On peut imaginer qu'il a nui au moins à deux personnes par an, non ? C'est si difficile à croire, de la part d'un tchékiste ?

La foule approuva : deux marches par année. Leo se tourna vers l'avocat, dans l'espoir qu'il refuse cette nouvelle disposition. Celui-ci haussa les épaules : la suggestion avait force de loi. Il poussa Leo vers la plus haute marche, le condamnant à mort.

Incapable de comprendre que sa fin était proche, Leo ne bougea pas. Une voix s'éleva :

— Monte, sinon on t'abat où tu es !

Sonné, Leo se retrouva sur la dernière marche, d'où il dominait le cadavre criblé de balles du commandant. Des dizaines d'armes étaient braquées sur lui.

— Attendez ! hurla soudain Gueorgui, l'homme qui le haïssait.

Lazare lui murmurait quelque chose à l'oreille. Contrairement à son habitude, Gueorgui ne traduisait pas simultanément. Quand Lazare eut fini, il l'interrogea du regard. Lazare lui fit signe de répéter ses paroles. Gueorgui s'adressa à Leo :

— Ma femme est vivante ?

Prenant la feuille de papier des mains de Lazare, Gueorgui l'apporta à Leo et la lui tendit. Leo s'accroupit et reconnut la lettre écrite par Fraera, preuve que celle-ci était vivante et contenant des informations qu'elle seule pouvait connaître. Timur l'avait en sa possession. Avant de le tuer, les gardes avaient dû le déposséder de tous ses biens.

— Elle a été retrouvée dans la poche d'un garde. Tu ne mentais pas.

— Non.

— Elle est vraiment vivante ?

— Oui.

D'un geste, Lazare rappela Gueorgui pour lui parler à l'oreille. À contrecœur, celui-ci annonça :

— Je demande qu'on l'épargne.

# Moscou

*Même jour*

TELS DEUX CHATS DE GOUTTIÈRE, Zoya et Malysh étaient assis côte à côte sur le toit de l'immeuble 124. Zoya restait près du jeune homme pour lui prouver qu'elle n'avait pas l'intention de s'enfuir. Trempés de sueur, épuisés d'avoir parcouru des kilomètres dans les égouts, escaladé des échelles, esquivé des murs gluants, tous deux appréciaient de se trouver là, rafraîchis par le vent du soir. Zoya se sentait revigorée. Elle le devait en partie à l'exercice physique pris après plusieurs jours de sédentarité forcée, mais surtout au fait d'être avec Malysh. Elle avait l'impression de retrouver son enfance volée, les aventures partagées avec une âme sœur.

Elle jeta un coup d'œil à la photo que Malysh tenait entre le pouce et l'index.

— Comment s'appelle cette femme ?

— Marina Niurina.

Zoya prit la photo. La trentaine, l'air sévère, Marina Niurina était en uniforme. Zoya rendit la photo à Malysh.

— Tu vas la tuer ?

Il fit oui de la tête, comme si on lui avait demandé la permission de fumer. Zoya ne savait pas trop s'il fallait le croire. Elle l'avait pourtant vu se jeter sur le *vory* qui voulait la violer. Il savait se servir d'un couteau. Taciturne et imprévisible, il ne semblait pas du genre à se vanter.

— Pourquoi ?

— C'est une tchékiste.

— Qu'est-ce qu'elle a fait ?

Malysh la regarda avec perplexité. Zoya précisa :

— Elle a arrêté des gens ? Elle en a torturé ?

— Aucune idée.

— Tu vas la tuer sans savoir ce qu'elle a fait ?

— Je te répète que c'est une tchékiste.

Zoya se demanda ce qu'on lui avait dit au juste sur la police secrète.

— Tu ne sais pas grand-chose de ces gens-là, n'est-ce pas ? s'enquit-elle timidement.

— Je sais ce qu'ils ont fait.

Malysh réfléchit quelques instants avant d'ajouter :

— Ils ont arrêté des innocents.

— Tu ne crois pas qu'il faudrait en savoir un peu plus avant de tuer quelqu'un ?

— Fraera m'a donné un ordre. J'obéis.

— Exactement ce que diraient les tchékistes pour justifier leurs actes : qu'ils ont obéi aux ordres.

Malysh parut agacé.

— Fraera m'a dit que tu pouvais m'aider, mais pas que tu allais me poser un tas de questions débiles. Si c'est comme ça, je te ramène dans ta cellule.

— Ne te mets pas en colère. Je voulais savoir pourquoi, c'est tout. Pourquoi faut-il tuer cette femme ?

Malysh plia la photo en deux et la remit dans sa poche. Zoya était allée trop loin. Emportée par son effronterie, elle avait passé les bornes. Elle se tut, de peur d'avoir tout gâché. S'attendant à une réplique cinglante, elle n'en revint pas du ton penaud de Malysh :

— Ses crimes sont écrits sur une liste. Je n'ai pas osé demander à quelqu'un de me la lire à voix haute.

— Tu ne sais pas lire ?

Il secoua la tête, guettant la réaction de Zoya. Consciente qu'il était gêné, elle resta imperturbable.

— Tu n'es jamais allé à l'école ?

— Non.

— Où sont tes parents ?

— Ils sont morts. J'ai grandi dans les gares, plus ou moins, jusqu'à ce que je rencontre Fraera.

Il posa la question qui lui brûlait les lèvres :

— Tu trouves ça mal, de ne pas savoir lire ?

— Tu n'as jamais eu l'occasion d'apprendre.

— Je le regrette.

— Je sais.

— J'aimerais savoir lire, et écrire. Un jour, j'apprendrai.

— Je suis sûre que tu apprendras vite.

Ils restèrent assis en silence pendant près d'une heure, à regarder les lumières des immeubles environnants s'éteindre une à une, à mesure que leurs occupants allaient se coucher. Malysh se leva et s'étira, oiseau de nuit attendant que tout le monde dorme pour partir chasser. D'une poche de son pantalon trop grand, il sortit une bobine de fil de fer qu'il déroula. Il en noua avec soin une extrémité autour d'un bout de miroir cassé, inclinant celui-ci à quarante-cinq degrés. Puis se mit à plat ventre au bord du toit et laissa descendre le fil de fer jusqu'à ce que le miroir soit face à la fenêtre d'une chambre à coucher. Allongée près de lui, Zoya suivait les opérations. Les rideaux n'étaient qu'à moitié tirés. Malgré la pénombre, Malysh distinguait une silhouette étendue sur le lit. Il remonta le fil de fer, détacha le bout de miroir, rembobina le fil et remit le tout dans sa poche.

— On va entrer par la fenêtre d'à côté.

Zoya opina du chef.

— Tu peux rester ici, marmonna Malysh.

— Toute seule ?

— Je te fais confiance.

— Je hais les tchékistes autant que Fraera les hait, Malysh. Je viens avec toi.

Ils enlevèrent leurs chaussures, les laissèrent côte à côte sur le toit et commencèrent à descendre le long de la gouttière, sur un mètre environ. Malysh atteignit le rebord de la fenêtre aussi facilement qu'avec une échelle. Zoya le suivit tant bien que mal, s'efforçant de ne pas regarder en bas. Ils étaient au sixième étage et une chute leur serait fatale. Sortant son couteau, Malysh souleva le loquet, ouvrit la fenêtre, pénétra dans l'appartement.

De peur que Zoya fasse du bruit, il se retourna pour lui tendre la main. Elle la repoussa, se laissant glisser sans bruit sur le parquet.

Ils se trouvaient dans un immense salon.

— Elle vit seule ? souffla Zoya à l'oreille de Malysh.

Il fit oui de la tête, importuné par la question – par toutes les questions. Il préférait le silence. L'appartement était d'une taille imposante. Au nombre total de mètres carrés, Zoya pouvait deviner la gravité des crimes de cette femme.

Devant eux la porte de la chambre était fermée. Malysh posa la main sur la poignée. Avant d'ouvrir, il fit signe à Zoya de rester dans le salon, invisible. Bien qu'elle ait envie de le suivre, il ne la laisserait pas aller plus loin. Avec un hochement de tête elle recula de quelques pas, attendant qu'il ouvre la porte.

Il pénétra dans la pièce. Marina Niurina était couchée sur le côté. Il s'approcha d'elle, son couteau à la main, et s'immobilisa comme au ras d'une falaise. Cette femme paraissait beaucoup plus âgée que sur la photo : cheveux grisonnants, peau ridée, elle avait au moins soixante ans. Il hésita, se demandant s'il ne s'était pas trompé d'adresse. Non, c'était bien là. La photo datait peut-être de plusieurs années. Il se pencha, la sortit pour comparer. Le visage de la vieille dame était dans l'obscurité. Il hésitait vraiment. Le sommeil donnait un air innocent à n'importe qui.

Soudain Niurina ouvrit les yeux, sortit le bras des couvertures, braqua un pistolet entre les yeux de Malysh. Elle se redressa dans sa chemise de nuit à fleurs et s'assit au bord du lit.

— Mains en l'air !

Son couteau dans une main, la photo dans l'autre, Malysh obéit. Il se demanda s'il arriverait à la désarmer. Lisant dans ses pensées, elle visa le couteau et tira. Le bout de l'index déchiqueté, Malysh hurla, tenant son doigt blessé tandis que le couteau tombait bruyamment sur le parquet.

— Ce coup de feu va alerter les gardes. Je ne te tuerai pas, je préfère qu'ils te torturent. Peut-être même que je leur prêterai main-forte. Je vais essayer de retrouver tes complices. On les tuera eux aussi. Tu pensais vraiment qu'on allait se coucher devant vous et se laisser tuer l'un après l'autre ?

Malysh recula. Elle se leva, s'éloigna du lit.

— Si tu crois qu'en fuyant ta mort sera plus douce, une balle dans la nuque, réfléchis bien. Je te tirerai dans le pied. Autant le faire maintenant, d'ailleurs. On ne sait jamais.

Le cœur battant à tout rompre, le souffle court, Zoya devait agir, ne pas rester plantée au milieu de la pièce, bouche bée, comme une idiote. Cette femme n'avait pas pu la voir. Inspectant la pièce du regard, elle ne trouva qu'une cachette, sous le bureau. Blessé, Malysh battait en retraite vers elle, la main en sang. Il ne la regardait pas pour ne pas trahir sa présence. Elle représentait son unique chance. Niurina approchait de la porte. Zoya plongea sous le bureau.

De sa cachette, elle l'aperçut pour la première fois. Plus vieille que sur la photo, mais c'était la même femme. À quelques pas derrière Malysh, elle souriait, à moins que ce ne soit un rictus, jouissant du pouvoir conféré par son arme. Si Zoya ne faisait rien, les gardes monteraient, Malysh serait arrêté – et elle-même, sauvée, retrouverait Elena, Raïssa et Leo. En ne faisant rien, elle retrouverait une vie normale.

Elle se rua sur le pistolet en criant. Prise de court, Marina Niurina braqua l'arme sur elle. Zoya lui saisit le poignet et y planta profondément les dents. Un coup de feu partit, assourdissant : la balle alla s'écraser dans le mur. La violence du recul fit s'entrechoquer les dents de Zoya. De sa main libre, Niurina frappa l'adolescente une fois, deux fois, la projetant au sol.

Réduite à l'impuissance, Zoya la vit mettre en joue. Sans laisser à Niurina le temps de tirer, Malysh se jeta sur elle par-derrière et lui enfonça les doigts dans les yeux. Lâchant le pistolet avec un hurlement, elle lui griffa les mains, ce qui incita le garçon à augmenter la pression. Il jeta un coup d'œil à Zoya.

— La porte !

Tandis que Niurina tournoyait en hurlant, Zoya courut vers la porte d'entrée, la verrouilla au moment où les pas d'un garde résonnaient en haut de l'escalier. Quand elle se retourna, Niurina s'était écroulée, Malysh toujours sur son dos. Il dégagea ses doigts, lui laissant les yeux ensanglantés. Il ramassa le pistolet et s'élança vers la fenêtre en faisant signe à Zoya de le suivre.

Derrière eux les gardes donnaient des coups de pied dans la porte. Malysh tira dans le bois pour ralentir leur progression. Une fois le chargeur vide, il lâcha l'arme et rejoignit Zoya sur le rebord de la fenêtre. Les gardes répliquèrent par une rafale de mitraillette ; les balles volèrent dans la pièce. Les deux adolescents remontèrent le long de la gouttière. Zoya atteignit le toit la première, s'y hissa. Les gardes avaient défoncé la porte d'entrée et s'exclamaient à la vue du spectacle sanglant.

Zoya se pencha pour aider Malysh à grimper, puis saisit ses chaussures, prête à partir. Malysh la retint par le poignet.

— Attends !

Entendant les gardes s'approcher de la fenêtre, Malysh prit une ardoise en guise d'arme. Une main s'agrippa à l'appui de la fenêtre. Alors que l'homme se hissait à son tour sur le toit, Malysh lui donna un coup d'ardoise en plein visage. Il lâcha prise et s'écrasa dans la rue.

— Cours ! ordonna Malysh.

Ils traversèrent le toit, enjambèrent l'espace séparant l'immeuble du suivant. Jetant un coup d'œil en contrebas, ils virent une nuée d'officiers dans la rue.

— C'était un piège. Ils surveillaient l'appartement, fit observer Malysh.

Ils s'attendaient à ce que Niurina soit prise pour cible.

La fuite étant impossible par l'itinéraire prévu, les deux fuyards durent pénétrer dans ce nouvel immeuble, se glisser dans une chambre à coucher.

— Au feu ! cria Malysh.

Dans ces immeubles surpeuplés aux charpentes en bois et aux circuits électriques vétustes, on vivait dans la crainte d'un incendie. Prenant Zoya par la main, Malysh sortit dans le couloir.

— Au feu ! répétèrent-ils en chœur.

Même en l'absence de fumée, le couloir se remplit en quelques secondes. L'affolement était général. Malysh et Zoya descendirent l'escalier à quatre pattes, slalomant entre les jambes.

Dans la rue les habitants sortaient des immeubles avoisinants, se mêlant aux officiers du KGB et de la milice. Feignant la panique, Zoya se cramponna au bras d'un homme. Malysh l'imita, et l'inconnu, compatissant, les guida à l'écart des forces de l'ordre qui les prirent pour une même famille. Dès qu'ils furent hors de danger, ils lâchèrent le bras de l'homme et disparurent dans la nuit.

Arrivés devant la bouche d'égout la plus proche, ils soulevèrent le couvercle et descendirent dans les galeries souterraines. Au pied de l'échelle, Zoya déchira une bande de tissu de son chemisier, dont elle entoura plusieurs fois l'index en sang de Malysh, jusqu'à le faire ressembler à une saucisse. Reprenant leur souffle, les deux adolescents pouffèrent de rire.

## Kolyma
## Goulag 57

*12 avril*

LA LUMIÈRE DE L'AUBE ÉTAIT PLUS LIMPIDE que jamais – le ciel uniformément bleu, le plateau tout blanc. Debout sur le toit des baraquements administratifs, Leo porta à ses yeux les jumelles noircies et déformées qui avaient survécu aux flammes. Une seule lentille était utilisable. Scrutant l'horizon comme un pirate à la proue de son navire, il vit du mouvement à l'autre extrémité du plateau, des camions, des chars d'assaut et des tentes : un campement militaire. Alertée la veille par les miradors en feu annonciateurs de troubles, l'administration pénitentiaire de la région avait établi une base d'où lancer sa contre-attaque. Il y avait au moins cinq cents soldats. Malgré leur supériorité numérique, les prisonniers avaient une puissance de feu très inférieure à celle de leurs adversaires, n'ayant pu réunir que deux ou trois mitrailleuses et leurs munitions, quelques fusils et des pistolets. Face à des armes lourdes, le goulag 57 serait presque sans défense, d'autant que la clôture de barbelés n'offrirait aucune protection contre l'offensive de l'armée. Devant ce constat déprimant, Leo tendit les jumelles à Lazare.

Un groupe de prisonniers s'étaient rassemblés sur ce toit. Depuis la destruction des miradors, c'était l'un des meilleurs postes de guet du camp. En dehors de Lazare et de Gueorgui, ce groupe comptait les deux autres leaders et leurs plus fidèles partisans : dix hommes en tout.

Le chef des *vorys* s'adressa à Leo :

— Tu es des leurs. Que vont-ils faire ? Accepter de négocier ?

— Oui, mais on ne peut pas leur faire confiance.

L'ancien ouvrier s'approcha :

— Et le rapport Khrouchtchev ? On n'est plus gouvernés par Staline. Il y a eu des changements dans le pays. On peut défendre notre point de vue. On a été traités de manière injuste. La plupart de nos peines devraient être revues à la baisse, ils devraient nous libérer !

— Peut-être que ce rapport les obligera à négocier pour de bon. Mais on est très loin de tout. L'administration de la Kolyma a très bien pu décider de réprimer cette insurrection sans rien dire à personne, pour éviter que les autorités de Moscou, plus modérées, s'en mêlent.

— Ils veulent nous tuer ?

— Ce soulèvement menace leur mode de vie.

— Ils nous appellent par radio ! cria un prisonnier resté au sol.

Ses camarades se ruèrent vers l'échelle, se bousculant dans leur hâte à descendre. Leo fermait la marche, ralenti par d'horribles douleurs dans les deux genoux dès qu'il pliait les jambes. Il atteignit le bas de l'échelle, en sueur et à bout de souffle. Les autres étaient déjà près de l'émetteur-récepteur.

La radio était l'unique moyen de communication entre les différents camps et le quartier général de l'administration à Magadan. Un prisonnier connaissant vaguement le fonctionnement de l'appareil avait pris les choses en main. Écouteurs sur les oreilles, il répéta ce qu'il entendait :

— Le directeur régional Abel Prezent… Il veut parler au responsable.

L'ancien ouvrier s'empara du micro et se lança dans une tirade exaltée :

— Le goulag 57 est aux mains des prisonniers ! On s'est rebellés contre les gardes ! Ils nous frappaient et nous tuaient sans raison ! Plus jamais ça…

— Dis que les gardes sont vivants, lui souffla Leo.

Gonflé de sa propre importance, l'homme l'écarta d'un geste :

— On est d'accord avec le rapport Khrouchtchev. En conséquence, on veut que les peines de tous les prisonniers soient revues. Que ceux qui devraient être libres soient libérés. Que ceux qui ont mal agi soient traités avec humanité. On le demande au nom de nos pères qui ont fait la révolution. Cette cause magnifique a été salie par vos crimes. C'est nous les vrais héritiers de la révolution ! On réclame des excuses ! Et de la nourriture digne de ce nom ! Envoyez-nous autre chose que du gruau pour prisonniers !

Leo hocha la tête avec consternation :

— Si tu veux tous nous faire tuer, demande du caviar et des putes. Si tu veux sauver ta peau, dis-leur que les gardes sont vivants.

L'homme s'exécuta, l'air penaud :

— J'ajoute que les gardes sont vivants. Ils sont détenus dans des conditions décentes, beaucoup mieux traités qu'ils ne nous ont eux-même traités. Ils resteront en vie tant que vous ne nous attaquerez pas. Sinon, tous les gardes mourront, jusqu'au dernier !

Une réponse grésilla dans la radio et l'ancien ouvrier la répéta :

— Il veut des preuves qu'ils sont encore en vie. Quand il les aura, il écoutera nos revendications.

Leo s'adressa à Lazare comme s'il était la voix de la raison :

— On devrait leur envoyer les gardes blessés. Sans soins médicaux, ils mourront.

Vexé d'être tenu à l'écart, le chef des *vorys* intervint :

— Il ne faut rien céder. C'est un signe de faiblesse.

— Si ces gardes meurent de leurs blessures, ils ne nous serviront plus à rien. En les rendant, on en tire au moins quelque chose.

— Et tu seras bien sûr du voyage dans le camion ? ironisa le *vory*.

Il avait deviné juste.

— Oui, acquiesça Leo.

Lazare chuchota quelque chose à l'oreille de Gueorgui, qui répéta d'un ton surpris :

— Et je l'accompagnerai.

Tout le monde se tourna vers Lazare. Il continuait à chuchoter et Gueorgui à traduire :

— Avant de mourir, je voudrais voir ma femme et mon fils. Leo m'en a privé. Il est le seul à pouvoir nous réunir.

Les gardes les plus grièvement blessés furent chargés à bord d'un camion : six en tout, dont aucun n'aurait survécu plus de vingt-quatre heures sans soins médicaux. On les hissa sur des planches tenant lieu de brancards. Leo aida au transfert du dernier d'entre eux et l'installa à l'arrière du camion.

Alors qu'ils étaient prêts à partir, il aperçut la montre du garde : plaquée or, sans rien de remarquable, à ceci près que c'était celle de Timur. Aucun doute là-dessus : Leo l'avait vue un nombre incalculable de fois. Il avait entendu Timur raconter qu'elle lui avait été transmise par son père comme un objet de famille malgré sa faible valeur marchande. Se baissant, il caressa du bout de l'index le verre fêlé. Il dévisagea l'officier blessé. L'homme semblait mal à l'aise. Leo comprit pourquoi.

— Tu as pris cette montre à quelqu'un ?

Pas de réponse.

— Elle appartenait à mon ami.

La colère gagna Leo.

— C'était sa montre !

Il tenta de défaire le bracelet. En même temps il enfonça le genou dans le torse en sang du blessé et poussa violemment :

— C'est un objet de famille, tu vois... elle appartient désormais à l'épouse de Timur... et à ses fils... ses deux fils... deux garçons formidables... Elle leur appartient parce que tu as tué leur père... tu as tué mon ami.

Saignant de la bouche et du nez, l'officier repoussa faiblement la jambe de Leo. Celui-ci maintint la pression. Il avait les larmes aux yeux à cause de la douleur qui irradiait dans son genou tuméfié. Il ne pleurait pas la mort de Timur. C'étaient des larmes de vengeance et de haine, et il appuya encore plus fort. Le sang de l'officier traversait l'étoffe de son pantalon.

La boucle du bracelet s'ouvrit et la montre quitta le poignet désormais inerte. Leo la mit dans sa poche. Les cinq autres gardes à l'arrière du camion le fixaient des yeux, l'air terrifié. Il appela les prisonniers restés au sol :

— Un officier vient de mourir ! On a une place libre !

Pendant qu'ils déchargeaient le cadavre sans poser de questions, Leo examina la montre. Sa colère retombée, il se sentait vidé de ses forces, effet non pas du regret ou de la honte, mais de la fatigue, tandis que le désir de vengeance – le plus puissant des stimulants – évacuait son organisme. L'intensité de sa colère devait être la même que celle de Fraera à son égard.

Un autre garde blessé s'approcha du camion pour prendre la place de celui qu'il venait de tuer. Il avait le bras couvert de pansements ensanglantés. Quelque chose clochait. L'homme était nerveux. Peut-être était-il impliqué lui aussi dans le meurtre de Timur. D'un geste, Leo l'arrêta et lui arracha ses pansements, révélant une longue coupure superficielle qui allait de la main au coude : une automutilation, comme ses blessures à la tête.

— Je vous en supplie..., murmura-t-il.

Si Leo le dénonçait, il serait abattu. Et si les prisonniers pensaient qu'on exploitait leur compassion alors que les gardes avaient toujours été sans pitié, toute l'opération serait en péril. Après avoir causé la mort du précédent garde, Leo n'hésita pas longtemps : il laissa l'homme monter dans le camion.

Lazare, toujours par l'intermédiaire de Gueorgui, expliquait aux autres prisonniers et à ses partisans pourquoi il voulait partir :

— Il ne me reste sans doute pas longtemps à vivre. Je suis trop affaibli pour me battre. Merci à tous de me laisser rentrer chez moi.

L'ancien ouvrier prit la parole :

— Tu as aidé beaucoup de monde, Lazare. Tu m'as aidé. Tu mérites que ta requête soit acceptée.

Les autres prisonniers approuvèrent en chœur.

Leo s'approcha, préoccupé par leur apparence.

— Il faut qu'on se déguise en gardes.

Leo, Lazare et Gueorgui déshabillèrent trois gardes morts et s'empressèrent d'enfiler leurs uniformes, de peur que les autres prisonniers ne changent d'avis. À l'étroit dans le sien, Leo prit le volant, Gueorgui s'installant entre Lazare et lui. Des prisonniers ouvrirent la lourde porte.

Soudain, l'ancien ouvrier martela de ses poings la portière du camion. Comme Leo s'apprêtait à accélérer en cas de besoin, l'homme se contenta de dire :

— Ils annoncent qu'ils acceptent les blessés comme preuve de bonne volonté. Bonne chance, Lazare. J'espère que tu reverras ta femme et ton fils.

Il s'écarta du camion. Leo passa la première, laissant derrière lui les vestiges des deux postes de contrôle et, l'enceinte extérieure franchie, il s'engagea sur la route conduisant vers le campement militaire situé à l'autre extrémité du plateau.

L'opérateur radio improvisé accourut et s'arrêta devant la porte du camp. Les prisonniers regardaient le camion s'éloigner. Hors d'haleine, l'homme s'exclama :

— Ils sont déjà partis ? Mais le directeur régional n'est pas prévenu. Il ne sait pas qu'on lui envoie des blessés. Je retourne l'appeler ?

L'ancien ouvrier l'arrêta d'un geste.

— On ne prévient personne. On ne fait pas la révolution avec des hommes qui ne pensent qu'à fuir. Lazare servira d'exemple. Les autres doivent comprendre qu'il n'y pas d'autre solution que de se battre. Si les soldats ouvrent le feu sur leurs collègues blessés, tant pis.

*Même jour*

LEO PROGRESSAIT LENTEMENT SUR LA ROUTE en direction du campement militaire. Alors qu'il ne restait que deux kilomètres, à mi-chemin entre les deux camps rivaux, un panache de fumée à l'horizon attira son attention.

La fumée disparut, noyée dans un nuage de poussière. À quelques mètres devant le camion une explosion défonça la chaussée. Un mélange de terre, de glace et d'éclats d'obus s'abattit sur le pare-brise. Leo fit une embardée pour éviter le cratère. La roue droite descendit sur le bas-côté. Le camion faillit faire un tonneau et traversa le nuage de poussière en tanguant lourdement. Leo le redressa d'un coup de volant et revint au milieu de la route. Dans son rétroviseur il contempla le bitume arraché.

Un autre panache de fumée apparut dans le lointain, suivi d'un deuxième, puis d'un troisième : des tirs de mortier. Leo écrasa l'accélérateur. Le camion fit un bond en avant. Il fallait garder la trajectoire, exploiter les brefs instants entre les tirs et l'impact. Le moteur vrombit, le véhicule prit lentement de la vitesse. Alors, seulement, Lazare et Gueorgui se tournèrent vers Leo pour demander des explications. Sans leur en laisser le temps, le premier obus atterrit juste derrière eux – si près que l'arrière du camion se souleva. Pendant une fraction de seconde, seules les roues avant restèrent sur la chaussée. Leo ne voyait plus que le bitume, la cabine ayant plongé vers l'avant. Certain que le camion allait se retourner, il fut plus surpris que soulagé de sentir l'arrière retomber lourdement, les éjectant de leurs sièges. Il se débattit avec le volant pour reprendre le contrôle du véhicule. Le deuxième obus rata complètement la route, mais une pluie de terre et de cailloux brisa une vitre latérale.

Leo fit une nouvelle embardée, quittant la chaussée au moment où atterrissait le troisième obus – là où aurait dû se trouver le camion. Plusieurs plaques de bitume furent projetées en l'air.

Tandis qu'ils roulaient à travers la toundra gelée, entre deux cahots Gueorgui s'écria :

— Pourquoi ils nous tirent dessus ?

— Tes copains ont menti ! Ils n'ont prévenu personne.

Dans les rétroviseurs latéraux, Leo vit les gardes blessés, en sang, soulever fébrilement la bâche pour tenter d'identifier l'origine de ces tirs. D'un coup de coude il fit tomber les derniers éclats de verre de sa vitre, y passa la tête et cria aux gardes :

— Vos uniformes ! Sortez-les !

Deux gardes enlevèrent leur veste et l'agitèrent comme un drapeau.

Quatre nouveaux panaches de fumée apparurent à l'horizon.

Ne pouvant accélérer sur la toundra, Leo n'avait d'autre solution que se cramponner au volant sans perdre espoir. Il imagina les arcs de cercle décrits dans le ciel par les obus qui allaient s'abattre sur eux en sifflant. Le temps semblait se dilater – une seconde devenant une minute – dans l'attente de l'explosion.

Le camion continua sa route en cahotant. Dans le rétroviseur, Leo vit quatre nuages de poussière s'élever derrière eux. Il sourit.

— Ils ne peuvent plus nous atteindre ! On est trop près !

De soulagement, il martela le volant de ses poings.

Le répit fut de courte durée. Juste devant, en lisière du campement militaire, deux chars d'assaut orientaient leurs tourelles vers eux.

Le premier fit feu dans un éclair orange. D'instinct Leo se raidit, le souffle coupé, mais il n'y eut pas d'explosion : dans le rétroviseur latéral il vit que l'obus avait traversé la bâche de part en part. Le tireur ne referait pas deux fois la même erreur : il allait maintenant viser la cabine pour être sûr que l'obus exploserait. Leo freina de toutes ses forces. Le camion s'arrêta. Il ouvrit la portière, grimpa sur le toit, enleva sa veste d'uniforme et la brandit en hurlant :

— Je suis dans votre camp !

Au même moment les chars s'élancèrent, leurs chenilles écrasant la toundra sur leur passage. Leo agitait toujours sa veste d'uniforme. Un char s'immobilisa à moins de cent mètres de lui. La tourelle s'ouvrit. Le tireur apparut, mitrailleuse en joue.

— Qui êtes-vous ? cria-t-il.

— Un garde. J'ai des officiers blessés à l'arrière.

— Pourquoi vous n'avez pas prévenu par radio ?

— Les prisonniers nous ont dit qu'ils l'avaient fait, qu'ils vous avaient parlé. Ils nous ont trompés ! Et vous aussi du même coup ! Ils voulaient que vous tuiez vos propres hommes.

Le second char vint se placer derrière le camion, sa tourelle dirigée vers les passagers. Les gardes blessés désignèrent leurs uniformes. La tourelle s'ouvrit.

— Allez-y ! déclara le soldat.

Leo arrêta le véhicule en bordure du campement provisoire. Les blessés furent transportés dans la tente servant d'infirmerie. Dès que le dernier homme aurait été transféré, Leo reprendrait la route vers le port de Magadan. L'arrière du camion était vide. Ils étaient prêts. Gueorgui tapota le bras de Leo. Un soldat approchait.

— Êtes-vous l'officier responsable ?

— Oui.

— Le directeur veut vous parler. Suivez-moi.

Leo fit signe à Lazare et à Gueorgui de rester dans le camion.

Le centre de commandement se trouvait sous une tente à motif de camouflage hivernal. Plusieurs officiers surveillaient le plateau à la jumelle. Des cartes d'état-major de la région étaient déployées, ainsi que des plans du camp de prisonniers. Un homme décharné, l'air malade, accueillit Leo.

— C'est vous qui conduisiez le camion ?

— Oui.

— Je suis Abel Prezent. Nous sommes-nous déjà vus ?

Leo se demanda si tous les officiers ne rencontraient pas Prezent à un moment ou à un autre, mais il y avait peu de risques qu'il se souvienne de tous les gardes.

— Brièvement.

Ils échangèrent une poignée de main.

— Pardon d'avoir tiré sur vous. Mais l'absence de message radio nous a obligés à vous considérer comme une menace.

Leo n'eut pas besoin de feindre l'indignation.

— Les prisonniers ont menti ! Ils ont prétendu vous avoir prévenu.

— Ils ne vont pas tarder à le regretter.

— Si ça vous est utile, je peux vous décrire leur stratégie défensive. Je peux vous indiquer leurs positions…

Ils n'avaient aucune stratégie défensive, mais Leo croyait prudent de prouver sa bonne volonté. Le directeur secoua la tête :

— Ce ne sera pas nécessaire.

Il jeta un coup d'œil à sa montre.

— Suivez-moi.

Leo n'avait pas le choix. Il s'exécuta.

Au sortir de la tente, Abel Prezent contempla le ciel. Leo l'imita. Rien en vue. Quelques instants plus tard, il entendit un vrombissement.

— Il n'a jamais été question de négocier, expliqua Prezent. On risque l'anarchie si on satisfait leurs revendications. Chaque camp ferait sa propre révolution. Quoi qu'on en dise à Moscou, nous ne pouvons pas nous permettre la moindre indulgence.

Le vrombissement s'intensifia jusqu'à ce qu'un avion apparaisse au-dessus du plateau, les chiffres peints sur sa carlingue bien visibles lorsqu'il passa au-dessus d'eux, poursuivant sa route vers le goulag 57. C'était un Tupolev Tu-4, un bombardier déjà ancien, inspiré des Superforteresses américaines : quatre moteurs à hélice, quarante mètres d'envergure et une lourde carlingue argentée. À l'approche du goulag 57, une trappe s'ouvrit. Ils allaient bombarder le camp.

Avant que Leo ait pu contester cette décision, un gros objet rectangulaire tomba dans le vide, un parachute s'ouvrant aussitôt. Le Tu-4 vira sur l'aile et reprit rapidement de l'altitude pour survoler la montagne, pendant que la bombe se balançait dans le ciel, suivant une trajectoire parfaite, guidée par son parachute vers le centre du camp. Elle disparut avant d'atterrir, le parachute se déployant sur le toit d'un baraquement. Il n'y eut ni explosion ni incendie : quelque chose n'avait pas fonctionné. La bombe n'avait pas explosé. Soulagé, Leo se tourna vers le directeur, s'attendant à le voir furieux. Au lieu de quoi celui-ci resta imperturbable.

— Ils ont réclamé à manger. On leur a envoyé une caisse contenant le genre de nourriture qu'ils n'ont pas vu depuis des années : fruits au sirop, viande, confiseries. Ils vont se goinfrer. À ceci près qu'on a ajouté un petit quelque chose...

— La nourriture est empoisonnée ? Ils la feront d'abord goûter aux gardes.

— Une toxine y est mélangée. Dans six heures ils perdront connaissance. Dans dix heures ils seront morts. Peu importe qu'ils testent la nourriture sur les gardes. Il n'y a pas de symptômes immédiats. Dans huit heures on donnera l'assaut. On injectera une antidote à nos collègues et on laissera les insurgés mourir. Même si tous les prisonniers ne touchent pas à la nourriture, la plupart se jetteront dessus, et il y aura des pertes considérables dans leurs rangs. Il faut mettre un terme à cette révolte avant que les espions de Moscou ne s'en mêlent.

Leo n'en doutait pas : c'était bien l'homme qui avait fait exécuter Timur. Il eut du mal à contenir sa colère.

— Très bon plan, dit-il.

Prezent hocha la tête, l'air satisfait de son ingéniosité.

Après avoir pris congé, Leo repassa par le centre de commandement pour rejoindre le camion. Il grimpa dans la cabine, en proie à la même indignation qu'en voyant la montre de Timur. Par la vitre brisée il jeta un coup d'œil à Abel Prezent. Il fallait partir sans attendre. C'était leur seule chance. Tout le monde n'avait d'yeux que pour l'avion. Et pourtant il ne pouvait pas laisser Prezent s'en tirer comme ça. Impossible. Il rouvrit la portière. Gueorgui le retint par le bras.

— Tu vas où ?

— J'ai quelque chose à faire.

Gueorgui hocha la tête.

— Il faut partir maintenant, pendant qu'ils ont l'esprit occupé.

— Je n'en ai pas pour longtemps.

— Qu'est-ce que tu veux faire ?

— Ça me regarde.

— Nous aussi.

— Ce type a assassiné mon ami.

Leo se dégagea, mais Lazare se pencha vers lui, faisant signe qu'il voulait lui parler. Leo tendit l'oreille.

— Les gens n'ont pas toujours… le châtiment qu'ils méritent…

Ces quelques paroles suffirent à calmer l'indignation de Leo. La tête basse, il accepta cette vérité. Il n'était pas venu pour se venger. Il était là pour Zoya. Timur était mort pour Zoya. Il fallait partir sur-le-champ. Abel Prezent ne paierait pas pour le meurtre de Timur.

*Même jour*

L'OMBRE DE LA MONTAGNE enveloppait le goulag 57 et s'étirait à travers le plateau jusqu'au campement militaire. Abel Prezent regarda sa montre. La toxine ne tarderait pas à faire effet : les prisonniers allaient perdre connaissance. Tout avait été minuté. À l'approche de la nuit, personne au goulag 57 ne s'étonnerait de se sentir fatigué. Avant que surgisse le moindre soupçon, les soldats donneraient l'assaut, invisibles, sectionnant les barbelés et reprenant le contrôle du camp. Les prisonniers seraient tués, sauf un petit nombre symbolique, pour éviter les accusations de massacre. La nouvelle de la réussite de l'opération se répandrait dans la région. Les autres camps recevraient le message : l'insurrection avait échoué. Le goulag était toujours là, et bien là : il n'appartenait pas au passé, mais à l'avenir, et pour longtemps.

— Excusez-moi…

Un garde échevelé se tenait devant Abel Prezent.

— J'étais dans le camion en provenance du goulag 57. Je suis un des officiers blessés qu'ils ont relâchés.

L'homme avait le bras bandé. Abel lui sourit avec condescendance :

— Pourquoi n'êtes-vous pas à l'infirmerie ?

— Je me suis mutilé moi-même pour pouvoir partir dans ce camion. Je ne suis pas grièvement blessé. Le médecin m'a déclaré apte à reprendre du service.

— Ne vous en faites pas pour vos collègues. On va bientôt aller à leur secours.

Abel allait s'éloigner. L'homme insista :

— Ce n'est pas d'eux que je voulais vous parler, mais des trois hommes qui conduisaient le camion.

*Même jour*

PENCHÉ EN AVANT, CRAMPONNÉ AU VOLANT, Leo suivait la route à la pâle lumière des phares, scrutant les ténèbres. Seule l'adrénaline le maintenait éveillé. Le voyage vers Magadan avait été rendu possible par la simplicité monotone de la descente, la traversée de l'étroite passerelle en rondins représentant l'unique obstacle. Pour la première fois, des lumières apparurent au pied des collines dominant l'immense étendue noire de la mer. L'aérodrome était tout proche, au nord du port.

Il y eut un sifflement. Devant eux, une fusée éclairante explosa sur le ciel nocturne, répandant sa lumière orange. Tirée depuis la lisière de la ville, une deuxième fusée s'éleva, puis une autre, et une autre encore : quatre étoiles phosphorescentes au-dessus de la route. Leo freina brutalement.

— Ils nous cherchent.

Il éteignit les phares. Passant la tête par la vitre brisée, il regarda derrière le camion. Au loin, plusieurs colonnes de phares serpentaient dans la montagne.

— Ils viennent des deux côtés. Je vais devoir quitter la route.

Gueorgui secoua la tête.

— Non !

— Si on reste là, ils nous trouveront en quelques minutes.

— Mais tu mettras plus longtemps en quittant la route, non ?

Gueorgui se tourna vers Lazare.

— Je ne partirai jamais de la Kolyma. Il y a longtemps que je me suis fait à cette idée.

Lazare secoua la tête, mais Gueorgui ne voulut rien entendre.

— Pour une fois, Lazare, écoute-moi. Je n'ai jamais eu l'intention de t'accompagner à Moscou. Voilà ce que je propose.

Lazare lui chuchota quelque chose à l'oreille, des paroles que, pour une fois, il n'aurait pas à répéter à voix haute : des paroles destinées à lui seul.

Une seconde salve de fusées éclairantes illumina la route, de plus en plus près d'eux. Leo descendit du camion, suivi de Lazare. Gueorgui prit le volant. Il resta quelques instants immobile à regarder Lazare par la vitre brisée avant de prendre lentement la route de Magadan. Lazare avait perdu une partie de lui-même – il avait perdu sa voix.

En pleine obscurité, Leo et lui se dirigèrent en trébuchant sur la terre gelée vers les lueurs de l'aérodrome. Gueorgui avait raison. Le sol était si accidenté que le camion serait resté bloqué au bout de quelques minutes. Les jambes de Leo se dérobaient, sous l'effet de douleurs fulgurantes. Lazare l'aidait à se relever. Se tenant par l'épaule, les deux hommes formaient une étrange équipe.

Une troisième salve de fusées s'éleva dans le ciel, quatre yeux orange de cyclope à la verticale de la route. Il y eut plusieurs rafales de mitrailleuse. Leo et Lazare se retournèrent. Le camion avait été repéré. Il accéléra vers un barrage routier, fit plusieurs embardées sous les tirs et, incontrôlable, continua brièvement sur sa lancée avant de se renverser sur le bas-côté. Les autorités ne trouveraient qu'un seul cadavre. Elles élargiraient aussitôt les recherches.

— On n'a pas beaucoup de temps devant nous, dit Leo.

À l'approche du périmètre de l'aérodrome, il s'arrêta pour étudier les modestes installations. Trois avions attendaient sur le tarmac. Le seul capable de traverser l'Union soviétique était un bimoteur, un Iliouchine Il-12.

— Marchons lentement jusqu'à l'Iliouchine, comme si de rien n'était, comme si on devait se trouver là.

Ils avancèrent en terrain découvert. Il y avait quelques mécaniciens et quelques pilotes, mais pas de patrouilles, pas d'agitation perceptible. Leo frappa à la porte de l'avion. On lui avait promis qu'il pourrait décoller dans la minute. Parce que leur évasion risquait d'être retardée, Panine lui avait assuré qu'il y aurait toujours un pilote à bord, quelle que soit l'heure.

Il frappa de nouveau, en proie à un affolement croissant au fil des secondes. La porte s'ouvrit. Un jeune homme d'une vingtaine d'années jeta un coup d'œil à l'extérieur. À l'évidence il s'était assoupi. Un vague odeur d'alcool s'échappa du poste de pilotage.

— Tu es sous les ordres de Frol Panine ? demanda Leo.

Le jeune homme se frotta les yeux.

— Exact.

— On doit partir pour Moscou.

— Vous deviez être trois.

— Il y a eu un changement. On doit partir maintenant.

Sans attendre la réponse Leo grimpa dans l'avion, aida Lazare à monter, ferma la porte. Le jeune homme semblait perplexe.

— On ne peut pas décoller.

— Pourquoi ?

— Parce que le pilote et le copilote ne sont pas là.

— Où sont-ils ?

— Ils dînent en ville. Ils peuvent être ici dans la demi-heure.

D'après les estimations de Leo, il avaient cinq minutes au plus. Il dévisagea son interlocuteur.

— Ton nom ?

— Konstantin.

— L'avion est prêt à décoller ?

— À condition d'avoir un pilote.

— Tu as combien d'heures de vol ?

— Sur cet appareil ? Aucune.

— Pourtant tu es pilote ?

— Stagiaire. J'ai piloté de plus petits avions.

— Mais pas celui-ci ?

— J'ai regardé faire le pilote et le copilote.

Il faudrait s'en contenter.

— Écoute-moi bien, Konstantin. Si on ne décolle pas immédiatement, on va se faire tuer, et toi avec. Soit on meurt sur place, soit on essaie de piloter cet avion. Je ne suis pas en train de te menacer. À toi de choisir.

Le jeune homme inspecta du regard le poste de pilotage. Leo le prit par le bras.

— Je te fais confiance. Tu en es capable. Prépare l'avion.

Leo s'installa dans le siège du copilote, face à un tableau de bord couvert de jauges et de manettes auxquelles il ne comprenait rien. Sa connaissance des avions était rudimentaire. Konstantin avait les mains tremblantes.

— Je mets les gaz.

Les hélices vrombirent et se mirent à tourner. Leo jeta un coup d'œil par la vitre du cockpit. Ils avaient attiré l'attention des gardes. Des officiers se dirigeaient vers l'appareil.

— Dépêche-toi.

L'avion s'engagea sur la piste. La radio grésilla, mais Leo l'éteignit avant que la tour de contrôle puisse s'adresser à eux. Pas besoin que le jeune pilote entende leurs menaces. Assis derrière eux, Lazare tapota l'épaule de Leo en désignant la vitre. Les soldats couraient vers l'appareil, mitraillette au poing.

— Konstantin, il faut décoller.

L'avion prit de la vitesse.

Les soldats avaient accéléré le pas et couraient le long du cockpit. Dès qu'ils furent distancés par l'avion, ils firent feu, les balles ricochant sur le fuselage. Sur le point de s'envoler vers la liberté, Leo leva les yeux. Le Tupolev Tu-4 fonçait droit sur eux.

Le jeune pilote réduisit l'allure avec un hochement de tête.

— Ne ralentis pas, dit Leo. C'est notre seule chance.

— Vous parlez d'une chance !

— Il faut décoller.

— On va se rentrer dedans ! On ne peut pas éviter le Tupolev !

— Fonce droit sur lui. Il ralentira. Vas-y !

Ils étaient presque au bout de la piste.

L'Iliouchine décolla, sa trajectoire le conduisant droit dans le Tupolev. Ou bien le bombardier interrompait sa descente, ou bien les deux avions allaient se percuter.

— Ils ne ralentissent pas ! Il faut se poser ! cria Konstantin.

Leo mit la main sur celle du jeune pilote pour maintenir la trajectoire : s'ils se posaient en catastrophe, ils se feraient abattre. Ils n'avaient rien à perdre, contrairement à l'équipage du bombardier.

Le Tupolev vira sur l'aile et reprit brutalement de l'altitude alors que Konstantin passait juste en dessous, la dérive de l'Iliouchine frôlant le ventre du Tupolev. Devant eux, pour la première fois, la voie était libre. Konstantin sourit aux anges, n'en revenant pas d'être encore vivant.

Leo quitta son siège et rejoignit Lazare à l'arrière. Magadan n'était plus qu'une constellation de lueurs dans l'immensité de la nuit. Tel était le monde où il avait exilé Lazare : un désert glacé dans lequel celui-ci venait de perdre sept ans de sa vie.

## Moscou

*Même jour*

ASSISE SUR LE LIT D'ELENA, Raïssa la regardait dormir. Depuis la visite de Fraera, les questions de la fillette se faisaient plus pressantes, comme si elle sentait que la situation avait changé. Les promesses d'un retour imminent de Zoya ne lui suffisaient plus. Elle était comme immunisée contre les propos rassurants : leur effet sur elle ne durait pas plus d'une heure, après quoi un profond sentiment de malaise l'assaillait de nouveau.

Le téléphone sonna. Raïssa se précipita pour décrocher.

— Oui ?

— Raïssa, ici Frol Panine. On est entrés en contact radio avec Leo. L'avion a décollé. Leo sera à Moscou dans moins de cinq heures. Lazare est avec lui.

— Vous avez contacté Fraera ?

— Oui, on attend les consignes pour l'échange. Vous souhaitez aller chercher Leo à l'aéroport ?

— Évidemment.

— Je vous envoie une voiture dès que son avion est en vue. On touche au but, Raïssa. Elle est presque à nous.

Raïssa raccrocha. Immobile près du téléphone, elle médita cette phrase : « Elle est presque à nous. »

Il parlait de la capture de Fraera ; Zoya comptait à peine pour lui. Malgré le pouvoir de séduction de Panine, Raïssa partageait le jugement de Leo à son sujet : il avait quelque chose de froid.

Elena attendait dans le couloir. Raïssa lui tendit la main et la fillette s'approcha. Dans la cuisine, Raïssa la fit asseoir. Elle mit du lait à chauffer sur le fourneau, le versa dans une tasse qu'elle posa devant Elena.

— Zoya revient ce soir ?

— Oui.

Satisfaite, Elena prit la tasse et but une gorgée de lait.

Il n'était plus temps de réfléchir à la proposition de Fraera. Raïssa ne croyait pas au plan de Leo. Après avoir rencontré Fraera en personne, entendu sa colère, il paraissait impossible que celle-ci rende Zoya à Leo et fasse de lui un héros. Cet échange de prisonniers lui apporterait tout ce dont Fraera était décidée à le priver : sa fille, son bonheur, sa famille réunie. Le marché ne tenait pas debout. Et Leo avait eu la naïveté d'y croire. Zoya était en danger. Leo n'était pas l'homme de la situation.

Raïssa ouvrit un tiroir et en sortit une grande bougie rouge. La plaçant sur l'appui de la fenêtre, bien visible depuis la rue en contrebas, elle l'alluma.

— Qu'est-ce que tu fais ? demanda Elena.

— J'allume une bougie pour que Zoya retrouve le chemin de la maison.

Raïssa jeta un coup d'œil au-dehors. La bougie était allumée. Le signal était donné. Elle acceptait la proposition de Fraera. Elle quittait Leo.

*Même jour*

ASSIS SUR LE QUAI EN BÉTON, Malysh écoutait l'eau des égouts s'écouler. Deux mois plus tôt, il trouvait encore un sens au monde. À présent, il était désorienté. Quelqu'un l'aimait, non pas pour son adresse à manier le couteau ni parce qu'il pouvait se rendre utile ; quelqu'un l'aimait parce que… il ne savait pas au juste. Pourquoi Zoya l'aimait-elle ? Personne ne l'avait encore jamais aimé. Ce n'était pas logique. Elle lui avait sauvé la vie sans raison valable. Alors qu'elle avait l'occasion de s'enfuir, non seulement elle n'en avait pas profité, mais elle avait risqué sa vie pour lui.

Fraera s'approcha, s'assit près de lui. Leurs jambes se balançaient dans le vide, les faisant ressembler à deux amis au bord d'une rivière, à ceci près qu'au lieu de poissons et de feuilles mortes, c'étaient les eaux usées de la ville qui coulaient à leurs pieds.

— Pourquoi tu te caches ? demanda Fraera.

Maussade, Malysh aurait préféré garder le silence, mais ne pas répondre était une insulte impardonnable.

— Je ne me sens pas bien.

À sa grande surprise, Fraera éclata de rire.

— Il y a deux mois, tu aurais tué cette fille sans hésiter.

Elle lui posa la main sur l'épaule.

— J'ai besoin de savoir si tu es prêt à m'obéir sans discuter.

— Je n'ai jamais désobéi.

— Tu n'as jamais été en désaccord avec les ordres que je t'ai donnés.

Malysh ne pouvait dire le contraire : c'était vrai, jamais il ne s'était opposé à Fraera jusqu'à aujourd'hui. Elle lui avait fait faire équipe avec Zoya pour le mettre à l'épreuve. Elle n'avait favorisé leur amitié que pour mesurer sa loyauté envers elle-même.

— Quand j'étais en prison, Malysh, j'ai entendu une histoire racontée par un détenu tchétchène. Elle vient d'une épopée narte dont le héros est Soslan le Lumineux. Les Nartes avaient pour coutume de venger non seulement les crimes commis contre eux, mais aussi contre leur famille ou leurs ancêtres, même dans un lointain passé. Les querelles pouvaient durer quatre siècles. Soslan a consacré toute sa vie à assouvir sa vengeance. Quand tu atteindras l'âge adulte, Malysh, il te faudra un nouveau surnom. J'espérais que ce serait Soslan.

Même si rien dans sa voix n'avait changé, Malysh sentit le danger. Fraera se leva.

— Viens avec moi.

Il la suivit à travers le dédale de galeries et de caves jusqu'à la cellule de Zoya. Elle déverrouilla la porte. Les ayant entendus approcher, l'adolescente était debout dans un coin. Elle interrogea Malysh du regard. Fraera la saisit par le poignet, l'entraîna vers la porte. Pris de court, Malysh ne savait s'il devait obéir ou protester. Avant qu'il ait pu se décider, Fraera claqua la porte derrière elle, l'enfermant dans la cellule.

*Même jour*

APRÈS AVOIR SURVOLÉ L'UNION SOVIÉTIQUE de la côte Pacifique jusqu'à la capitale, la jauge des réservoirs de l'Iliouchine était au plus bas. Pas question de rater l'atterrissage. Un orage menaçait : l'avion s'enfonçait dans des nuages noirs de mauvais augure. À l'arrière Lazare mastiquait des gâteaux secs du bon côté de sa mâchoire. Dans le siège du copilote Leo s'efforçait de rassurer Konstantin. L'avion amorça sa descente vers l'aéroport militaire de Stupino, à la périphérie de Moscou.

— Je devrais déjà voir les lumières ! dit Konstantin d'une voix affolée.

Au sortir de la masse nuageuse, au lieu de s'aligner au loin, les lumières surgirent en dessous de l'appareil. Ils étaient trop haut. Dans sa panique, Konstantin perdit brutalement de l'altitude, avec un angle d'approche catastrophique. Il redressa tant bien que mal l'appareil qui se posa lourdement sur la piste. Le train d'atterrissage céda sous la pression, ses tiges métalliques labourant le tarmac et déchirant la carlingue sur toute sa longueur. L'extrémité d'une aile toucha le sol et fit pivoter l'avion éventré qui sortit de la piste, ses hélices tournant dans la boue.

Sonné, le front en sang, Leo défit sa ceinture, se leva, poussa la porte du cockpit et découvrit la carlingue en partie arrachée. Lazare avait survécu, installé dans la moitié intacte. Sur son siège, le jeune pilote se mit à rire, pris de folie, poussant des rugissements hystériques et recevant en plein visage la pluie qui entrait par la vitre brisée.

Leo doutait que l'avion s'embrase : il n'avait plus de carburant, et la pluie tombait si dru qu'elle noyait les moteurs encore fumants. Pouvant sans risque abandonner le pilote à son sort, il aida Lazare à sortir de la carlingue, à enjamber le métal déchiqueté et à descendre sur ce qui restait de l'aile jusqu'au sol boueux. Des véhicules de secours foncèrent vers eux, des ambulanciers s'approchèrent. Leo les écarta d'un geste.

— On est indemnes.

Il était désormais la voix de Lazare. Frol Panine descendit de sa limousine, un garde lui ouvrant son parapluie avec une synchronisation parfaite. Il serra la main de Lazare :

— Je suis Frol Panine. Désolé de n'avoir pu adoucir votre retour à la liberté. Les actes commis par votre épouse ont rendu impossible une libération officielle. Venez, le temps presse. On parlera dans la voiture.

À l'arrière de la ZIL, Lazare contempla le cuir des sièges et les plaquages en ronce de noyer avec une fascination puérile. Il y avait un seau à glace en argent et un compotier rempli de fruits. Lazare prit une orange, la soupesa, la palpa. Panine ignora poliment son ébahissement de détenu baignant soudain dans le luxe. Il tendit à Leo un plan de Moscou.

— C'est tout ce qu'on a reçu de Fraera.

Leo étudia le plan. Au centre un crucifix était tracé à l'encre.

— Qu'y a-t-il à cet endroit ?

— On n'a rien trouvé.

La limousine s'ébranla.

— Où est Raïssa ?

— Je lui ai parlé il y a quelques heures. Une voiture devait passer la prendre. À leur arrivée, nos hommes n'ont trouvé que vos parents avec Elena. Raïssa était sortie.

Inquiet, Leo se redressa.

— Elle est censée bénéficier d'une protection policière.

— On ne peut pas protéger quelqu'un contre son gré.

— Vous ne savez pas où elle est ?

— Je suis navré.

Leo s'affala sur son siège. Pour lui, il n'y avait pas l'ombre d'un doute : Fraera était impliquée dans la disparition de Raïssa.

Il était deux heures du matin lorsqu'ils arrivèrent dans le centre de la capitale. Le contraste avec les étendues glacées de la Kolyma désorientait totalement Leo, sensation exacerbée par l'angoisse et le manque de sommeil. Sur Moskvoreskaïa Naberezhnaïa, l'avenue longeant la Moskova, ils s'arrêtèrent à l'endroit indiqué sur le plan. Le chauffeur descendit, rejoint par le garde du corps de Panine. Les deux officiers inspectèrent les lieux et regagnèrent la limousine.

— Rien à signaler !

Leo descendit à son tour. Sous la pluie battante, il fut trempé jusqu'aux os en quelques secondes. La rue était déserte. La pluie se déversait dans des canalisations. Il s'accroupit. La bouche d'égout se trouvait sous la limousine.

— Avancez la voiture !

Elle fit quelques mètres, laissant apparaître une plaque de fonte. Leo la souleva, l'écarta. Les gardes l'encadraient, mitraillette au poing. Le puits était profond. Personne sur l'échelle.

Leo retourna à la voiture.

— Vous avez des torches électriques ?

Panine fit signe que oui.

— Dans le coffre.

Leo l'ouvrit, vérifia que les torches marchaient, en donna une à Lazare.

Il descendit le premier, s'agrippa aux barreaux avec des frissons, le souvenir de ses paumes à vif se mêlant à la douleur qui se réveillait dans ses genoux. Des nappes d'eau s'écoulaient dans le puits, lui éclaboussant le visage et le cou. Lazare le suivit.

— Bonne chance ! leur cria Panine.

Dès qu'ils eurent disparu, la plaque d'égout fut remise en place avec un claquement sec, arrêtant la pluie et la lumière de la rue. Plongés dans l'obscurité, les deux hommes allumèrent leurs torches avant de continuer la descente.

Au pied de l'échelle, Leo inspecta du regard la galerie principale. Elle était envahie par un torrent d'écume blanchâtre. Les fortes pluies avaient fait déborder les égouts. Au lieu de modestes rivières d'immondices, des cascades d'eau bouillonnante couraient sous la ville. Faute de savoir s'ils pouvaient s'aventurer plus avant, Leo tabla sur l'existence d'une sorte de quai. Pour vérifier cette hypothèse, il se suspendit aux barreaux, explorant du bout de sa chaussure l'espace autour de lui. Le quai, très étroit, était sous les eaux.

— Reste près du mur ! cria-t-il à Lazare pour couvrir le bruit.

Avec l'aide de Leo, le prêtre descendit de l'échelle. Adossés au mur, les deux hommes braquèrent leurs torches dans toutes les directions à la recherche d'une piste. Plus loin dans la galerie, à une centaine de mètres devant eux, il y avait une lueur.

Ils longèrent le quai vers elle, de l'eau jusqu'aux chevilles tandis que le niveau continuait de monter. Chaque pas leur demandait un effort de concentration. À quelques mètres du but, Leo distingua une lanterne fixée au-dessus de ce qui ressemblait à une porte. Grattant la mousse gluante qui recouvrait les murs, il poussa le battant. L'eau dévala un escalier en béton qui s'enfonçait sous terre. Ils se hâtèrent de fermer la porte pour faire barrage à l'eau, soulagés de laisser derrière eux ce quai et ses périls.

Dans l'escalier en colimaçon, l'air était moite. Les deux hommes descendirent en silence, l'écho de leur respiration se répercutant à l'intérieur de la cave. Au bout d'une cinquantaine de pas, ils tombèrent sur une autre porte, en métal. Leo la poussa de toutes ses forces, faisant grincer les charnières. Il n'y avait ni odeur d'égouts ni bruit d'eau, seulement le silence. Il se tourna vers Lazare :

— Reste là.

Il s'engagea dans cette nouvelle galerie, l'explora à la lumière de sa torche. Les murs étaient secs. Son pied heurta un rail métallique : ils se trouvaient dans un tunnel du métro.

Telle une aurore souterraine, une douce lumière jaune apparut. Elle émanait de la flamme vacillante d'une vieille lanterne de mineur tenue par un homme. Il était seul, avait une musculature monstrueuse, les mains et le cou recouverts de tatouages.

— Restez où vous êtes.

Le *vory* fouilla Leo et Lazare. Quand il eut terminé, il verrouilla la porte d'acier communiquant avec les égouts et fit demi-tour pour indiquer la direction qu'ils allaient prendre. Ils se mirent en route, Leo en tête, Lazare juste derrière et le *vory* fermant la marche.

— Cette ligne de métro ne figure sur aucune carte, expliqua-t-il. Une fois la construction terminée, les ouvriers ont été exécutés pour que son existence reste secrète. On l'appelle le *spetztunnel*, et elle va du Kremlin à Ramenkoïe, une ville souterraine située à cinquante kilomètres d'ici. Si l'Occident attaque, nos hauts dignitaires descendront ici, bien à l'abri pendant que Moscou brûlera.

Un peu plus loin il s'arrêta.

— Là.

Encore une porte d'acier dans un mur. Leo l'ouvrit, dirigeant sa torche vers l'escalier en béton, soulagé de voir qu'il montait. Le *vory* referma la porte derrière eux. Quelques instants plus tard il y eut un chuintement : la serrure avait été mise hors d'état par de l'acide. Personne ne pourrait les suivre.

Trempés de sueur, ils atteignirent la dernière marche de l'escalier. La porte ouverte donnait sur la station Taganskaïa. Exaspéré, ne sachant quelle décision prendre, Leo sortit au centre de la place Taganskaïa. Lazare désigna le fleuve à deux cents mètres d'eux. Une femme était debout au milieu du pont Bolchoï Krasnocholsky.

Leo s'élança, Lazare lui emboîtant le pas. Lorsqu'ils atteignirent la rive, le vent, qui n'était plus arrêté par les immeubles, redoubla. Sous les arches en béton du pont, la Moskova charriait ses flots tumultueux après le déluge de la nuit précédente. La femme les attendait au milieu du pont dans une parka ruisselante de pluie. De près, Leo reconnut cette parka. Elle lui appartenait.

Raïssa enleva sa capuche.

Leo courut vers elle et prit ses mains dans les siennes, envahi par des émotions contradictoires, mélange de soulagement et d'inquiétude. Raïssa se dégagea de son étreinte.

— Pourquoi ne m'as-tu rien dit à propos de Zoya ? Elle a voulu te tuer avec un couteau. Tu m'as affirmé qu'il n'y avait rien. Sur un sujet pareil, tu m'as menti ? Et la promesse qu'on s'était faite ? Plus de mensonges ! Plus de secrets ! Tu avais promis, Leo !

— J'ai paniqué, Raïssa. Je voulais arranger les choses avant de t'en parler. À ton retour de l'hôpital, je préparais mon départ pour la Kolyma. Tu étais encore trop faible.

— Non je n'étais pas faible. C'est toi qui l'as été ! Il n'est plus question de jouer les héros. Il s'agit de trouver la meilleure solution pour Elena et Zoya. J'ai rencontré Fraera. Elle est venue me voir. Elle n'a aucune intention de te rendre Zoya. Elle ne cédera jamais.

Sur la rive sud les phares d'une voiture apparurent, leurs faisceaux de lumière voilés par la pluie torrentielle. Le véhicule accéléra dans leur direction, obligeant Leo à se protéger les yeux de son bras, puis s'immobilisa. Les portières s'ouvrirent. Le conducteur était un *vory*. Du côté passager, Fraera descendit, indifférente à la pluie. Elle jeta un coup d'œil à Leo, puis à Raïssa, avant de se tourner vers Lazare, son mari.

Celui-ci s'approcha d'elle d'un pas incertain, visiblement choqué, malgré les avertissements de Leo, par la transformation physique. Ils restèrent face à face. Sans le quitter des yeux, elle lui effleura la joue, palpa sa mâchoire blessée. Il grimaça, mais ne s'écarta pas.

— Tu as souffert, dit-elle.

Leo regarda Lazare articuler tant bien que mal :

— Nous avons… un fils ?

— Il est mort. Et ta femme aussi.

Un coup de feu, un éclair : Lazare tomba à genoux en se tenant le ventre à deux mains.

Leo accourut pour l'empêcher de s'écrouler. Il avait la bouche en sang. Anéanti par cette exécution imprévisible et gratuite, Leo interpella Fraera :

— Pourquoi ?

Elle ne répondit pas, le dominant de toute sa hauteur sans offrir la moindre explication. Il contempla le corps de Lazare, inerte dans ses bras. L'homme qu'il avait trahi et secouru, l'homme qui lui avait sauvé la vie était mort. Il allongea son cadavre à même la chaussée.

Fraera saisit Leo par le col de sa chemise.

— Monte à l'avant de la voiture.

Elle braqua son arme sur Raïssa.

— Toi aussi !

Leo se leva, alla s'asseoir derrière le volant. Raïssa s'installa sur le siège du passager. Zoya se trouvait à l'arrière, pieds et poings liés. Bâillonnée, elle roulait des yeux terrifiés. Un grillage ajouté à la voiture les séparait. Dans un même élan, Leo et Raïssa s'y cramponnèrent.

— Zoya !

L'adolescente appuya le visage contre le grillage, marmonnant des appels au secours derrière son bâillon. Leurs doigts se touchèrent. Leo secoua le grillage, mais il résista.

La portière arrière s'ouvrit. Fraera se pencha, empoigna Zoya, la fit sortir de force du véhicule. Leo se retourna pour ouvrir la portière. Fermée à clé. Impossible de l'actionner de l'intérieur. Raïssa essaya de son côté, en vain. Fraera et le *vory* transportèrent Zoya jusqu'au coffre. Le *vory* prit un grand sac de jute qu'il ouvrit, tandis que Fraera y poussait Zoya.

Leo pivota et martela sa vitre à coups de talon, comme une mule. Le verre resta intact.

— Leo ! hurla Raïssa.

Il la rejoignit de son côté de la voiture, le plus proche du fleuve. Le *vory* et Fraera emportaient le sac ; Zoya tentait de leur échapper, se tortillant et se débattant en tous sens pour sauver sa peau. L'homme la gifla violemment, ce qui la neutralisa assez longtemps pour qu'il puisse l'enfermer dans le sac lesté de pierres. À eux deux, ils hissèrent Zoya, sans connaissance, sur le parapet. Le nez écrasé contre la vitre, Leo vit le sac basculer dans le fleuve.

Accroupie sur le capot de la voiture, le visage au ras du pare-brise, une lueur de jubilation dans les yeux, Fraera savourait leur douleur avec la gourmandise d'un chat en train de laper de la crème. Fou de rage, Leo se déchaîna contre le pare-brise avec ses poings nus, en pure perte. Fraera le regarda avec satisfaction, puis descendit d'un bond et grimpa à l'arrière d'une moto. Leo n'avait même pas remarqué les deux engins venus se garer près d'eux.

Prisonnier de la voiture, il donna un coup de pied dans le tableau de bord pour dénuder les circuits. Il mit deux fils en contact, démarra, et accéléra à fond comme pour se lancer à la poursuite de Fraera.

— Leo ! Zoya ! cria Raïssa.

Il ne poursuivait pas Fraera. Il prit de la vitesse, obliqua brutalement à gauche et percuta le parapet, arrachant toute l'aile.

Indifférent au moteur fumant, aux roues qui tournaient à vide, Leo contempla sa femme. Malgré des coupures au visage, elle avait déjà bondi de son siège et sortait du côté de l'aile arrachée. Il la suivit en titubant, atteignit l'endroit où leur fille avait basculé dans le fleuve.

Raïssa sauta la première. Il la vit s'enfoncer tandis qu'il sautait à son tour. Sous l'eau, la force du courant l'aspira. Il lutta contre l'envie de remonter à la surface et se laissa entraîner vers le fond, où Zoya devait reposer. Ignorant la profondeur, les poumons en feu, il nageait toujours plus vite, toujours plus profond. Il sentit sous ses mains une épaisse couche de vase. Il regarda autour de lui sans rien voir, l'eau était noire comme de l'encre. Toujours porté par le courant, il tenta d'explorer le fleuve, tourna plusieurs fois sur lui-même, en vain : il ne voyait absolument rien. Obligé de remonter à la surface pour respirer, il jeta un coup d'œil autour de lui. Le pont était déjà loin derrière lui.

Leo prit une profonde inspiration, se préparant à plonger de nouveau. Il entendit la voix de Raïssa :

— Zoya !

C'était un cri de désespoir.

# CINQ MOIS PLUS TARD

# Moscou

*20 octobre*

FILIPP ROMPIT LE PAIN, étudia la façon dont la pâte encore tiède se détachait, testa brièvement son élasticité avant de la diviser en plusieurs morceaux. Il en prit un, le posa sur sa langue, mastiqua lentement. Ce pain était parfait, donc toute la fournée l'était aussi. Il aurait voulu se goinfrer, tartiner cette mie d'une épaisse couche de beurre qui fondrait lentement. Il lui était toutefois impossible d'avaler même la plus modeste bouchée. Penché au-dessus de la poubelle, il cracha la petite boule de pâte collante. Ce gaspillage le navrait, mais il n'avait pas le choix. Il avait beau être l'un des meilleurs boulangers de la capitale, à quarante-sept ans il ne pouvait absorber que des liquides. Depuis dix ans il souffrait d'ulcères incurables, la muqueuse de l'estomac constellée de cratères creusés par les sécrétions acides – cicatrices cachées du règne de Staline, des longues nuits d'insomnie où il se demandait s'il n'avait pas été trop sévère avec les hommes et les femmes travaillant sous ses ordres. C'était un perfectionniste. À la moindre erreur, il se mettait en colère. Des ouvriers mécontents avaient dénoncé dans un rapport sa tendance bourgeoise à l'élitisme. Aujourd'hui encore, ce souvenir réveillait ses ulcères. Il alla vers la table, prépara son pansement gastrique, but d'un trait la solution blanchâtre au goût infect en se répétant que ses craintes appartenaient au passé. On n'arrêtait plus les gens en pleine nuit. Sa famille était en sécurité et lui-même n'avait jamais dénoncé personne. Il avait la conscience tranquille, et en avait payé le prix. Tout bien considéré, même pour un boulanger et un amateur de bonne chère, ce n'était pas trop cher payé.

Le pansement apaisa la douleur et il s'en voulut de ressasser le passé. L'avenir était radieux. L'État reconnaissait ses talents, la boulangerie allait s'agrandir, occuper tout le bâtiment. Jusqu'alors il avait dû se contenter de deux étages, le troisième abritant une usine de boutons – en fait une officine secrète du gouvernement. Il avait trouvé absurde de l'installer au-dessus d'une boulangerie : les pièces étaient blanches de farine, l'air desséché par la chaleur des fours à pain. À vrai dire, s'il espérait voir partir les gens qui travaillaient là, ce n'était pas seulement parce qu'il avait besoin d'espace. Il ne les avait jamais aimés. Leur uniforme et leur visage fermé aggravaient ses douleurs.

Dans l'escalier de l'immeuble, il leva les yeux vers le troisième étage. Les précédents occupants venaient de passer deux jours à déménager des armoires métalliques et du mobilier de bureau. Arrivé sur le palier, Filipp s'arrêta devant la porte, nota la présence de nombreux verrous. Il tourna la poignée. La porte s'ouvrit. Il inspecta du regard l'immense espace plongé dans la pénombre. Toutes les pièces étaient désertes. Avec une témérité inhabituelle, il pénétra dans ses nouveaux locaux. Cherchant l'interrupteur, il aperçut un homme affalé contre le mur du fond.

Aveuglé par l'ampoule au-dessus de lui, Leo se redressa. Il reconnut le boulanger, un homme maigre comme une lame de couteau. La gorge sèche, il se mit à tousser et se leva d'un bond, secoua ses vêtements poussiéreux en contemplant les bureaux vides de sa brigade. Tous les dossiers secrets, toutes les preuves des crimes élucidés par Timur et lui avaient disparu. On était en train de les incinérer, de détruire toute trace du travail effectué ces trois dernières années. Le boulanger, dont il ignorait le nom restait planté là, avec l'air gêné d'un citoyen compatissant aux malheurs de son prochain.

— Voilà trois ans qu'on se croise dans l'escalier, dit Leo, et je ne vous ai jamais demandé comment vous vous appelez. J'avais peur de vous…

— De m'inquiéter ?

— Ç'aurait été le cas ?

— Honnêtement, oui.

— Je suis Leo.

Le boulanger échangea une poignée de main avec lui.

— Et moi Filipp. En trois ans je ne vous ai même pas offert un seul pain.

Quittant pour la dernière fois les bureaux de sa brigade, Leo y lança un ultime regard avant de refermer la porte. Avec une désagréable sensation de vertige, il suivit Filipp au rez-de-chaussée où ce dernier lui remit un pain rond tout chaud, à la croûte dorée. Il le rompit, mordit dedans. Filipp guettait sa réaction. Comprenant qu'il devait donner son opinion, Leo finit sa bouchée.

— C'est le meilleur pain que j'aie jamais mangé.

Et c'était vrai. Filipp sourit.

— Vous faisiez quoi, là-haut ? Pourquoi tous ces secrets ?

Sans laisser à Leo le temps de répondre, il se ravisa :

— Laissez tomber. Je me mêle de ce qui ne me regarde pas.

La bouche pleine, Leo ignora cette remarque.

— Je dirigeais une division spéciale de la milice, une brigade chargée des homicides.

Filipp garda le silence. Il ne comprenait pas.

— On enquêtait sur des meurtres, ajouta Leo.

— Vous aviez beaucoup de travail ?

Leo opina.

— Plus qu'on n'imagine.

Acceptant un second pain à emporter en plus de ce qui restait du premier, Leo se mit en route. Filipp l'appela, soucieux de terminer sur une note positive :

— L'été, on étouffe ici. Vous devez être content de déménager.

Leo baissa les yeux, étudiant les traces de pas dans la farine.

— La brigade ne déménage pas. Elle est supprimée.

— Et vous ?

Leo leva la tête.

— Je dois rejoindre le KGB.

*Même jour*

L'INSTITUT SERBSKY OCCUPAIT UN IMMEUBLE DE TAILLE MODESTE. Les balcons en fer forgé qui ornaient les fenêtres du premier étage le faisaient davantage ressembler à un hôtel particulier qu'à un hôpital. Comme chaque fois Raïssa s'immobilisa à une cinquantaine de mètres du bâtiment, se demandant si elle avait raison de venir. Elle jeta un coup d'œil à Elena qui lui tenait la main. Sa peau était d'une pâleur surnaturelle, comme si son corps devenait fantomatique. Elle avait perdu beaucoup de poids et tombait si fréquemment malade que c'était devenu une seconde nature. S'apercevant que l'écharpe de la fillette était dénouée, Raïssa se baissa pour la lui resserrer autour du cou.

— On peut rentrer chez nous. À tout moment.

Elena garda le silence, le visage impassible, comme si elle n'était plus une fillette mais sa copie en papier mâché avec des yeux en verre. À moins que ce ne soit Raïssa la copie, imitant les gestes et la tendresse d'une vraie mère.

Elle embrassa Elena sur la joue et, devant l'absence totale de réaction de celle-ci, son estomac se noua. Elle ne supportait pas cette indifférence qui avait commencé lorsqu'elle s'était agenouillée, les yeux brillants de larmes, pour murmurer à l'oreille d'Elena : « Zoya est morte. »

Alors qu'elle s'attendait à la voir éclater en sanglots, la fillette n'avait pas réagi. Cinq mois plus tard, elle ne laissait toujours rien filtrer de son chagrin.

Raïssa se releva, vérifia que la voie était libre, traversa la rue et s'approcha de l'entrée principale de l'institut. Cette visite était un geste de désespoir, mais elle-même était désespérée. L'amour ne les sauverait pas, il était insuffisant.

À l'intérieur – sol dallés et murs nus –, des infirmières en uniforme impeccable poussaient des chariots de métal remplis de camisoles de force. Il y avait des verrous aux portes, des barreaux aux fenêtres. Aucun doute là-dessus : l'institut méritait sa triste réputation de principal hôpital psychiatrique de la capitale. On y internait les dissidents pour les plonger dans le coma en leur injectant de l'insuline, ou pour leur faire subir des électrochocs. C'était un lieu improbable pour soulager la détresse d'une fillette de sept ans.

Au cours de leurs discussions, Leo avait sans cesse refusé l'idée de demander l'aide des psychiatres. Beaucoup de ceux qu'il avait arrêtés comme opposants politiques avaient été envoyés dans un *psikhushka*, un hôpital semblable à celui-ci. Même s'il ne pouvait nier qu'il existait de bons médecins au sein d'un système brutal, Leo ne croyait pas que la qualité de leurs soins puisse compenser les risques d'une consultation. Se déclarer malade équivalait à se mettre en marge de la société, ce qu'aucun parent, biologique ou adoptif, ne pouvait souhaiter pour son enfant. Et pourtant la thèse de Leo ressemblait moins à de la prudence qu'à de l'entêtement : une détermination aveugle à être celui qui guérirait les maux de sa famille alors même que celle-ci se délitait entre ses mains. Raïssa n'était pas médecin, mais elle comprenait que la maladie d'Elena était aussi grave qu'une affection physique. Elle se mourait. On ne pouvait pas se contenter d'espérer que le problème se résoudrait tout seul.

La réceptionniste leva les yeux, reconnaissant ces visiteuses qui était déjà venues plusieurs fois.

— Nous avons rendez-vous avec le docteur Stavsky.

À l'insu de Leo, Raïssa avait obtenu une première consultation avec ce médecin par l'intermédiaire de collègues et d'amis. Bien qu'il ait fait carrière en traitant des dissidents, avec tout ce que cela supposait, Stavsky croyait en la valeur de la psychiatrie au-delà de la sphère politique et désapprouvait les excès des traitements punitifs. Mû par le désir de guérir son prochain, il avait accepté d'examiner Elena sans établir de dossier à son nom. Raïssa se raccrochait à lui comme un naufragé à une planche dérivant sur l'océan. Elle n'avait pas le choix.

Le psychiatre s'accroupit devant la fillette.

— Alors, Elena, comment vas-tu ?

Silence.

— Tu n'as pas oublié mon nom ?

Toujours aucune réponse. Stavsky se releva.

— Comment s'est passée la semaine ? chuchota-t-il à l'oreille de Raïssa.

— Pas de changement, pas une parole.

Stavsky conduisit Elena vers la balance.

— Enlève tes chaussures, s'il te plaît.

Elena ne bougea pas. Raïssa s'agenouilla, retira ses chaussures à la fillette, la fit monter sur la balance. Stavsky nota le poids. Tapant sur son calepin avec son stylo, il vérifia les chiffres des semaines écoulées. Il alla ensuite s'asseoir sur son bureau. Raïssa s'approcha d'Elena pour l'aider à descendre de la balance mais, d'un geste, Stavsky lui indiqua de laisser la fillette où elle était. Ils attendirent. Elena resta immobile face au mur. Deux minutes, puis cinq, puis dix. Elle ne bougeait toujours pas. Enfin, Stavsky fit signe à Raïssa d'aider Elena à descendre.

Retenant ses larmes, Raïssa lui noua ses lacets et elle se relevait, une question sur les lèvres, quand elle vit Stavsky au téléphone. Il raccrocha, posa son calepin sur le bureau. Elle ne savait ni comment ni pourquoi, mais elle eut la certitude d'avoir été trahie. Sans lui laisser le temps d'intervenir, il prit la parole :

— Vous êtes venue demander mon aide. J'ai la conviction qu'Elena a besoin d'une surveillance constante en milieu hospitalier.

Deux infirmiers entrèrent dans la pièce, claquant la porte derrière eux comme un piège qui se refermait. Raïssa serra la fillette dans ses bras. Stavsky s'approcha lentement.

— J'ai pris des dispositions pour qu'elle soit admise dans un hôpital de Kazan. Je connais bien le personnel de cet établissement.

Raïssa secoua la tête, exprimant son incrédulité autant que son refus.

— Les choses ne dépendent plus de vous, Raïssa. La décision a été prise dans l'intérêt de cette jeune fille. Vous n'êtes pas sa mère biologique. L'État vous en a confié la garde. Il vous la retire.

— Mais, docteur…

Elle cracha la phrase suivante avec mépris :

— Vous ne me l'enlèverez pas.

Stavsky s'approcha.

— Je vais expliquer à Elena qu'elle part pour Kazan avec ces deux infirmiers, chuchota-t-il. Je vais lui dire qu'elle ne vous reverra plus. Elle ne réagira sûrement pas. Elle quittera la pièce avec ces deux inconnus sans même un regard pour vous. Si tel est le cas, accepterez-vous enfin l'idée que vous ne pouvez plus rien pour elle ?

— Je refuse ce test.

Sans tenir compte de la réponse de Raïssa, Stavsky s'accroupit, parlant le plus lentement et le plus clairement possible :

— Elena, on va t'emmener dans un très bon hôpital. Là-bas on essaiera de te soigner. Il se peut que tu ne revoies plus jamais Raïssa. Je veillerai toutefois à ce que tu sois bien traitée. Ces messieurs vont t'aider. Si tu ne souhaites pas partir, si tu préfères rester là avec Raïssa, il suffit de nous le dire. Il te suffit de dire « Non ». Elena ? Tu m'entends ? Il te suffit de dire « Non ».

Elena ne répondit pas.

*Même jour*

INESSA, LA VEUVE DE TIMUR, ouvrit la porte. Leo pénétra dans l'appartement. Après son retour de la Kolyma, il avait espéré durant plusieurs mois voir Timur sortir de la cuisine, expliquant qu'il n'avait pas été tué, qu'il avait survécu et trouvé un moyen de rentrer chez lui. Impossible d'imaginer cet appartement sans lui. C'est là qu'il avait été le plus heureux, entouré de sa famille. L'attribution des logements obéissait toutefois à des règles impitoyables. Selon les calculs des autorités, la mort de Timur signifiait objectivement que la famille avait besoin de moins d'espace. En outre, cet appartement moderne était un avantage lié à sa fonction. Inessa travaillait dans une usine textile, et ses collègues devaient se contenter d'un cadre de vie beaucoup plus modeste. Leo avait fait jouer son *blat*, son influence, pour maintenir la famille dans ce logement, sollicitant même l'intervention de Frol Panine. Se sentant peut-être responsable de la mort de Timur, ce dernier avait accepté. Pourtant, à la surprise de Leo, Inessa était tentée de déménager. Chaque pièce lui rappelait son mari. Elle se sentait tellement oppressée, tellement triste qu'elle arrivait à peine à faire les gestes du quotidien. Il avait fallu que Leo lui montre l'immeuble où elle serait relogée – une seule pièce, salle de bains et toilettes communes, cloisons en carton-pâte – pour qu'elle se rende à ses arguments, mais uniquement à cause de ses deux fils. Seule, elle aurait déménagé le jour même.

Leo la serra dans ses bras. Se libérant de son étreinte, elle accepta le pain qu'il lui offrait.

— D'où vient-il ?

— De la boulangerie installée sous nos locaux.

— Timur n'en rapportait jamais.

— Les gens qui y travaillent avaient trop peur de nous adresser la parole.

— Mais plus maintenant ?

— Non.

La tristesse assombrit le visage d'Inessa. La brigade des homicides avait également été l'œuvre de Timur. Elle avait disparu elle aussi.

Les deux fils d'Inessa, Efim, dix ans, et Vadim, huit ans, accoururent de leur chambre pour saluer Leo. Même si Timur était mort au service de Leo, les deux jeunes garçons n'en tenaient pas rigueur à ce dernier. Au contraire, ils se réjouissaient de ses visites. Ils connaissaient l'amitié qui unissait Leo à leur père. Malgré tout, Leo avait conscience que cet attachement était fragile, qu'un jour il se briserait. Ils ne savaient pas encore en détail ce qui s'était passé. Ils ignoraient que Timur était mort en essayant de réparer les torts passés de Leo.

Inessa ébouriffa les cheveux d'Efim, qui énumérait avec enthousiasme ses résultats scolaires et ses performances sportives. En tant que fils aîné, il recevrait la montre de son père le jour de ses dix-huit ans. Leo avait remplacé le verre fêlé et le mécanisme intérieur, gardant précieusement les anciens, incapable de les jeter, les sortant à l'occasion pour les sentir au creux de sa paume. Inessa n'avait pas encore choisi quelle version des origines de cette montre elle donnerait à Efim. Mentirait-elle pour la présenter comme un objet de valeur transmis de génération en génération ? La décision pouvait attendre.

— Vous dînez avec nous ? demanda-t-elle à Leo.

Leo se sentait bien dans cet appartement, mais il secoua la tête.

— Il faut que je rentre.

De retour chez lui, il découvrit qu'Elena et Raïssa n'étaient pas là. Les officiers assurant la surveillance de l'immeuble expliquèrent que Raïssa avait conduit la fillette à l'école comme d'habitude et qu'ils n'avaient rien remarqué d'inhabituel. Ignorant tout des projets de son épouse, il ne voyait pas ce qu'elle pouvait faire dehors avec Elena à cette heure tardive. Aucun vêtement ne manquait, aucune valise. Il appela ses parents, qui ne savaient rien. Il ne croyait pas que Fraera soit impliquée. Le meurtre de Zoya avait été sa dernière vengeance contre des fonctionnaires de la police secrète. Après cinq mois d'absence, il doutait qu'elle réapparaisse. Inutile : elle avait infligé à Leo la blessure qu'elle souhaitait.

Entendant des pas approcher, il se rua dans le couloir, ouvrit tout grand la porte. Raïssa avança en titubant, se retint au chambranle comme si elle était soûle. Il la prit par la taille pour la soutenir, inspecta le couloir du regard. Personne.

— Où est Elena ?

— Elle est... partie.

Raïssa avait la tête basse, les yeux dans le vague. Leo la conduisit dans la salle de bains, la mit sous la douche, fit couler l'eau froide.

— Pourquoi es-tu ivre ?

Réveillée par l'eau froide, elle hoqueta :

— Pas ivre... droguée.

Leo ferma le robinet, écarta les cheveux de Raïssa de son visage, la fit asseoir sur le rebord de la baignoire. Ses yeux injectés de sang ne se fermaient plus tout seuls. Elle contempla les flaques d'eau qui se formaient à ses pieds. Elle n'avait plus la voix pâteuse.

— Je savais que tu ne serais pas d'accord.

— Tu l'as emmenée voir un psychiatre ?

— Quand quelqu'un que tu aimes est malade, Leo, tu cherches de l'aide. Il avait dit que ça resterait entre nous, qu'il n'y aurait pas de dossier au nom d'Elena.

— Où ça ?

— À l'institut Serbsky.

Ce nom laissa Leo sans voix. La plupart des hommes et des femmes qu'il avait arrêtés y avaient été traités. Raïssa fondit en larmes.

— Il l'a envoyée dans un autre hôpital, Leo.

La stupeur de son mari fit place à la colère.

— Comment s'appelle ce médecin ?

Raïssa secoua la tête.

— Tu ne peux rien pour elle, Leo.

— Comment s'appelle-t-il ?

— Tu ne peux rien pour elle !

Leo avait levé la main, prêt à gifler Raïssa. En un éclair il canalisa sa colère, arracha le miroir fixé au mur et le jeta de toutes ses forces dans le lavabo. Des éclats de verre lui entaillèrent la peau et il se mit à saigner, de minces lignes rouges autour des poignets, le long des bras. Il s'écroula au milieu des débris ensanglantés.

Prenant une serviette-éponge, Raïssa s'assit près de lui et tamponna sa main blessée.

— Tu crois que je n'ai pas résisté ? Que je n'ai pas essayé de les empêcher de l'emmener ? Ils m'ont injecté un sédatif. À mon réveil, Elena avait disparu.

Leo tournait et retournait ce dernier développement dans sa tête. La défaite était complète. Tous ses espoirs de fonder une famille étaient anéantis. Il n'avait pas pu sauver Zoya, ni su convaincre Elena que la vie valait la peine d'être vécue. Trois années de confiance et d'honnêteté entre Raïssa et lui venaient d'être balayées. Il lui avait menti, et ce mensonge ne s'effacerait jamais, à cause des catastrophes qui en avaient résulté. Il n'en voulait pas à Raïssa d'avoir accepté la proposition de Fraera, d'avoir accepté de le quitter. Elle avait affirmé que c'était une décision purement tactique, prise en désespoir de cause pour sauver Zoya. Elle avait voulu défendre elle-même le bonheur de ses filles. Son unique erreur était d'avoir trop attendu.

Ces trois ans de faux-semblants touchaient à leur terme. Il n'était ni un bon père ni un bon mari, et encore moins un héros. Il allait rejoindre le KGB. Raïssa le quitterait. Comment pourrait-elle faire autrement ? Plus rien ne les rattachait l'un à l'autre qu'un sentiment de perte. Jour après jour il avait compris que Fraera ne se trompait pas sur lui : il était un fonctionnaire du régime. Il avait changé, mais voilà qu'il revenait en arrière.

— À un moment, j'ai cru que nous avions une chance de nous en sortir, fit-il observer.

— Moi aussi, soupira Raïssa.

*Même jour*

LEO SE DEMANDAIT combien de temps avait pu s'écouler. Ils n'avaient pas bougé : Raïssa et lui étaient toujours assis côte à côte à même le sol, adossés à la baignoire, avec le robinet qui gouttait en bruit de fond. Alors qu'il avait entendu la porte d'entrée s'ouvrir, il n'arrivait pas à se relever. Sans doute inquiets à cause de son coup de téléphone, ses parents avaient fait le trajet. Ils contemplèrent en silence la pièce, le sang, le miroir brisé.

— Que s'est-il passé ?

Raïssa étreignit la main de Leo.

— Ils ont pris Elena, répondit-il.

Stepan et Anna se turent. Stepan aida sa fille à se relever, l'enveloppa dans une serviette-éponge, la conduisit dans la cuisine. Anna emmena Leo dans la chambre à coucher, examina sa main blessée. Elle lui fit un pansement comme lorsqu'il était enfant et qu'il faisait une chute. Puis elle s'assit près de lui. Il l'embrassa sur la joue, se releva, alla dans la cuisine et tendit la main à Raïssa.

— J'ai besoin de ton aide.

Frol Panine, l'allié le plus influent de Leo, était injoignable, en déplacement hors de la capitale. Même s'ils n'étaient pas amis, trois ans auparavant le major Grachev avait soutenu la proposition de Leo de créer une brigade criminelle autonome. Les deux premières années, il avait été le supérieur direct de Leo, avant de céder la place à Panine. Depuis, Leo ne le voyait plus qu'épisodiquement. Ardent défenseur du changement, Grachev croyait que l'on ne pouvait gouverner sans s'amender, sans reconnaître les erreurs du régime et chercher à les corriger, avec modération.

Accompagné de Raïssa, Leo frappa à la porte de l'appartement du major, inspectant machinalement du regard le couloir de l'immeuble. Il était tard, mais ils ne pouvaient attendre jusqu'au matin, redoutant le sentiment d'impuissance oppressant qu'ils retrouveraient s'ils relâchaient leurs efforts. La porte s'ouvrit. Habitué à voir le major dans un uniforme impeccable, Leo fut stupéfait de le découvrir en tenue négligée, les cheveux en désordre, entouré de verres couverts de traces de doigts. D'ordinaire distant et réservé, il l'embrassa chaleureusement, comme s'il retrouvait un frère depuis longtemps perdu de vue. Il s'inclina devant Raïssa en signe de bienvenue.

— Entrez donc !

Le sol était jonché de cartons, d'objets emballés.

— Vous déménagez ? demanda Leo.

Grachev secoua la tête.

— On m'oblige à déménager. Loin de la capitale. Honnêtement, je ne peux même pas vous dire où. Ils m'ont donné le nom, mais je n'ai jamais entendu parler de cet endroit. Quelque part dans le Nord, je crois, une ville septentrionale, froide et sombre, pour rendre le message encore plus clair.

Ses phrases se bousculaient. Leo tentait de suivre.

— Quel message ?

— Le fait que je n'ai plus les faveurs du régime, que je ne suis plus l'homme de la situation – d'aucune situation, d'ailleurs, autre que d'avoir un petit bureau dans une petite ville. Vous connaissez ce genre de punition, Leo, non ? Et Raïssa aussi. L'exil. Vous l'avez subi tous les deux.

— Où est votre épouse ? s'enquit Raïssa.

— Elle m'a quitté.

Devançant d'éventuelles paroles compatissantes, il précisa :

— Une séparation d'un commun accord. Nous avons un fils. Il a des ambitions. Ma mutation détruirait son avenir. Il faut être pragmatique.

Il enfonça les mains dans ses poches.

— Si vous êtes venus me demander de l'aide, j'ai bien peur que mon influence ne soit plus ce qu'elle était.

Raïssa consulta Leo du regard, pour savoir s'il valait la peine d'expliquer leur situation. Grachev surprit cet échange.

— Même si je ne peux pas vous aider, dites-moi tout, au moins à titre de conversation entre amis.

Gênée, Raïssa rougit.

— Je suis désolée.

— Ne vous inquiétez pas.

Elle expliqua rapidement :

— Elena, notre fille adoptive, nous a été enlevée pour être internée dans un hôpital psychiatrique de Kazan. Elle ne s'est jamais remise du meurtre de sa sœur. J'avais réussi à obtenir pour elle des rendez-vous avec un psychiatre, qui devaient rester confidentiels.

Grachev hocha la tête.

— Rien n'est jamais confidentiel.

Raïssa se crispa.

— Ce médecin avait promis de ne garder aucune trace de ces consultations. Je l'ai cru. Lorsqu'elle n'a pas répondu au traitement…

— Il l'a internée pour se protéger ?

Raïssa confirma d'un geste. Après réflexion, Grachev ajouta :

— J'ai bien peur qu'aucun d'entre nous ne se remette jamais du meurtre de Zoya.

Leo fut surpris par cette remarque.

— Aucun de nous ? Je ne comprends pas.

— Pardonnez-moi. Il est injuste de mettre sur le même plan des conséquences à grande échelle et le chagrin que vous devez éprouver.

— Quelles conséquences ?

— Inutile d'aborder le sujet dans l'immédiat. Vous êtes ici pour aider Elena…

— Non, je veux savoir, l'interrompit Leo. Quelles conséquences ?

Le major s'assit sur un carton. Il regarda Raïssa, puis Leo.

— La mort de Zoya a tout changé.

Leo le dévisagea avec perplexité.

— Le meurtre d'une adolescente pour punir un ancien officier de la police secrète, plus une bonne quinzaine d'officiers en retraite traqués, exécutés, torturés pour certains… Ces événements ont choqué nos gouvernants. Ils avaient libéré cette femme *vory* du goulag. Quel est son nom, déjà ?

— Fraera, répondirent Leo et Raïssa d'une seule voix.

— Qui d'autre avaient-ils libéré ? Des centaines de milliers de prisonniers rentrent chez eux : comment gouverner ce pays si même une fraction d'entre eux se comportent comme cette femme ? Sa vengeance va-t-elle causer une réaction en chaîne dont le point culminant sera l'effondrement de la loi et de l'ordre ? Il peut y avoir une nouvelle guerre civile. L'Union soviétique sera déchirée. C'est la crainte du moment. Des mesures ont été prises pour empêcher que ça n'arrive.

— Quelles mesures ?

— Une atmosphère de permissivité s'est insinuée dans notre société. Vous saviez que certains auteurs publiaient des textes satiriques ? Dudintsev a même écrit un roman intitulé *L'homme ne vit pas seulement de pain*. L'État et les autorités sont ouvertement raillés par écrit. Quelle sera la prochaine étape ? On autorise les gens à critiquer. On les autorise à contester les règles, à se venger. Le pouvoir, autrefois si fort, semble soudain fragile.

— Il y a eu des répercussions similaires dans tout le pays ?

— Quand je parlais de conséquences à grande échelle, je ne faisais pas seulement allusion aux incidents à l'intérieur de nos frontières. Il y a des répercussions dans tous les territoires de notre bloc. Regardez ce qui est arrivé en Pologne. Le rapport Khrouchtchev a provoqué des émeutes. Des sentiments antisoviétiques se développent dans toute l'Europe de l'Est, en Hongrie, en Tchécoslovaquie, en Yougoslavie…

Leo n'en revenait pas.

— Ce rapport a voyagé ?

— Les Américains l'ont. Ils l'ont publié dans leurs journaux. C'est devenu une arme contre nous. Certains pensent que nous nous sommes infligé un coup terrible à nous-mêmes. Comment poursuivre la révolution mondiale si nous avouons avoir commis des actes aussi barbares contre notre propre peuple ? Qui voudra se rallier à notre cause ? Qui voudra être de nos camarades ?

Le major s'interrompit pour éponger la sueur qui perlait sur son front. Leo et Raïssa étaient accroupis à ses pieds, tels deux enfants captivés par une histoire.

— Après le meurtre de Zoya, reprit-il, tous ceux qui avaient réclamé des réformes, et moi le premier, ont été réduits au silence. Même Khrouchtchev a été obligé de retirer la plupart des critiques qu'il avait formulées.

— Je l'ignorais.

— Vous aviez trop de chagrin, Leo. Vous pleuriez votre fille. Vous pleuriez votre ami. Vous ne faisiez pas attention au monde qui vous entourait. Pendant ce temps-là, le rapport a été révisé.

— Comment ça ?

— La référence aux exécutions sommaires a été supprimée. Ce nouveau document a été publié un mois après la mort de Zoya. Je ne prétends pas que la vengeance de Fraera ait été l'unique facteur déclenchant. Mais tous ces meurtres ont joué un rôle important. Ils ont donné raison aux traditionalistes. Khrouchtchev n'a pas eu le choix : son rapport a été récrit par quelques membres du Comité central. Staline n'était plus un assassin : il avait seulement commis quelques erreurs. Le système n'était pas fautif. Ces quelques erreurs mineures étaient imputables à Staline, et à lui seul. C'était le Rapport secret, mais sans les secrets.

Leo méditait ces révélations.

— Ma brigade n'a pas réussi à faire cesser ces meurtres : voilà pourquoi on l'a supprimée.

— Non. Ce n'est qu'un prétexte. Ils n'ont jamais approuvé sa création. Ils m'en ont toujours voulu d'y avoir contribué. Votre brigade faisait partie de cette culture sournoise de la permissivité. Nous sommes allés trop vite, Leo. Les libertés se gagnent lentement, pas à pas : il faut se battre pour les mériter. Les forces qui désirent le changement, moi compris, ont avancé trop vite et sont allées trop loin. Nous avons fait preuve d'arrogance. Nous avons surestimé notre influence. Et celle des hommes qui veulent protéger et maintenir le pouvoir qu'ils ont toujours connu.

— J'ai reçu l'ordre de rejoindre le KGB.

— Ce serait un symbole éloquent : l'agent du MGB réformiste qui réintègre les anciennes structures du pouvoir. Ils vous utilisent. Il faut l'accepter. À votre place, Leo, je serais très prudent.

Ne croyez pas qu'ils se montreront plus indulgents que Staline. Son esprit vit toujours, pas dans la tête d'une seule personne, mais de beaucoup de gens. Il est difficile à voir, mais ne vous y trompez pas : il est bien là.

Une fois dehors, Leo prit les mains de Raïssa dans les siennes :

— Je me suis laissé aveugler.

## Datcha Blizhnya
## Kuntsevo
## 20 kilomètres à l'ouest de Moscou

*21 octobre*

C'ÉTAIT LA SECONDE VISITE DE FROL PANINE à la datcha Blizhnya, une ancienne résidence de Staline, désormais ouverte aux familles de la nomenklatura comme lieu de villégiature. Il avait été décidé de ne pas fermer la datcha, ni de la transformer en musée. Elle devait rester pleine d'enfants joueurs, de cuisinières derrière leurs fourneaux, de hauts dignitaires affalés dans les fauteuils en cuir qui grinçaient sous leur poids, tandis qu'ils prenaient un verre en faisant tinter les glaçons. À la mort de Staline, on avait découvert que le bar contenait des bouteilles emplies de thé léger à la place du whisky, d'eau en guise de vodka pour que Staline garde les idées claires pendant que la langue de ses ministres se déliait. Ce subterfuge devenu inutile, les bouteilles avait été vidées. Les temps avaient changé.

Après avoir raisonnablement fait honneur aux cinq plats du dîner, dont trois sortes de viandes saignantes, mais sans boire une seule goutte des trois vins servis en accompagnement, Frol considéra qu'il s'était acquitté de ses obligations sociales pour la journée. Il remonta l'escalier au son d'une pluie battante. Desserrant sa cravate, il pénétra dans sa suite. Une domestique couchait ses deux jeunes fils dans la chambre voisine. Sa femme se déshabillait après s'être éclipsée à la fin du repas comme c'était la coutume pour les épouses, afin de permettre aux hommes de discuter de sujets graves – une corvée, puisque la plupart étaient trop ivres pour aligner trois mots. Il entra dans le salon, referma la porte derrière lui avec satisfaction. La soirée était terminée. Il avait horreur de venir là, surtout avec ses enfants. Pour lui, cette datcha était un lieu où l'on perdait son âme. Malgré les enfants qui jouaient dans le parc, malgré leurs éclats de rire, impossible de chasser les fantômes du passé.

Il éteignit les lampes du salon, se dirigea vers la chambre à coucher et appela sa femme :

— Nina ?

Elle était assise au bord du lit, Leo à côté d'elle. Son pantalon trempé était taché de boue ; un pansement, trempé lui aussi, lui recouvrait la main. L'eau sale qui s'écoulait de ses vêtements formait un cercle humide sur la literie. Le calme apparent de son visage masquait une énorme violence contenue, comme une formidable colère bouillonnant derrière une mince plaque de verre.

Frol para au plus pressé :

— Et si je m'asseyais près de vous, Leo, à la place de ma femme ?

Sans laisser à son subordonné le temps de répondre, il fit signe à Nina de le rejoindre. Elle se leva avec précaution, s'approcha lentement de son mari. Leo n'essaya pas de la retenir.

— Que se passe-t-il ? souffla-t-elle à l'oreille de Frol.

Celui-ci parla assez fort pour que Leo entende la réponse :

— Tu ne le sais sans doute pas, mais Leo a subi un choc terrible. Le chagrin lui fait perdre la tête. Il peut être exécuté pour être entré sans autorisation dans une datcha. Je vais devoir me démener pour lui éviter ça.

Après un silence, il s'adressa directement à l'intéressé :

— Ma femme peut aller vérifier que nos enfants vont bien ?

Les yeux de Leo étincelèrent.

— Vos enfants sont sains et saufs. Vous devriez avoir honte de me demander ça.

— Vous avez raison, Leo. Toutes mes excuses.

— Votre femme reste ici.

— Très bien.

Nina s'assit sur une chaise dans un coin de la pièce. Frol reprit la parole :

— C'est au sujet d'Elena, j'imagine ? Vous auriez pu venir à mon bureau, prendre rendez-vous, j'aurais fait le nécessaire pour qu'on vous la rende. Je ne suis pour rien dans son internement. J'ai été consterné en apprenant la nouvelle. C'était parfaitement inutile : ce médecin a agi de sa propre initiative, croyant bien faire.

Frol s'interrompit.

— Et si on demandait quelque chose à boire ?

Leo vida ses poches.

— Je ne suis pas une menace pour vous. Je n'ai aucune arme. Il vous suffit d'appeler vos gardes du corps pour qu'ils m'arrêtent.

Nina se leva, prête à appeler à l'aide. Frol l'en dissuada d'un geste.

— Alors, Leo, vous voulez quoi ?

— Est-ce que Fraera travaillait pour vous ?

— Non.

Frol vint s'asseoir près de lui.

— On travaillait ensemble.

Leo s'attendait à ce que Frol Panine nie en bloc, mais celui-ci n'avait aucune raison de nier. Réduit à l'impuissance, Leo n'était pas mieux loti avec la vérité qu'avec des dénégations. Panine se leva, enleva sa veste, déboutonna sa chemise.

— Fraera est venue me voir. J'ignorais qui elle était. Je connaissais très mal les *vorys* de Moscou. Ils ne m'intéressaient pas. Elle est entrée par effraction dans mon appartement et m'a attendu. Elle savait tout sur vous. En prime, elle était au courant des rivalités entre les traditionalistes du Parti et les réformistes. Elle a proposé qu'on travaille ensemble, prétendant qu'on avait des intérêts commun. Elle réclamait la liberté de se venger de tous ceux qui avaient été impliqués dans son arrestation. En échange, nous pouvions exploiter cette série de meurtres pour créer un climat de peur.

— Elle ne s'inquiétait pas du sort de Lazare ?

Panine secoua la tête.

— Elle le voyait comme quelqu'un de son ancienne vie, rien de plus. Il n'était qu'un prétexte. Elle voulait vous envoyer au goulag pour vous punir, vous obliger à voir de vos propres yeux dans quel monde vous aviez expédié tant de gens. De notre côté, nous cherchions à nous débarrasser de vous. Cette brigade des homicides était la seule force d'investigation indépendante. Fraera voulait avoir les mains libres. Une fois Timur et vous éliminés, elle pourrait tuer qui elle voulait.

— Le KGB ne l'a jamais recherchée ?

— On a veillé à ce qu'ils n'arrivent jamais trop près.

— Et les officiers que vous avez nommés à la tête de la brigade en mon absence ?

— Des hommes à nous, qui faisaient ce qu'on leur disait de faire. Vous avez quand même failli empêcher le meurtre du patriarche de l'Église orthodoxe, Leo. Or ce meurtre était vital pour notre plan. Il a choqué tous les dignitaires du régime. Si vous étiez resté à Moscou, Fraera aurait été obligée de vous tuer. Pour des raisons personnelles, elle ne le souhaitait pas. Elle a préféré vous éloigner, rendre votre châtiment plus horrible encore.

— Et vous avez donné votre accord.

Panine sembla perplexe devant cette évidence.

— En effet. J'ai écarté le major Grachev, et je suis devenu votre supérieur direct pour vous aider à prendre les meilleures décisions, celles que nous souhaitions vous voir prendre. C'est moi qui ai accompli les formalités nécessaires pour vous permettre d'entrer incognito dans le goulag 57.

— Fraera et vous aviez tout manigancé ?

— On attendait le moment opportun. Quand j'ai entendu le rapport lu par Khrouchtchev, j'ai su que l'heure était venue. Il fallait agir : les réformes allaient trop loin.

Leo se leva, s'approcha de Nina. Inquiet, Panine se leva lui aussi, sur la défensive. Leo posa la main sur l'épaule de Nina :

— Ce n'est pas ainsi qu'on interrogeait nos suspects ? En présence d'un être cher, qu'on punissait s'ils ne répondaient pas comme il fallait ?

— Je réponds à toutes vos questions, Leo.

— Vous avez autorisé le meurtre d'hommes et de femmes qui avaient servi l'État ?

— La plupart étaient eux-mêmes des assassins. Dans ma position, ils auraient fait la même chose.

— Quelle position ?

— Ces réformes précipitées, plus que les crimes de Staline, représentent une menace pour notre nation, Leo. Les meurtres commandités par Fraera étaient une illustration de l'avenir. Les millions de gens auxquels nous, en tant que parti au pouvoir, avons porté préjudice se révolteraient, comme les prisonniers à bord de l'*Étoile bolchevique*, comme les détenus du goulag 57. Les mêmes scènes se répéteraient dans chaque ville, dans chaque province. Vous ne l'avez peut-être pas remarqué, Leo, mais nous sommes engagés dans une bataille silencieuse pour la survie de notre nation. La question n'est plus de savoir si Staline est allé trop loin ou non. Évidemment qu'il est allé trop loin. Mais on ne peut pas récrire l'histoire. Or notre autorité nous vient du passé. Nous devons gouverner comme nous avons toujours gouverné, avec une poigne de fer. On ne peut pas reconnaître nos erreurs en espérant que nos concitoyens nous aimeront quand même. Il y a peu de chances qu'ils nous aiment, donc autant être craints.

Leo retira sa main de l'épaule de Nina.

— Vous avez obtenu satisfaction. Le rapport Khrouchtchev a été révisé. Vous n'avez plus besoin de Fraera. Laissez-la-moi. Accordez-moi le droit de me venger comme vous le lui avez accordé. Vous ne devriez pas avoir trop de scrupules à la trahir. Vous avez trahi tout le monde.

— Je comprends que vous n'ayez aucune raison de me faire confiance, Leo. Mais je vous conseille d'oublier Fraera. Oubliez son existence. Laissez-moi faire sortir Elena de l'hôpital. Raïssa et vous pourrez aller vivre hors de Moscou, loin de tous ces mauvais souvenirs. Vous retrouverez un poste. Celui de votre choix.

Leo se tourna pour faire face à Panine.

— Elle travaille encore pour vous ?

— Oui.

— À quelles fins ?

— Ce rapport nous a affaiblis, sur le plan intérieur comme à l'étranger. Nous devons réagir par une démonstration de force.

C'est pourquoi nous préparons un soulèvement hors de nos frontières, dans un pays du bloc soviétique, soulèvement limité que nous réprimerons sans pitié. Le KGB a mis en place plusieurs cellules secrètes pour fomenter des troubles dans toute l'Europe de l'Est. L'une d'elles est dirigée par Fraera.

— Où ça ?

— Suivez mes conseils, Leo : vous ne pouvez pas gagner ce combat.

— Où est-elle ?

— Vous n'avez aucune chance contre elle.

— Et comment pourrait-elle encore me nuire ?

— Parce que Zoya est vivante, Leo.

## Bloc soviétique
## Hongrie
## Budapest

*22 octobre*

ZOYA MARCHAIT À TOUTE VITESSE vers l'Operaház où elle devait déposer sa cargaison illicite. Ses poches étaient remplies de balles, une centaine environ, chacune avec une encoche en forme de croix pour qu'elle se fragmente en pénétrant dans le corps de la victime. Malgré le froid glacial de la nuit, elle avait les joues en feu. Son manteau serré à la taille par une ceinture et son béret noir rabattu sur le front la faisaient davantage ressembler à une étudiante hongroise qu'à une orpheline russe de quatorze ans. Les paumes moites d'appréhension, elle arracha le béret de sa tête et en couvrit les balles dans sa poche pour assourdir leur tintement révélateur.

Sur le boulevard Sztálin, à proximité de l'Operaház, elle s'immobilisa quelques instants pour vérifier que personne ne la suivait. Surgi de nulle part, quelqu'un la prit par les épaules. Elle fit volte-face, se retrouva encerclée par un groupe d'hommes, sans doute des membres de la police secrète hongroise. L'un d'eux lui déposa un baiser sur la joue, lui glissa un papier dans la main. Une affiche quelconque. Ils parlaient par monosyllabes. En quatre mois à Budapest, elle n'avait appris que quelques bribes de hongrois. À en juger par leurs vêtements, c'étaient des étudiants ou des artistes, et non des officiers. Elle se détendit. Elle devait malgré tout rester sur ses gardes : s'ils découvraient qu'elle était russe, impossible de savoir comment ils réagiraient. Elle sourit d'un air gêné, dans l'espoir qu'ils la croient timide et la laissent partir. De toute façon ils ne s'intéressaient déjà plus à elle, déroulant une affiche pour la coller sur une vitrine. Zoya s'éloigna en toute hâte, pressée d'arriver à destination.

Une fois sur place, elle gravit les marches de l'Operaház et se cacha derrière une colonne de pierre, invisible depuis la rue. Elle jeta un coup d'œil à sa montre, cadeau de Fraera. En avance, elle se recroquevilla dans le noir, attendant que son contact apparaisse. C'était la première mission qu'elle accomplissait toute seule. Normalement elle faisait équipe avec Malysh – une complicité forgée cinq mois plus tôt à Moscou.

Arrachée à sa cellule ce soir-là, Zoya avait eu la certitude que Fraera allait l'exécuter pour se venger de Leo. Se préparant à mourir, comme elle l'avait déjà fait quelques jours auparavant, elle s'était aperçue combien elle tenait désormais à la vie.

« Malysh ! » s'était-elle écriée.

Fraera s'était plantée devant elle.

« Pourquoi ce prénom ?

— Parce que… je l'aime bien. »

Fraera avait souri, puis était partie d'un rire de plus en plus sonore auquel s'étaient joints les autres *vorys* présents – un chœur de ricanements méprisants. Zoya avait rougi, les joues brûlantes de honte. Vexée, elle s'était jetée sur Fraera en brandissant ses poings serrés. Celle-ci l'avait aussitôt contrée :

« Je vais te laisser une chance, une seule. Si tu échoues, je te tue. Si tu réussis, tu seras des nôtres. Malysh et toi pourrez rester ensemble. »

Conduite sur le pont Krasnocholsky, Zoya avait vu la soirée se dérouler selon les prédictions de Fraera. Leo et Raïssa attendaient sur le pont. Transpercés par la pluie, ils étaient montés à l'avant de la voiture. Séparée d'eux par un grillage, Zoya avait aperçu le visage de Raïssa, déformé par le chagrin. Là, elle avait douté, mais il était trop tard pour changer d'avis. Appuyant les mains de toutes ses forces contre le grillage, elle avait dit adieu à son ancienne vie de malheur, décision qui l'obligeait à abandonner sa petite sœur. Elle avait fait semblant de résister pendant qu'on la traînait hors de la voiture. Dès que Raïssa et Leo ne purent plus la voir, elle se laissa volontairement enfermer dans le sac : déjà dedans, Malysh l'attendait.

Tandis que le sac était hissé sur le parapet du pont, Zoya avait continué à feindre de se débattre jusqu'à ce que le *vory* la frappe avec une violence inattendue. Elle s'était évanouie. À l'intérieur du sac, Malysh avait refermé les bras sur elle pour la soutenir pendant la chute. Ainsi enlacés, ils étaient restés brièvement suspendus dans le vide avant de s'écraser à la surface du fleuve.

Le lest les avait entraînés au fond. La toile huilée leur donnait une minute d'autonomie pour respirer. Le sac avait lourdement atterri dans le lit de la rivière, projetant les deux adolescents sur le côté. À l'aveuglette, Malysh avait ouvert son couteau et entaillé la toile. Une eau glacée s'était aussitôt engouffrée à l'intérieur, remplissant le sac en une fraction de seconde. Malysh avait aidé Zoya à sortir. Main dans la main ils étaient remontés vers la surface. Gagnant la rive à la nage, ils avaient assisté à la fin de la scène, voyant Leo et Raïssa sauter dans le fleuve dans l'espoir illusoire de pouvoir sauver Zoya.

Après avoir nagé à contre-courant, Zoya et Malysh s'étaient hissés sur le quai en pierre pour atteindre le ponton en rondins. Là, ils avaient retrouvé Fraera qui écoutait avec délectation les cris désespérés de Raïssa et de Leo pleurant leur fille qu'ils croyaient morte.

Un homme attendait au pied des marches de l'Operaház. Zoya sortit de sa cachette. L'inconnu inspecta du regard le boulevard Sztálin avant de s'approcher d'elle. Elle vida ses poches pleines de balles customisées dans la sacoche de l'homme. Il sortit un pistolet, essaya de le charger. C'était le bon calibre. Il remplit le chargeur pendant que Zoya finissait le transfert. L'homme fourra son pistolet dans sa poche, remercia de la tête et redescendit aussitôt. Zoya compta jusqu'à vingt avant de rentrer chez elle.

C'était une sensation étrange de se dire qu'elle rentrait chez elle dans cette ville. Cinq mois plus tôt elle ne savait rien de la Hongrie, hormis le fait que c'était un allié loyal de l'Union soviétique, un pays frère à l'avant-garde de la révolution mondiale. Fraera avait rectifié cette propagande de salle de classe, expliquant que la Hongrie n'avait jamais eu le choix. À peine libérée du fascisme, elle s'était retrouvée sous le joug soviétique : une nation souveraine sans souveraineté. À sa tête depuis des années, Mátyás Rákosi avait été nommé par Staline et imitait servilement son maître, torturant et exécutant des citoyens ordinaires. Il avait créé l'AVH – la police secrète hongroise – sur le modèle du KGB soviétique. La langue et le cadre étaient différents, mais la terreur était la même. À la mort de Staline, le combat pour réformer le pays avait commencé, alimenté par des rêves d'indépendance. Zoya était une étrangère, un élément extérieur, mais depuis la mort de ses parents, jamais elle ne s'était autant sentie chez elle que dans ce pays adopté contre son gré, comme elle.

Soulagée d'avoir terminé sa journée et d'être débarrassée de sa cargaison de balles, elle obliqua dans l'avenue Nagymezo. À quelques mètres devant elle, un attroupement s'était formé autour des hommes sur lesquels elle était tombée un peu plus tôt : formant une pyramide humaine, ils transformaient un lampadaire en totem couvert d'affiches. Au sein du groupe une femme vit approcher Zoya. La trentaine, bien en chair et les joues écarlates, visiblement soûle, elle était enveloppée dans le drapeau hongrois comme dans un immense châle. Zoya jeta un coup d'œil au lampadaire et tira de sa poche la même affiche, l'air de dire : « Je suis au courant ! » Ce geste ne lui suffisant pas, la femme l'attira dans la foule et lui tint des propos incompréhensibles. Puis elle se mit à chanter et à danser, imitée par les autres. Tous connaissaient les paroles du chant, sauf Zoya. Elle se contenta de rire avec eux en espérant finir par se faire oublier. Soucieuse de s'éclipser avant qu'ils s'étonnent de son silence, elle tenta de se soustraire aux démonstrations d'amitié de l'inconnue. Mais le visage de celle-ci s'assombrit. Une camionnette venait de quitter l'avenue principale et fonçait droit sur eux. Elle s'arrêta dans un crissement de freins. Deux officiers de l'AVH descendirent d'un bond.

La foule serra les rangs autour du lampadaire comme pour défendre son territoire. L'un des officiers empoigna le drapeau, à présent sur les épaules de Zoya, et le brandit avec mépris. Alors seulement Zoya remarqua que la faucille et le marteau avaient été découpés en son centre, laissant un trou béant. L'officier aboyait tel un chien de garde. Zoya ne comprenait pas un mot de ce qu'il disait. Rendu furieux par son silence, il la fouilla. Il ne trouva dans ses poches que le béret noir, qu'il lui jeta au visage. Une balle restée dans les plis de l'étoffe tomba sur la chaussée.

L'officier ramassa la balle en regardant Zoya avec insistance. Sans lui laisser le temps d'ouvrir la bouche, la femme ivre se baissa pour récupérer le béret et s'en coiffa fièrement. Trop petit, il lui donnait l'air ridicule. L'officier se tourna vers elle. Malgré son ignorance du hongrois, Zoya comprit qu'il lui demandait si le béret lui appartenait. Il lui mit la balle sous le nez. « Et ça aussi ? » ajouta-t-il sans doute. Pour toute réponse elle lui cracha au visage. Tandis qu'il s'essuyait la joue, elle lança à Zoya un coup d'œil qui voulait dire : « Vas-y, cours ! »

À toutes jambes, Zoya traversa la rue en diagonale. Interrompant sa course elle se retourna, jeta un coup d'œil par-dessus son épaule, vit l'officier de l'AVH décocher un coup de poing à l'inconnue, en pleine tempe. Comme si c'était elle qui l'avait reçu, Zoya sentit ses jambes se dérober et s'écroula, s'écorchant les mains sur le bitume. Elle roula sur le dos, redressa la tête : la femme était tombée. Un homme se jeta sur l'officier. Un autre vint lui prêter main-forte. Se relevant en toute hâte, Zoya reprit sa course et s'engouffra dans une rue adjacente. Même si plus personne ne la voyait, elle continuait de courir. Elle devait trouver de l'aide. Fraera saurait que faire.

Celle-ci occupait avec ses *vorys* plusieurs appartements donnant sur une petite cour intérieure en retrait de l'avenue Rákosi. Ces appartements, auxquels on accédait par un passage étroit, étaient invisibles de l'avenue. Lorsqu'elle y arriva, Zoya cessa de courir. Personne ne la suivait. Dans le passage sans lumière, soulagée d'avoir quitté l'avenue, elle sentit une main sur son épaule. C'était Malysh. Ils s'étreignirent.

— Ça va ? demanda-t-il.

Elle secoua la tête.

Ils pénétrèrent dans la cour. Il y avait six étages d'appartements. Ceux de Fraera étaient situés à différents étages, chacun dévolu à un usage particulier. L'un d'eux abritait une petite imprimerie qui fournissait les tracts et les affiches. Dans un autre étaient entreposées les armes et les munitions. Un troisième servait de salle de réunion, de cantine et de dortoir. En y entrant,

Zoya s'étonna d'y trouver tant de monde – bien plus que d'habitude. Dans un coin de la pièce, des Hongrois, hommes et femmes, âgés d'une vingtaine d'années pour la plupart, discutaient avec véhémence. Les *vorys* s'étaient regroupés à l'autre bout. Beaucoup n'avaient pas fait le voyage de Moscou à Budapest, préférant le monde plus prévisible de la pègre moscovite. Ils ne comprenaient pas le marché que Fraera avait passé avec Panine. Ils ne se voyaient pas vivre ailleurs qu'en Russie. Seul un petit nombre de partisans inconditionnels avaient suivi Fraera, en partie par loyauté, en partie parce que à Moscou ils ne connaissaient aucun gang où l'on voudrait d'eux. Sur quatorze, ils n'étaient plus que quatre.

Debout au milieu de la pièce entre les deux groupes, Fraera suivait les discussions même quand elles se tenaient en hongrois, sensible aux gestes et aux expressions. Elle aperçut aussitôt Zoya, nota son air inquiet :

— Que s'est-il passé ?

Zoya raconta. Une lueur d'intérêt apparut dans les yeux de Fraera qui se retourna et s'adressa à son interprète, un étudiant hongrois du nom de Zsolt Polgar :

— Trouve-nous le plus grand nombre possible de drapeaux hongrois. Sur chacun d'eux découpe la faucille et le marteau, de façon à ce qu'il y ait un trou au milieu. Voilà le symbole qu'on attendait !

Fraera se moquait complètement de la femme qui avait risqué sa vie pour sauver celle de Zoya. Contrariée, l'adolescente quitta l'appartement. Elle s'appuya au balcon, où Malysh la rejoignit. Il alluma une cigarette, habitude prise pour imiter les autres *vorys*. Zoya la lui retira des lèvres, l'écrasa d'un coup de talon.

— Après, tu sens mauvais.

Elle s'en voulut de cette phrase. Certes, la fumée donnait à Malysh la même odeur que les autres *vorys*, mais elle n'avait pas voulu le blesser. Vexé, il s'éloigna en silence du balcon et partit bouder dans l'appartement. Elle devait se mettre dans la tête qu'elle ne pouvait pas lui donner des ordres comme à sa petite sœur.

Au souvenir d'Elena, elle fut submergée par le remords. Elle avait tourné et retourné sa décision dans sa tête un nombre incalculable de fois : si elle n'avait pas suivi Fraera, elle serait morte. Mais en vérité elle avait eu envie de partir, de s'enfuir, et si Fraera lui avait laissé la liberté de choisir entre l'accompagner ou retourner chez ses parents, elle aurait quand même abandonné sa petite sœur.

— Tu es fâchée ?

Elle sursauta. Fraera lui faisait face. Même si elles vivaient sous le même toit depuis cinq mois, cette dernière l'intimidait toujours autant, à la manière d'une source d'énergie plutôt que comme un être humain. Zoya se ressaisit.

— Cette femme au drapeau m'a sauvée. Elle risque de le payer de sa vie.

— Il faut t'endurcir, Zoya... Beaucoup d'innocents sont sur le point de payer de leur vie.

## *Même jour*

FRAERA DESCENDIT L'ESCALIER et quitta la cour intérieure en vérifiant que personne ne l'avait vue partir. Il faisait nuit noire. Les rues étaient désertes. Aucune trace des officiers de l'AVH décrits par Zoya. Fraera se mit en route, s'arrêtant souvent pour se retourner et s'assurer qu'elle n'était pas suivie. Elle ne faisait confiance à personne, pas même à ses partisans. Tous ces ouvriers, étudiants et représentants de divers groupuscules antisoviétiques se complaisaient dans des débats théoriques sans intérêt. L'AVH n'aurait aucun mal à les infiltrer. Trop occupés à discuter pour détecter le moindre signe suspect, ils mettraient tout le monde en danger. Bien que Fraera soit en mission pour le compte de Frol Panine, l'AVH ignorait tout de ses manigances. Si elle se faisait prendre, elle serait exécutée. Hormis les conspirateurs à Moscou, personne n'était au courant du projet de soulèvement. Si les autres dissidents découvraient qu'elle travaillait simultanément pour le régime soviétique, ils la tueraient.

Elle se baissa pour ramasser un tract dans le caniveau : la version révisée des seize points, des seize revendications pour le changement. Elles avaient été formulées la veille dans l'après-midi, lors d'un grand meeting à l'Institut technologique. Fraera, qui pouvait difficilement passer pour une étudiante, avait attendu à l'extérieur. Apprenant que le débat devait porter sur l'opportunité de quitter le DISZ – syndicat des étudiants communistes – en signe de protestation contre les dirigeants soviétiques, elle avait raillé cette frilosité, incitant les militants qu'elle connaissait à orienter la discussion vers des sujets plus audacieux. Ainsi procédait-elle depuis quatre mois, soufflant sur les braises, proposant un soutien logistique, entretenant de son mieux le mécontentement contre l'occupation soviétique. Même si la colère de la population était bien réelle, Fraera s'appliquait à la convertir en actes. Elle ne pouvait pas tout faire elle-même. Son rôle était de former des dissidents professionnels. La veille, ses efforts avaient enfin été couronnés de succès. Avec une détermination et un esprit de synthèse qui l'avaient surprise, les étudiants avaient résumé leur débat en seize points :

*Nous demandons le retrait total et immédiat des troupes soviétiques, en application des clauses du traité de paix.*

Sur les notes griffonnées à la hâte qu'on lui avait remises, cette revendication figurait en quatrième position. Fraera était aussitôt rentrée chez elle pour retranscrire ces notes, à une modification près : elle avait mis le retrait des troupes soviétiques en première position. Quelques heures plus tard, un de ses *vorys* distribuait cette version révisée, entrecoupée des extraits les plus provocateurs du rapport Khrouchtchev.

En dehors des quelques *vorys* de son ancien gang, le plus proche collaborateur de Fraera était Zsolt Polgar, un futur ingénieur qu'elle avait rencontré dans un bar révolutionnaire situé au sous-sol d'une usine. Sous ses plafonds bas, rendus invisibles par l'atmosphère enfumée, elle avait découvert des éléments prometteurs. Zsolt – fils d'un riche diplomate hongrois, promis à la fortune et à l'exercice du pouvoir s'il voulait bien s'accommoder de l'occupation soviétique – parlait couramment russe. Il était rapidement devenu le plus précieux intermédiaire de Fraera. Elle l'avait amadoué, couchait avec lui, le séduisait par le récit de ses exploits. Pour flatter ses talents, elle le présentait comme un libertaire et un révolutionnaire. En son for intérieur, elle le tenait surtout pour un jeune homme en rébellion contre son père qu'il traitait de « valet des Soviétiques ». Quels que soient ses motifs, il était courageux, idéaliste, facile à manipuler. Il avait suggéré d'organiser une manifestation de soutien aux seize revendications – initiative bienvenue. Par une étrange coïncidence, l'idée s'était répandue à travers la ville. Fraera se demandait s'il fallait y voir l'œuvre des autres cellules de Panine. En tout cas, cela signifiait que le lendemain, deux manifestations partiraient à la même heure des deux extrémités de la ville, pour se rejoindre sur la place Pálffy. La capitale avait déjà connu quelques troubles, mais sans conséquence. Fraera en était convaincue : il fallait que les gens défilent côte à côte, dans une indignation partagée, pour que la servilité se transforme en violence triomphante, telle une chrysalide devenant papillon.

Au pied de l'hôtel Astoria, à quelques centaines de mètres de son immeuble, Fraera inspecta le carrefour du regard avant de lever les yeux vers le dernier étage. Derrière la fenêtre à l'angle du bâtiment, une bougie rouge était allumée, signal discret suggéré par Fraera. En l'occurrence, il signifiait qu'elle devait monter. Contournant l'hôtel, elle entra par les cuisines désertes, grimpa au dernier étage, gagna la chambre au fond du couloir. Elle frappa. Un garde lui ouvrit, mitraillette au poing, son collègue derrière lui. Elle pénétra dans la suite, où on la fouilla avant de la laisser franchir la porte suivante. Assis à une table, Frol Panine regardait par la fenêtre comme un poète contemplatif.

Jamais Fraera n'avait eu l'intention de s'allier avec lui ni personne dans son genre. À son arrivée à Moscou, elle s'était pourtant rendue à l'évidence : à moins de se contenter de poignarder Leo dans le dos, elle aurait besoin d'aide. Budapest ne faisait pas davantage partie de ses projets. Encore une solution improvisée. En maintenant l'illusion de la mort de Zoya, elle avait atteint son objectif premier : détruire tous les espoirs de bonheur de Leo. Il avait été torturé comme elle-même l'avait été ; la perte de sa fille compensait celle de son propre fils. Il était brisé, condamné au désespoir, sans même être habité par ce sentiment d'injustice qui l'avait autrefois aidée elle-même à surmonter son chagrin. Une fois sa vengeance assouvie, elle s'était demandé ce qu'elle allait devenir. À l'évidence elle ne pouvait pas rompre avec Panine et disparaître dans la nature. Si elle ne lui était plus utile, il la ferait exécuter. Si elle lui échappait, elle vieillirait riche, vie qui ne l'intéressait pas. Apprenant les visées de Panine à l'étranger, ses tentatives pour déstabiliser le bloc soviétique, elle s'était portée volontaire avec ses hommes. Devant le scepticisme de Panine, elle avait souligné qu'elle ferait une agitatrice antisoviétique bien plus crédible que les agents loyaux du KGB.

Panine lui tendit la main, geste de pure forme qu'elle trouva absurde. Elle la serra néanmoins. Il sourit.

— J'ai pris l'avion jusqu'ici pour voir comment les choses évoluent. Voilà déjà un certain temps que nos troupes ont pris position le long de la frontière. Mais elles ne peuvent pas intervenir.

— Vous aurez votre soulèvement.

— Il doit avoir lieu maintenant. Dans un an, ce sera trop tard.

— On touche au but.

— Mes autres cellules se sont montrées bien plus efficaces. En Pologne, par exemple…

— Les émeutes que vous avez provoquées à Poznan ont été réprimées sans que Khrouchtchev perde la face. Elles n'ont pas eu l'impact que vous souhaitiez, sinon vous ne seriez pas à Budapest.

Panine acquiesça, admirant la capacité d'analyse de Fraera. Elle avait raison. Le projet de Khrouchtchev visant à réduire les forces conventionnelles n'avait pas été remis en cause. C'était le socle de sa réforme. Selon lui, l'Union soviétique n'avait plus besoin d'autant d'hommes ni de chars. Elle disposait désormais d'une force de dissuasion nucléaire ; elle expérimentait un système de missiles ne nécessitant qu'une poignée de chercheurs et d'ingénieurs.

Panine trouvait cette politique aussi dangereuse que téméraire. En plus, du fait que les missiles n'étaient pas au point, Khrouchtchev méconnaissait l'importance fondamentale de l'armée, de même qu'il s'était mépris sur l'impact de son rapport. L'armée ne servait pas uniquement à défendre l'Union soviétique contre un agresseur extérieur, mais à assurer son unité. Le ciment qui maintenait ensemble les nations du bloc soviétique n'était pas l'idéologie, mais les chars, les soldats et les avions. Ajoutées aux dégâts infligés par son rapport, les réductions proposées par Khrouchtchev mettaient la nation en péril. Panine et ses alliés demandaient non seulement que l'on conserve l'armée en l'état, mais que l'on augmente ses effectifs et ses moyens. Il fallait accroître les dépenses militaires au lieu de les réduire. Un soulèvement à Budapest, ou dans n'importe quelle capitale d'Europe de l'Est, prouverait que l'avenir de la révolution dépendait des forces militaires conventionnelles autant que de l'arsenal nucléaire. Ces millions de soldats rappelaient aux populations, à l'intérieur des frontières comme à l'extérieur, qui était le plus fort.

— Alors, quoi de neuf ? demanda Panine.

Fraera lui tendit le tract avec les seize revendications.

— Une manifestation est prévue demain.

Il parcourut la feuille.

— Que dit ce tract ?

— Il demande en premier lieu le retrait des troupes soviétiques. Au nom de la liberté.

— Avec des allusions évidentes au rapport Khrouchtchev ?

— En effet. Mais cette manifestation ne suffira pas.

— Que vous manque-t-il ?

— L'assurance que vous tirerez sur la foule.

Panine posa le tract sur la table.

— Je vais voir ce que je peux faire.

— Vous n'avez pas droit à l'erreur. Malgré tout ce que ces gens ont subi, les arrestations et les exécutions, ils ne recourront à la violence que si on les provoque. Ils ne sont pas comme…

— Comme nous ?

Prête à partir, Fraera s'arrêta devant la porte et se retourna vers Panine.

— Vous aviez autre chose à me dire ?

Il secoua la tête.

— Non, rien d'autre.

## Union soviétique
## Frontière hongroise
## Ville de Berehowe

*23 octobre*

DES PLAISANTERIES GRIVOISES FUSAIENT DANS LE TRAIN rempli de soldats soviétiques. Ils avaient été mobilisés en prévision d'un éventuel soulèvement dont ils ignoraient tout. On ne sentait ni appréhension ni nervosité, et leur jovialité contrastait avec l'humeur de Leo et de Raïssa, seuls civils à bord.

Leo avait appris la nouvelle – « Zoya est vivante » – avec un mélange de soulagement et d'angoisse. Incrédule, il avait écouté les explications de Panine : le récit des événements sur le pont Krasnocholsky, au nombre desquels l'illusion entretenue par Zoya, volontairement complice d'une femme n'ayant d'autre but que de faire souffrir Leo. Zoya était vivante. C'était un miracle, mais un miracle cruel, sans doute la plus cruelle des bonnes nouvelles que Leo ait jamais reçues.

Lorsqu'il avait à son tour fait ce récit à Raïssa, il l'avait vue passer comme lui du soulagement à l'angoisse. À genoux devant elle, il s'était confondu en excuses. Tout était sa faute. Elle était punie parce qu'elle l'aimait. Contenant son émotion, Raïssa s'était concentrée sur le déroulement des événements et ce qu'il révélait sur l'état d'esprit de Zoya. Une seule question lui venait à l'esprit : comment pourraient-ils récupérer leur fille ?

Elle n'était pas surprise que Panine les ait trahis. Elle trouvait logique que Fraera ait collaboré avec lui pour assouvir sa vengeance à Moscou. En revanche, les efforts de Panine pour provoquer un soulèvement dans un pays du bloc soviétique étaient une manœuvre politique d'un cynisme absolu : on condamnait à mort des milliers d'innocents pour consolider la position des conservateurs du Kremlin. Raïssa ne comprenait pas ce qui pouvait attirer Fraera. Elle se rangeait du côté des stalinistes qui n'avaient pas hésité à la jeter en prison ni à la priver de son enfant. Quant à la défection de Zoya – si on pouvait parler de défection à propos de son passage d'une famille atypique à une autre –, elle n'avait rien d'étonnant. Il était facile d'imaginer l'ascendant de Fraera sur une adolescente en colère.

Leo n'avait pas cherché à dissuader Raïssa de l'accompagner à Budapest, au contraire : il avait besoin d'elle. Elle serait plus à même que lui de faire entendre raison à Zoya. Elle lui avait demandé s'ils devaient se préparer à la ramener de force à Moscou, l'obligeant à envisager la possibilité d'enlever sa propre fille. Il avait confirmé de la tête.

Aucun d'eux ne parlant hongrois, Frol Panine leur avait trouvé un guide en la personne de Karoly Teglas, quarante-cinq ans. Karoly avait travaillé comme agent russe à Budapest. Hongrois de naissance, recruté par le KGB après la guerre, il avait servi sous les ordres de Rákosi, leader haï par ses concitoyens. Temporairement en poste à Moscou, il venait de conseiller Panine sur la probabilité d'une crise politique en Hongrie. Il avait accepté d'accompagner Leo et Raïssa pour leur servir de guide, d'interprète et de chauffeur à partir de la frontière.

Il revint des toilettes, s'essuya les mains sur son pantalon, s'assit en face d'eux. De son ventre bedonnant à son visage joufflu, en passant par ses lunettes cerclées de métal, il était tout en rondeurs. À première vue, il n'avait rien d'un agent secret et semblait parfaitement inoffensif.

Le train ralentit à l'approche de la ville de Berehowe, du côté soviétique de la frontière fortement défendue. Raïssa se pencha vers Karoly :

— Pourquoi Panine nous laisse-t-il aller à Budapest alors que Fraera travaille pour lui ?

Il haussa les épaules.

— Il faudrait lui poser la question. Ce n'est pas à moi de répondre. Si vous préférez faire demi-tour, à vous de décider. Je n'ai aucun pouvoir sur vos déplacements.

Jetant un coup d'œil par la vitre, il ajouta :

— Les soldats ne franchissent pas la frontière. À partir de maintenant, on se conduit comme des civils. Là où on va, les Russes ne sont pas en odeur de sainteté.

Il se tourna vers Raïssa.

— Ils ne feront aucune distinction entre votre mari et vous. Peu importe que vous soyez enseignante et lui officier. On vous haïra comme lui.

— J'ai l'habitude, répliqua Raïssa, piquée au vif par ce ton condescendant.

À la frontière, Karoly alla régler les formalités. Jetant un coup d'œil par-dessus son épaule, il vit Leo et Raïssa en grande conversation à l'arrière de la voiture qui leur avait été attribuée. Leurs efforts pour ne pas regarder dans sa direction les trahissaient : ils se demandaient jusqu'à quel point ils pouvaient lui faire confiance. Autant qu'ils se méfient. Ses ordres étaient simples : il devait retarder leur arrivée à Budapest jusqu'au début du soulèvement. Dès que Fraera aurait accompli sa mission, Leo, connu pour sa ténacité, son acharnement et ses talents de tueur, aurait le droit d'assouvir sa vengeance.

## Europe de l'Est sous contrôle soviétique
## Hongrie
## Budapest

*Même jour*

EUPHORIQUE, ZOYA NE LÂCHAIT PAS LA MAIN DE MALYSH, de peur de le perdre parmi les milliers de gens qui affluaient de toutes les rues adjacentes vers la place du Parlement. Après tant d'années passées à idéaliser la mort, certaine que c'était la seule réponse à sa solitude, elle avait envie de sauter de joie en criant, comme si elle devait des excuses au monde entier : « Je suis vivante ! »

La manifestation, qui ne se limitait plus aux étudiants et aux dissidents, dépassait toutes les prévisions. La ville entière semblait se rassembler sur cette place, chacun quittant son appartement, son bureau ou son usine, incapable de résister à l'appel de la foule qui augmentait sans cesse. Zoya comprenait la signification de ce lieu de rassemblement. Un parlement aurait dû représenter le centre du pouvoir, l'endroit où se décidait le destin d'une nation. En réalité le bâtiment n'était qu'une coquille vide, une façade majestueuse derrière laquelle se cachait le joug soviétique. Sa beauté rendait l'insulte encore plus intolérable.

Le soleil venait de se coucher, mais la nuit ne diminuait en rien l'excitation ambiante. Les gens arrivaient toujours plus nombreux, oubliant leurs habitudes de prudence, alors même que la place était déjà remplie, que les nouveaux venus rendaient la foule de plus en plus compacte. Loin d'être oppressante, l'atmosphère était chaleureuse. De parfaits inconnus se parlaient, échangeaient des plaisanteries, s'étreignaient. Jamais encore Zoya n'avait participé à un rassemblement de cette ampleur. Elle avait été obligée d'assister aux célébrations du 1er Mai à Moscou, mais là, c'était autre chose, moins en raison de l'échelle que du désordre, de l'absence d'autorité. Aucun officier montant la garde dans un coin. Aucun peloton de chars. Aucun soldat claquant des talons devant des rangées d'enfants triés sur le volet et agitant des drapeaux. Non, c'était une protestation téméraire, un acte de défiance : chacun était libre d'agir à sa guise, de chanter, d'applaudir, ou de répéter : *« Russkik haza ! Russkik haza ! Russkik haza ! »*

Des centaines de pieds marquaient en cadence ce rythme à trois temps et Zoya se joignit au mouvement, donnant des coups de poing contre un ennemi invisible, en proie à une indignation qui, du fait de sa nationalité, était absurde. *Dehors les Russes !*

Elle se moquait d'être russe. Elle se sentait chez elle parmi ces gens qui avaient souffert ce qu'elle-même avait souffert, qui comprenaient comme elle le sens du mot « oppression ».

Plus petite que les hommes et les femmes autour d'elle, elle essayait de se grandir en se mettant sur la pointe des pieds. Soudain, deux mains la saisirent par la taille et Fraera la hissa sur ses épaules, d'où elle put voir toute la place. La foule, encore plus importante qu'elle ne l'imaginait, s'étendait du Parlement jusqu'au fleuve. Les gens envahissaient les rues, les pelouses, les rails du tramway, grimpaient sur les colonnes et les statues.

Subitement, les lumières du Parlement s'éteignirent, plongeant la place dans l'obscurité, semant la confusion. Il y avait encore du courant dans les rues voisines. C'était sans doute une mesure dirigée contre eux, une tentative pour les chasser, pour briser leur résistance en utilisant l'arme de l'obscurité. Une clameur s'éleva. Zoya aperçut une torche de journal roulé. Très vite, d'autres torches de fortune apparurent. Ils allaient faire eux-mêmes de la lumière ! Fraera tendit à Zoya un exemplaire du quotidien *Un peuple libre*. Un *vory* l'enroula, enflamma une extrémité. Zoya le brandit au-dessus de sa tête, les flammes prenant des tons bleu-vert à cause de l'encre. Elle l'agita de droite à gauche, et un millier de torches lui répondirent.

Tandis que Fraera reposait à terre l'adolescente aux joues empourprées par l'émotion, celle-ci se pencha vers elle et l'embrassa sur la joue. Fraera se figea. Alors que Zoya avait les pieds sur le sol, les mains de Fraera lui enserraient toujours la taille, sans lâcher prise. Zoya retint son souffle, redoutant d'avoir commis une terrible erreur. Dans l'obscurité, elle dut attendre qu'un homme enflamme un journal près d'elle pour distinguer le visage de Fraera. À la lueur rougeoyante de la flamme, celle-ci avait la même expression que si elle venait de voir un fantôme.

Fraera sentait encore le baiser sur sa joue, telle une brûlure. Elle écarta Zoya, effleura sa joue. Elle avait eu tort de hisser l'adolescente sur ses épaules. Sans le vouloir Zoya avait ressuscité Anisya, son ancien moi d'épouse et de mère. La tendresse, l'affection, toutes les émotions qu'elle avait exorcisées revenaient subrepticement. Elle sortit son couteau, approcha la lame de son visage, se la passa sur la joue comme pour en racler toute trace de baiser. Soulagée, elle l'essuya et le rangea.

Reprenant ses esprits, elle scruta le toit des immeubles environnants, furieuse que Panine n'y ait posté aucun tireur d'élite. Zsolt Polgar suivit son regard.

— Tu cherches quoi ?

— Où est l'AVH ?

— Tu t'inquiètes pour notre sécurité ?

Fraera cacha son mépris devant tant de naïveté.

— On n'a personne contre qui se battre.

— Des étudiants veulent lire les seize revendications à la radio. Le bruit court que la direction de la station refuse. L'AVH protège le bâtiment pour qu'il reste sous contrôle soviétique.

Fraera le prit par les épaules.

— Eh bien, voilà où le combat aura lieu !

Jouant des coudes pour se frayer un passage, elle quitta cette foule paisible dont la passivité l'écœurait. À mesure qu'elle s'éloignait de la place, l'atmosphère changeait. Dans la rue conduisant au musée Nemzeti, les gens couraient en tous sens, certains effrayés, d'autres furieux, des pavés à la main. Le motif de cette agitation était la station de radio située rue Brády Sándor, à proximité du musée. Là, la manifestation pacifique du début avait dégénéré : les vitres de la station étaient brisées, le sol était jonché d'éclats de verre. Une camionnette au capot enfoncé était renversée au milieu de la chaussée, ses roues tournant dans le vide. Les portes de la station étaient hermétiquement fermées.

Zsolt questionna les hommes et les femmes autour de lui, puis revint vers Fraera, passant du hongrois au russe et baissant la voix :

— Les étudiants ont demandé à lire les seize revendications. La directrice de la station…

Fraera l'interrompit :

— Qui est-ce ?

— Elle s'appelle Benke, c'est une communiste orthodoxe, mais pas trop fine, apparemment. Elle leur refuse l'accès à la station, mais serait d'accord pour leur prêter un studio mobile. La camionnette en question est arrivée. Les étudiants ont lu leurs revendications.

Fraera avait compris.

— C'était un piège ?

— La camionnette ne retransmettait rien. Pendant ce temps, la radio continuait à diffuser les mêmes consignes demandant à chacun de rentrer chez soi et condamnant les atteintes à l'ordre public. Les étudiants ont renversé la camionnette et s'en sont servis comme bélier pour enfoncer les portes. Maintenant ils veulent prendre la station, rien de moins. Ils disent que c'est la radio nationale, qu'elle est à eux, et pas aux Soviétiques.

Fraera jeta un coup d'œil autour d'elle, évalua l'importance de la foule.

— Où est l'AVH ?

— À l'intérieur.

Elle leva les yeux. Des silhouettes apparaissaient aux fenêtres du dernier étage. Il y eut un chuintement, des panaches de fumée s'élevèrent dans la rue étroite. Les gaz lacrymogènes s'échappaient des grenades, tel le génie de la lampe soudain libéré et reprenant sa taille normale. Fraera rassembla ses hommes, vérifia que Zoya et Malysh étaient là, enjamba les barrières et battit en retraite vers le musée, pour fuir les gaz lacrymogènes qui recouvraient les pelouses d'un tapis blanc comme la brume du matin. En haut des marches du musée, ils se retournèrent. Quelques panaches blancs leur entouraient les chevilles, mais ils ne présentaient aucun danger. Canalisés par l'étroitesse de la rue, les gaz s'étaient répandus dans l'avenue principale. De ce brouillard chimique émergeaient des hommes et des femmes qui tombaient à genoux, secoués par des quintes de toux.

Lorsque le nuage se dissipa, Fraera s'approcha pour inspecter la rue déserte. Il régnait un silence de mort. La foule s'était dispersée. La bataille avait tourné court. Fraera hocha la tête. Si la soirée se passait sans incidents supplémentaires, les autorités reprendraient l'initiative, contrôleraient de nouveau la situation. Elle se dirigea vers la radio.

— Suivez-moi.

Les gaz lacrymogènes ne s'étaient pas entièrement dissous dans l'atmosphère. Incapable d'attendre, Fraera franchit les barrières, marchant au milieu de la rue, enveloppée d'un voile de fumée blanche. De la main, elle se protégea le nez et la bouche. Presque aussitôt elle se mit à tousser, mais continua sa route en titubant vers l'entrée de la station, les yeux ruisselants de larmes.

Zoya prit Malysh par le bras.

— Il faut la suivre !

Déchirant sa chemise, l'adolescent fit un masque pour lui et un autre pour Zoya. Enjambant à leur tour les barrières, ils rejoignirent Fraera dans la rue. Les derniers panaches de gaz disparaissaient par les vitres brisées, rendant l'air de la rue plus respirable et obligeant les silhouettes aux fenêtres à reculer. Lentement la foule se reconstitua autour de Zoya, Malysh et Fraera. Les *vorys* revinrent avec des barres de fer, se jetèrent sur les portes pour tenter de les défoncer.

Zoya leva les yeux. Des officiers de l'AVH étaient aux fenêtres, cette fois avec des fusils équipés de baïonnettes. Entraînant Malysh, elle se mit à courir. Ils se plaquèrent contre un mur lorsqu'ils entendirent une série de coups de feu. Dans la rue tout le monde se baissa, vérifiant qu'il n'y avait pas de blessés. Mais les balles, tirées en hauteur, étaient allées se loger dans les murs de l'immeuble d'en face : simple sommation pour faire reculer les manifestants au moment où les portes de la station s'ouvraient.

Torse bombé, les officiers de l'AVH sortirent dans la rue, fusil en joue, pour protéger le bâtiment. Ils se scindèrent en deux rangées qui se tournaient le dos, progressant vers les deux extrémités de la rue, divisant la foule. Sous la pression des baïonnettes pointées sur eux, Malysh et Zoya furent repoussés vers le musée. Zoya regarda la jeune fille à côté d'elle, âgée de dix-huit ans environ. Loin d'être effrayée, celle-ci lui adressa un sourire triomphant, glissa son bras sous le sien. Elles résisteraient ensemble. Elle interpella les officiers et les insulta. Encouragée par tant de témérité, Zoya se baissa pour ramasser une pierre grosse comme sa main, la lança, atteignit un officier à la joue. Euphorique, elle souriait encore lorsqu'il pointa son fusil sur elle.

Il y eut un éclair. Les jambes de Zoya se dérobèrent ; elle s'écroula. Le souffle court, ignorant où elle était touchée, elle roula sur le côté, jeta un coup d'œil à la jeune fille qui l'avait prise par le bras : elle venait de recevoir une balle en pleine gorge.

Les officiers avançaient toujours. Zoya était incapable de bouger. Il fallait se mettre debout avant d'être piétinée. Les officiers la tueraient. Pourtant elle ne pouvait pas abandonner l'inconnue. Soudain Fraera s'accroupit, souleva le cadavre. Malysh aida Zoya à se relever et tous deux se mirent à courir. Derrière eux les officiers interrompirent leur progression et se déployèrent dans la rue.

Fraera reposa le corps en hurlant de rage comme si elle était sa mère, comme si c'était sa fille bien-aimée. En retrait, Zoya vit des hommes et des femmes s'agenouiller près de la victime, attirés par les cris de Fraera. Son chagrin était-il feint ? Avant que Zoya puisse s'interroger davantage, Fraera se leva, dégaina son pistolet et tira sur la rangée d'officiers. C'était le signal que ses *vorys* attendaient. Postés aux deux extrémités de la rue, ils dégainèrent à leur tour et firent feu. Les officiers commencèrent à se disperser et à battre en retraite vers la station de radio, de peur que la situation devienne incontrôlable. Tels des chasseurs face à leur proie, ils se croyaient seuls à être armés. Se voyant attaqués, ils s'empressèrent de regagner la station pour se mettre à l'abri.

Zoya resta près du cadavre, ne pouvant quitter des yeux son regard sans vie. Fraera l'attira à l'écart, lui tendit un pistolet :

— Maintenant il faut se battre.

— C'est moi qui l'ai tuée, répondit Zoya.

Fraera la gifla.

— Pas de remords. De la colère et rien d'autre. Que veux-tu faire ? Pleurer comme une gamine ? Tu as passé ta vie à pleurer ! Il est temps d'agir !

Zoya saisit le pistolet et fonça vers la radio, visa les silhouettes aux fenêtres, appuya sur la détente et tira six fois de suite.

*24 octobre*

DÉJÀ L'AUBE, ET ZOYA N'AVAIT PAS DORMI. Loin d'être émoussés par la fatigue, tous ses sens étaient en éveil, ses yeux enregistrant les moindres détails de son environnement immédiat. Dans le caniveau, des centaines de tasses à café brisées ou ébréchées étaient amoncelées comme une sépulture improvisée. Devant elle, les débris d'un autodafé composé d'œuvres calcinées de Marx et Lénine volées dans les librairies. Des flocons de cendre montaient vers le ciel, en une chute de neige inversée. La rue aux pavés manquants, arrachés pour servir de projectiles, ressemblait à une mâchoire édentée. On aurait dit que la ville tout entière venait de livrer bataille, et Zoya faisait partie des combattants. Ses vêtements sentaient le brûlé. Elle avait les doigts noircis, un goût métallique dans la bouche, un tintement dans les oreilles, et sous sa chemise, plaqué contre son ventre, son pistolet.

La radio était tombée juste avant le lever du soleil ; les fenêtres crachaient encore des tourbillons de fumée. Les lourdes portes en bois avaient été défoncées. Alors que la résistance faiblissait à l'intérieur, les attaquants consolidaient leurs positions grâce à un nouvel arrivage d'armes : des fusils de l'école militaire apportés par les élèves officiers qui s'étaient joints aux tireurs. Fraera avait interdit à Malysh et à Zoya de participer à l'assaut final. Elle refusait qu'ils soient pris entre deux feux, se battent dans des couloirs enfumés dont les portes cachaient des officiers de l'AVH prêts à tout. Elle leur avait donné une étrange consigne : « Retrouvez Staline. »

Au bout de la rue Gorki Fasor qui conduisait au Varosliget, principal parc de la ville, un symbole brillait par son absence. Sur la place des Héros, l'immense statue de Staline – un colosse de bronze haut comme quatre hommes, à la moustache aussi grosse que le bras – avait disparu. Le piédestal était toujours là, mais vide. Malysh et Zoya s'approchèrent du monument mutilé dont il ne restait qu'une paire de bottes en bronze : le Généralissime avait été amputé à hauteur du genou et une tige d'acier tordue dépassait de la botte droite. La statue avait été assassinée, le cadavre volé. Sur le piédestal, deux hommes s'efforçaient de fixer dans la botte gauche un drapeau hongrois sans faucille ni marteau.

Zoya se mit à rire. Elle désigna l'emplacement vide :

— Il est mort ! Il est mort ! Ce salaud est mort !

D'un bond, Malysh vint lui plaquer la main sur la bouche. Elle protesta en russe. Les hommes sur le piédestal se retournèrent. Malysh leva le poing :

— *Russkik haza !*

Les deux inconnus acquiescèrent mécaniquement, distraits par la chute de leur drapeau.

Malysh entraîna Zoya à l'écart.

— N'oublie pas qui nous sommes, murmura-t-il.

Pour toute réponse, Zoya l'embrassa sur la bouche – un baiser rapide, spontané. Elle s'éloigna aussitôt et, sans lui laisser le temps de réagir, lui montra l'air de rien la chaussée abîmée.

— Ils ont emmené la statue par là !

Le cœur battant, elle suivit les traces laissées par le bronze sur les pavés.

— Ils ont dû la tirer avec une voiture ou un camion.

Malysh ne répondit pas. Incapable de feindre l'indifférence plus longtemps, Zoya s'arrêta.

— Tu es fâché ?

Il secoua lentement la tête. Les joues de Zoya s'empourprèrent.

Désireuse de changer de sujet, elle indiqua les traces sur les pavés :

— On fait la course. Le premier à la statue de Staline ! Un, deux, trois…

Sans attendre qu'elle donne le signal du départ, ils s'élancèrent avec un ensemble parfait.

Malysh prit la tête, mais, ne voyant plus les traces, il dut faire demi-tour pour chercher la direction prise par le cadavre de bronze. Tels des chiens d'arrêt, ils s'immobilisèrent au premier carrefour, les yeux rivés au sol, en quête d'une piste possible. Première à trouver, Zoya reprit sa course, Malysh sur ses talons. Ils se dirigèrent vers le sud et obliquèrent vers la place Blaha Lujza, immense carrefour bordé de magasins.

Un peu plus loin devant eux, ils aperçurent la statue couchée sur le ventre, aussi longue et large qu'un tramway. Ils accélérèrent l'allure. Zoya, qui s'était ménagée lorsque Malysh courait en tête, avait encore du souffle en réserve. Elle le dépassa légèrement, se pencha en avant et tendit le bras, ses doigts touchant le mollet en bronze. Hors d'haleine, sourire aux lèvres, elle jeta un coup d'œil à Malysh : il était vexé. Il avait horreur de perdre et cherchait un motif pour annuler la course.

Pour sceller sa victoire, elle grimpa sur la statue, ses chaussures plates dérapant sur les jambes de Staline jusqu'au moment où, les pieds bien calés entre les plis du manteau de métal, elle put enfin se redresser de toute sa hauteur. Le dictateur avait été grossièrement décapité. Pas à pas comme une funambule, elle longea sa colonne vertébrale. Malysh resta sur la chaussée, les mains dans les poches. Elle lui sourit, s'attendant à le voir rougir. Au lieu de quoi il lui retourna son sourire. Le cœur débordant de joie, elle fit mentalement la roue sur le dos de Staline.

Arrivée sur sa nuque de bronze, elle effleura du bout des doigts l'endroit où la tête avait été arrachée avec l'aide d'un chalumeau. Debout, les mains sur les hanches, l'air triomphant comme si elle venait de tuer un géant, Zoya inspecta la place du regard. Un attroupement s'était formé près du cours József. Lorsque la foule se dispersa, elle aperçut la tête de Staline, en équilibre instable. Il semblait regarder Zoya, incrédule devant cette humiliation. On lui avait troué le front à la racine des cheveux, d'où sortait un panneau routier : 15 KM. Le camion qui avait amené la statue dans ce quartier avait également servi à séparer la tête du corps. Les chaînes étaient encore là. Zoya redescendit sur la chaussée et jeta un coup d'œil au ventre de Staline – noir, froid et sonnant creux, comme elle s'y attendait – avant de rejoindre l'attroupement.

Malysh la rattrapa, la prit par la main.

— On rentre.

— Pas tout de suite.

Elle se dégagea, traversa la foule, alla jusqu'au visage de Staline et cracha sur son énorme œil lisse. Après avoir couru si vite, elle avait la bouche sèche et peu de salive. Tant pis. Des rires fusèrent. Satisfaite, elle s'apprêtait à partir. Mais avant d'avoir pu s'éloigner, elle fut hissée sur les cheveux de bronze. Une querelle éclata dans la foule. On interpella Zoya. Sans rien comprendre à ce qu'on lui disait, elle opina du chef. Deux hommes se précipitèrent vers le camion et parlèrent au chauffeur, pendant qu'un troisième tendait à Zoya le nouveau drapeau hongrois avec un trou au milieu. Le camion s'ébranla lentement. Les chaînes reliant l'arrière du véhicule à la tête de Staline se tendirent, la faisant pivoter comme si elle prenait vie. Zoya se cramponna au panneau routier. Tout le monde parlait en même temps : elle comprit qu'on lui demandait si tout allait bien. De nouveau elle acquiesça. Quelqu'un fit signe au chauffeur. Il accéléra. La tête géante avança brusquement, rebondissant sur les rails du tram.

Pour garder l'équilibre, Zoya se campa sur ses deux pieds, de part et d'autre des cheveux en brosse de Staline. Toujours cramponnée au panneau routier, elle prit confiance, se redressa. Apercevant le visage inquiet de Malysh, elle sourit pour le rassurer, lui fit signe d'avancer, désireuse qu'il la rejoigne, mais il resta en arrière les bras croisés, agacé par sa témérité. Ignorant sa mauvaise humeur, elle prit la pose devant la foule, bras tendu telle une impératrice sur son char. Le camion avançait au pas, tirant la tête ornée du drapeau hongrois qui traînait par terre. Zoya fit signe au chauffeur d'accélérer encore.

Il s'exécuta. Des étincelles jaillirent de la mâchoire de Staline. Les cheveux de Zoya flottaient au vent comme le drapeau à mesure que le camion prenait de la vitesse. À cet instant précis, elle devint l'emblème de leur résistance, foulant aux pieds la tête de Staline sous le nouveau drapeau entièrement déployé. Elle regarda autour d'elle, espérant lire de l'admiration dans les yeux de la foule, voir un appareil photo immortaliser ce moment.

Son public avait disparu.

À l'extrémité du cours József un tank avançait, tourelle pointée sur elle, chenilles cliquetant sur le bitume. Le camion freina. Les chaînes retombèrent mollement sur le sol. La tête géante s'immobilisa si brutalement qu'elle bascula en avant, piquant du nez et entraînant Zoya dans sa chute. Sonnée, le souffle coupé, l'adolescente resta étendue les bras en croix au milieu de la place.

Malysh lui empoigna le bras. Assise sur la chaussée, le corps endolori, elle regarda le tank foncer sur eux, à deux ou trois cents mètres au plus. Prenant appui sur Malysh, elle se releva, s'écarta en titubant. Ils se dirigèrent vers le magasin le plus proche pour y trouver refuge. Elle se retourna. Le tank fit feu : un éclair jaune, un sifflement. L'obus atterrit dans la rue derrière eux : un nuage de fumée, des jets de pierres, des flammes. Zoya et Malysh furent projetés au sol.

La tête de Staline émergea du nuage, soufflée par la déflagration, se balançant tel un boulet à l'extrémité d'une chaîne. Elle décrivit un arc de cercle et retomba vers eux, comme pour se venger de sa profanation. Zoya plaqua Malysh sur le trottoir au moment où elle les survolait, les frôlant presque de son cou déchiqueté avant de traverser la vitrine du magasin dans une pluie d'éclats de verre. Le camion la suivait, tiré par les chaînes, retourné, tournoyant sur le bitume, le chauffeur la tête en bas.

Avant que Zoya et Malysh aient eu le temps de se relever, le tank surgit de la fumée. Ils reculèrent en rampant vers la vitrine dévastée de la pharmacie. Il n'y avait pas d'endroit où aller, aucune échappatoire. Pourtant le tank ne fit pas feu. La tourelle s'ouvrit. Un soldat apparut, s'occupa de la mitrailleuse. Pétrifiés, Zoya et Malysh ne bougèrent pas. Au moment où le soldat orientait la mitrailleuse vers eux, une balle l'atteignit en pleine mâchoire. D'autres balles s'abattirent sur le tank, tirées des quatre coins de la place. Le soldat mort fut tiré à l'intérieur de l'habitacle. Avant que la tourelle ne se referme, deux hommes se ruèrent sur le tank en brandissant des cocktails Molotov. Ils les jetèrent à l'intérieur, incendiant le blindé.

Malysh entraîna Zoya.

— Il faut y aller.

Pour une fois, la jeune fille ne protesta pas.

## Europe de l'Est sous contrôle soviétique
## Hongrie
## Budapest
## Colline de Buda

*27 octobre*

L'APPARENTE NONCHALANCE DE LEUR GUIDE EXASPÉRAIT LEO. Ils progressaient lentement. Alors qu'ils avaient parcouru en deux jours les mille kilomètres jusqu'à la frontière hongroise, il leur en avait fallu trois pour couvrir les trois cents kilomètres qui les séparaient de Budapest. Seule l'annonce par la radio que des troubles venaient d'éclater dans la capitale hongroise semblait lui faire accélérer l'allure. À leurs questions, il n'avait eu d'autre réponse à offrir que la traduction des flashs d'information : « Atteintes mineures à l'ordre public causées par des groupuscules fascistes. » Impossible avec ces mots d'évaluer l'importance des manifestations. Les bulletins d'information étaient censurés et minimisaient sûrement la portée des troubles. À en juger par les appels lancés aux agitateurs pour qu'ils quittent le pays, les autorités avaient perdu le contrôle de la situation. En l'absence de nouvelles fiables, Karoly préféra contourner la capitale pour échapper aux barrages routiers de l'armée soviétique. Ils arrivèrent par le quartier résidentiel de Buda, évitant le centre-ville, les ministères, le quartier général du Parti – cibles privilégiées pour une insurrection.

Le jour se levait quand Karoly gara la voiture sur les hauteurs de Buda surplombant le centre-ville. Au pied des collines, le

Danube divisait la capitale en deux moitiés : Buda et Pest. Si le calme régnait à Buda, de la rive opposée leur parvenait le crépitement d'une fusillade. Des volutes de fumée s'élevaient au-dessus de plusieurs bâtiments.

— Les troupes soviétiques ont déjà donné l'assaut ? L'insurrection est réprimée ?

Karoly haussa les épaules.

— Je n'en sais pas plus que vous.

Raïssa se tourna vers lui.

— C'est votre pays. Votre peuple. Panine les utilise pour régler ses comptes au Kremlin. Comment pouvez-vous travailler pour lui ?

Karoly perdit son calme.

— Mon peuple ferait mieux d'oublier ses rêves de liberté. Ils vont nous faire tuer. Si cette insurrection peut nous débarrasser des agitateurs, tant mieux... Quoi que vous pensiez de moi, je souhaite seulement vivre en paix.

Abandonnant la voiture, il se mit à descendre la colline.

— Allons d'abord à mon appartement.

L'immeuble se trouvait tout près, juste en dessous du château. Ils montèrent au dernier étage.

— Vous vivez seul ? demanda Leo.

— Non, avec mon fils.

Karoly n'avait jamais parlé de sa famille et n'en dit pas davantage. Il pénétra dans son appartement, alla nerveusement de pièce en pièce.

— Viktor ? finit-il par crier.

— Votre fils a quel âge ? s'enquit Raïssa.

— Vingt-trois ans.

— Il doit être sorti pour une raison toute bête, suggéra-t-elle.

— Que fait-il dans la vie ? interrogea Leo.

Karoly hésita avant de répondre.

— Il vient d'entrer à l'AVH.

Leo et Raïssa se turent, comprenant soudain l'appréhension de leur guide. Il jeta un coup d'œil par la fenêtre.

— Aucune inquiétude à avoir. L'AVH a dû rappeler tous ses officiers au quartier général dès le début du soulèvement. Il est sûrement là-bas, dit-il, plus pour lui-même que pour ses hôtes.

L'appartement contenait des réserves de nourriture, ainsi que des bougies et des armes à feu. Karoly ne se séparait pas de la sienne depuis qu'ils avaient franchi la frontière. Il conseilla à Leo et à Raïssa de suivre son exemple, car même sans être armés ils pouvaient passer pour des insurgés. Leo choisit un TT-33, pistolet de fabrication soviétique, petit mais robuste tandis que Raïssa prenait le sien à contrecœur. Mais consciente du danger que représentait Fraera, elle s'obligea à l'essayer.

Ils quittèrent l'appartement, descendirent la colline pour traverser le Danube et gagner l'autre partie de la ville où Zoya devait être en pleine action avec Fraera. Sur la place Széna, ils franchirent tant bien que mal les barricades improvisées. Assis devant des portes cochères, entre deux piles de cocktails Molotov, des jeunes gens fumaient. Un périmètre de sécurité constitué de trams renversés interdisait l'accès aux rues voisines. Sur les toits, des tireurs surveillaient leur progression. Pour ne pas éveiller les soupçons, ils avancèrent lentement vers le fleuve.

Karoly leur fit emprunter le pont Margit qui reliait Buda à une petite île du Danube avant de rejoindre Pest. À mi-chemin de l'île, Karoly leur fit signe de ne plus bouger. Il s'accroupit, désigna l'autre moitié du pont. Des chars y avaient pris position. On apercevait d'autres blindés autour de la place du Parlement. Les troupes soviétiques avaient dû intervenir, mais, à voir les barricades des insurgés, elles ne contrôlaient pas la situation. À découvert, Karoly s'élança à toute vitesse, courbé en deux. Leo et Raïssa le suivirent, luttant contre les rafales de vent glacial, soulagés d'atteindre enfin l'autre rive.

Avec son alternance de zones de guerre et de quartiers où la vie suivait son cours, la ville semblait frappée de schizophrénie. Zoya pouvait se trouver n'importe où. Leo avait apporté deux photos. Sur la première, un récent portrait de famille, Zoya avait l'air sinistre et le visage blême. La seconde était une photo de Fraera le jour de son arrestation. Depuis, elle avait tellement changé que le cliché était sans valeur. Karoly tendait ces photos aux passants pleins de bonne volonté. Beaucoup de familles faisaient la même chose pour retrouver un proche qui avait disparu. On leur rendait les photos avec un hochement de tête navré.

Poursuivant leur route, ils s'engagèrent dans une rue étroite à l'écart des combats. En ce milieu de matinée, une petite brasserie était ouverte. Des clients buvaient leur café à petites gorgées comme si de rien n'était. Seul détail sortant de l'ordinaire : les piles de tracts dans le caniveau. Leo se baissa pour les ramasser. En haut de la feuille une croix orthodoxe était imprimée en guise d'emblème. Suivait un texte en hongrois, mais Leo reconnut le nom de Nikita Sergueïevitch Khrouchtchev. Ce tract était l'œuvre de Fraera. Stimulé par la conviction qu'elle se trouvait dans la ville, il l'apporta à Karoly.

Celui-ci observait attentivement quelque chose à l'extrémité de la rue. Leo suivit son regard. La rue donnait sur une petite place. Un arbre aux branches nues se dressait au milieu. Le soleil inondait la place, en contraste saisissant avec la rue plongée dans l'ombre. À mesure que ses yeux s'habituaient à la lumière, Leo se concentra sur le tronc de l'arbre. Il semblait vaciller.

Karoly se mit à courir. Leo et Raïssa l'imitèrent, dépassant le café à toutes jambes, attirant l'attention des clients assis à la terrasse. Au bout de la rue, sortant de l'ombre, ils s'immobilisèrent. À la plus grosse branche de l'arbre un cadavre était pendu par les pieds. Ses bras se balançaient comme ceux d'un épouvantail. On avait allumé un feu juste en dessous. Les cheveux et la peau brûlés, il était méconnaissable. On l'avait déshabillé jusqu'à la ceinture, lui laissant son pantalon dans un souci de pudeur qui contrastait avec la sauvagerie du meurtre. Les flammes lui avaient noirci le torse et les épaules. Le reste de son corps indiquait son jeune âge. Sa veste d'uniforme, sa chemise et sa casquette étaient réduites en cendres. Leo crut entendre Fraera lui chuchoter à l'oreille : « Voilà ce qu'ils te feront. »

La victime était membre de l'AVH.

Leo se retourna : Karoly se labourait le cuir chevelu de ses ongles comme s'il avait des poux.

— Je me demande…

Il interpella Leo :

— Qui me dit que ce n'est pas mon fils ?

Il tomba à genoux dans le feu éteint, soulevant une nuée de cendres. Un attroupement se forma autour d'eux. Leo scruta les visages : tous exprimaient la même hostilité à cet étalage de compassion pour l'ennemi, condamnation de leur justice expéditive. Il s'accroupit près de Karoly, le prit par l'épaule.

— Il faut y aller.

— Je suis son père. J'ai le droit de savoir.

— Ce n'est pas votre fils. Viktor est vivant. On va le retrouver. Il faut y aller.

— Oui, il est vivant, n'est-ce pas ?

Leo aida Karoly à se relever, mais la foule leur barra le passage.

Il vit Raïssa porter la main à son arme, glissée dans la ceinture de son pantalon. Elle avait raison, ils étaient en danger. Une discussion s'engagea avec un homme qui avait un chargeur de mitraillette autour du cou. Le ton était accusateur. Les larmes aux yeux, Karoly sortit les photos de Zoya et de Fraera. À leur vue, l'homme se détendit, mit une main sur l'épaule de Karoly. Ils parlèrent longuement et la foule se dispersa. Lorsqu'ils furent seuls, Karoly murmura à l'intention de Leo et de Raïssa :

— Votre fille vient de nous sauver la vie.

— Cet homme l'a vue ?

— En train de se battre près du cinéma Corvin.

— Qu'a-t-il dit d'autre ?

Karoly ne répondit pas tout de suite.

— Que vous pouviez être fiers d'elle. Elle a tué beaucoup de Russes.

*Même jour*

L'APPROCHE D'UN VÉHICULE DE TRANSPORT de troupes soviétique sema la même panique dans la foule que si une déflagration avait retenti en son sein : chacun s'enfuit de son côté pour disparaître au plus vite. Raïssa courait de front avec des hommes, des femmes et des enfants. Un vieillard s'écroula. Une femme voulut l'aider, le tirant par son manteau pour tenter de l'éloigner de la chaussée. Ou bien le véhicule ne les vit pas, ou bien il était prêt à les écraser comme un tas de gravats. Raïssa revint précipitamment sur ses pas, souleva l'homme dans ses bras au moment où le blindé la dépassait dans un bruit de chenilles – si près qu'elle sentit l'odeur du métal flotter dans l'air.

Elle inspecta l'avenue du regard. Aucune trace de Leo ni de Karoly, mais ils n'étaient pas loin. Exploitant la confusion créée par l'arrivée du véhicule, elle obliqua dans la première rue adjacente, poursuivit sa course jusqu'à ce qu'elle doive s'arrêter, hors d'haleine. Elle reprit lentement son souffle. Les circonstances venaient de la séparer de Leo. Elle était libre de chercher Zoya de son côté.

Cette idée l'avait effleurée à Moscou lorsqu'elle avait appris que Zoya était vivante. Zoya voulait bien rester avec Raïssa. Elle l'avait dit. Mais elle refusait de vivre sous le même toit que Leo. Cinq mois plus tard, Raïssa voyait mal ce qui aurait pu la faire changer d'avis. Au contraire, sa position devait être encore plus tranchée. Dans le train qui les emmenait vers la Hongrie, Raïssa avait senti croître sa détermination en écoutant Karoly et Leo discuter ensemble : deux anciens agents secrets sur leurs gardes, mais qui partageaient la même connivence que les membres d'une société secrète. « Deux espions pour me porter secours ? » s'étonnerait Zoya. Elle tournerait cette idée en dérision. Comme ils la comprenaient mal ! Un sentiment d'incompréhension sûrement exploité par Fraera, faussement compatissante.

Leo refuserait sans doute l'idée que sa femme ait délibérément disparu. Peut-être Karoly devinerait-il les intentions réelles de Raïssa. Leo nierait l'évidence. Autant de temps gagné. Karoly leur avait fourni un plan de la ville, une croix indiquant son appartement pour le cas où ils seraient séparés. Elle devait se trouver près de la rue Stahly. Il fallait aller vers le sud, éviter les principaux itinéraires conduisant au cinéma Corvin où Zoya avait été aperçue.

Ralentie par l'obligation de cacher son plan, Raïssa atteignit l'avenue Ulloi. Le quartier avait été le théâtre de violents combats, en témoignaient des obus noircis qui jonchaient les pavés. L'avenue était presque déserte : de rares silhouettes fonçaient d'une porte cochère à une autre, et puis plus rien – calme inquiétant pour une artère de cette importance. Rasant les murs, marchant avec précaution, elle ramassa une brique, prête à se cacher dans l'entrée d'un immeuble, à briser un carreau et à pénétrer par effraction chez quelqu'un en cas de besoin. La brique semblait humide contre sa paume. Perplexe, elle baissa les yeux et découvrit que la chaussée était enduite d'une mousse gluante.

On avait déroulé du tissu sur toute la largeur de l'avenue : des mètres et des mètres de soie couverte d'eau savonneuse. Stupéfaite, Raïssa avança prudemment, glissant à chaque pas. Elle ne put continuer sa route qu'en s'appuyant au mur. Comme si elle avait déclenché un signal d'alarme, des cris retentirent au-dessus d'elle. De part et d'autre il y avait des gens armés aux fenêtres, sur les toits. Un grondement et des vibrations la firent se retourner. Un char s'était engagé sur l'avenue. La tourelle pivota, mit Raïssa en joue. Le char accéléra. Tout le monde disparut des fenêtres et du toit. C'était un piège. Raïssa était tombée dedans.

Elle se dépêcha de traverser l'étendue de soie, dérapa et se releva plusieurs fois avant d'arriver devant le magasin le plus proche. La porte était fermée à clé. Le char se rapprochait. Raïssa jeta sa brique dans la vitrine qui vola en éclats autour d'elle. Elle entra dans le magasin au moment où le char commençait à rouler sur la soie savonneuse. Elle jeta un coup d'œil par-dessus son épaule, convaincue que le blindé traverserait sans difficulté cet obstacle rudimentaire. Au contraire, il fit aussitôt une embardée, ses chenilles patinant sur le tissu, le déchiquetant. Il ne contrôlait plus rien. Levant les yeux vers le toit de l'immeuble, Raïssa vit les insurgés se rassembler : une volée de cocktails Molotov s'abattit autour du char encerclé par les flammes. La tourelle s'orienta vers le toit, tira un obus. Incapable de maintenir sa trajectoire, il rata sa cible et partit vers le ciel.

Raïssa s'aventura dans les profondeurs du magasin tandis que les murs tremblaient. Elle se retourna. Par la vitrine brisée, elle vit le blindé obliquer vers elle. Elle se jeta à terre au moment où il enfonçait l'entrée, sa tourelle crevant le plafond tandis que les murs s'effondraient. Enfin, il s'immobilisa.

Aveuglée par la fumée et la poussière, Raïssa se releva, se dirigea en trébuchant vers le fond du magasin dévasté, atteignit l'escalier alors que les insurgés descendaient du toit. Prise en sandwich entre eux et le char, elle alla se réfugier derrière la caisse et sortit son pistolet. Risquant un coup d'œil par-dessus le comptoir, elle vit un soldat soviétique ouvrir la tourelle.

Les insurgés arrivèrent. Une jeune femme coiffée d'un béret portait une mitrailleuse. Elle mit l'arme en joue, visant le soldat, prête à faire feu. C'était Zoya.

Raïssa se leva. D'instinct Zoya se retourna, braqua la mitrailleuse sur elle. Face à face après cinq mois, dans un tourbillon de poussière et de fumée... L'arme s'abaissa dans les mains de Zoya comme si son poids devenait insupportable. L'adolescente resta immobile, bouche bée. Derrière elles, le soldat russe au visage noirci, âgé de vingt ans à peine, profita de l'occasion. Il braqua sa propre mitrailleuse sur Zoya. Raïssa brandit son TT-33, appuya sur la détente, tira plusieurs fois : une balle toucha le jeune homme en pleine tête.

Incrédule, elle contempla le cadavre, son pistolet toujours dirigé vers lui. Reprenant ses esprits, consciente d'avoir peu de temps devant elle, elle se tourna vers Zoya. Elle fit un pas en avant, prit les mains de sa fille dans les siennes.

— Il faut qu'on parte, Zoya. Je t'en supplie, fais-moi confiance comme tu l'as déjà fait.

L'expression de l'adolescente trahissait son écartèlement. Raïssa s'en félicita : tout espoir n'était pas perdu. Alors qu'elle s'apprêtait à faire valoir ses arguments, elle se figea. Fraera venait d'apparaître au pied de l'escalier.

Raïssa poussa Zoya à l'écart et mit Fraera en joue. Prise de court, Fraera ne se défendit pas. Raïssa n'avait qu'à tirer. Elle hésita. Au même instant elle sentit le canon d'un fusil entre ses omoplates. Zoya la visait en plein cœur.

*Même jour*

APRÈS AVOIR CHERCHÉ RAÏSSA pendant plusieurs heures, redoutant qu'elle soit blessée, Leo finit par comprendre qu'elle l'avait sans doute quitté pour retrouver leur fille. Elle ne pensait pas que Zoya accepterait de rentrer avec lui. Courant, dans l'espoir de la rattraper, il arriva au cinéma Corvin où Zoya avait été aperçue. C'était un bâtiment ovale situé en retrait de l'avenue. On y accédait par un passage piétonnier dont une barricade bloquait l'entrée. Un tireur s'approcha. Incapable de suivre, Karoly était loin derrière. Sans interprète, Leo n'échappa à un interrogatoire que grâce à l'arrivée d'un char soviétique T-34 tombé aux mains des insurgés et à la tourelle ornée d'un drapeau hongrois. Les combattants l'entourèrent en poussant des hourras. Leo se glissa dans la foule, brandit la photo de Zoya. Après l'avoir examinée, un homme désigna l'autre extrémité de l'avenue.

Leo reprit sa course. La voie était déserte. Il s'arrêta, se baissa : la chaussée était recouverte de lambeaux de soie. À certains endroits l'étoffe se consumait encore, à d'autres elle était trempée. Leo vit l'endroit où le char soviétique avait obliqué et défoncé la vitrine d'un magasin. Les cadavres de quatre soldats soviétiques étaient entassés sur la chaussée. Aucun n'avait beaucoup plus de vingt ans.

Il n'y avait personne d'autre.

*Même jour*

RAÏSSA FERMA LES YEUX, se concentra sur le bruit dans les différentes pièces autour d'elle : des gens couraient, criaient ; on déplaçait des meubles, on aboyait des ordres en russe et en hongrois. Des blessés hurlaient de douleur. Une pièce tenait lieu d'infirmerie, on y soignait sommairement les blessures reçues pendant les combats ; une autre servait de cantine au groupe d'insurgés sous les ordres de Fraera. L'odeur des produits antiseptiques se mêlait à celle de la viande frite.

Escortée depuis le char sous la menace d'une arme, Raïssa avait à peine prêté attention à l'endroit où on l'emmenait, les yeux fixés sur Zoya qui marchait devant, à grandes enjambées comme un soldat, fusil en bandoulière – celui qu'elle venait de braquer sur Raïssa. Elle avait été conduite au dernier étage d'un immeuble situé en retrait de la rue et auquel on accédait par une porte cochère, poussée dans une pièce exiguë vidée de ses meubles et transformée en cellule improvisée.

Les murs vibrèrent. Des blindés passaient à proximité. Raïssa jeta un coup d'œil par la petite fenêtre et aperçut des escarmouches dans la rue en contrebas. Juste au-dessus de sa tête des pas résonnaient sur les tuiles : des tireurs prenaient position. Épuisée, elle s'accroupit au pied du mur le plus éloigné de la fenêtre, les mains sur les oreilles. Elle pensa à Zoya. Et au jeune soldat qu'elle avait tué. Enfin, elle laissa couler ses larmes.

Entendant des pas à l'extérieur de la pièce et une clé tourner dans la serrure, elle se leva. Fraera entra. Alors qu'à Moscou elle paraissait imperturbable, maîtresse de la situation, ici elle avait l'air fatiguée, sous pression.

— Tu as donc fini par me retrouver…

Raïssa répondit d'une voix où tremblait la colère.

— Je viens chercher Zoya.

— Où est Leo ?

— Je suis seule.

— Tu mens. Mais je ne tarderai pas à le retrouver. La ville n'est pas si grande.

— Rends-moi Zoya.

— Tu parles comme si je l'avais volée. En réalité je lui ai porté secours.

— Malgré tous les problèmes que notre famille a pu rencontrer, nous l'aimons. Contrairement à toi.

Fraera ne sembla pas relever.

— Zoya voulait travailler pour moi et j'ai accepté. Elle est libre de faire ce qu'elle veut. Si elle souhaite rentrer avec toi, elle le peut. Je ne l'en empêcherai pas.

— Il est facile de gagner les faveurs d'une adolescente en la laissant faire ce qu'elle veut et en lui disant ce qu'elle désire entendre. Donne-lui une mitrailleuse, répète-lui qu'elle est une révolutionnaire, c'est un mensonge alléchant. Je ne crois pas qu'elle t'aimera davantage pour autant.

— Je ne lui demande pas de m'aimer. C'est Leo et toi qui réclamez de l'amour. Ça vous obsède tous les deux. La vérité, c'est qu'elle était malheureuse avec vous, alors qu'avec moi elle est heureuse.

Par-dessus l'épaule de Fraera, au fond du couloir, Raïssa aperçut un blessé étendu sur la table de la cuisine. Il n'y avait aucun médecin, pratiquement aucun matériel hormis des chiffons tachés de sang et des marmites d'eau bouillante.

— Si tu restes ici, tu vas mourir. Et Zoya mourra avec toi.

Fraera secoua la tête.

— Ta sollicitude pour elle ne fait pas plus de toi sa mère que je ne le suis.

Raïssa s'était assoupie. Lorsqu'elle se réveilla dans la pièce sombre et glaciale, elle remonta la mince couverture sur ses épaules. Il faisait nuit. La ville était silencieuse. Elle ne pensait pas réussir à s'endormir, mais sitôt allongée ses yeux s'étaient fermés. On avait posé une assiette de viande et de pommes de terre sur le sol pendant son sommeil. Elle la rapprocha. Alors, seulement, elle remarqua que la porte était ouverte.

Elle se leva, avança de quelques pas, jeta un coup d'œil dans le couloir. Vide. Pour s'enfuir, il faudrait quitter l'appartement, descendre l'escalier, sortir dans la rue. Zoya avait-elle vraiment ouvert la porte et abîmé la serrure pour l'aider sans que personne le sache ? L'opération demandait de la rapidité et de l'habileté, et pourtant elle reposait sur un malentendu. Raïssa n'était pas là pour s'échapper, mais pour ramener Zoya à Moscou. Elle l'avait sûrement compris. Et cette façon de procéder ne correspondait pas à son tempérament impulsif et téméraire.

Mal à l'aise, Raïssa recula. Au même moment, une silhouette indistincte apparut dans l'embrasure de la porte. C'était celle d'un jeune garçon.

— Pourquoi vous ne vous enfuyez pas ? chuchota-t-il.

— Pas sans Zoya.

Il lui fit un croche-pied qui la projeta au sol, lui plaqua une main sur la bouche pour l'empêcher de crier. Sur le dos, elle ne pouvait plus bouger. Elle sentit une lame de couteau contre sa gorge.

— Vous auriez dû partir, souffla-t-il.

— Pas sans Zoya, parvint-elle à chuchoter.

À la mention de ce prénom, il se raidit, appuya plus fort la lame contre sa gorge.

— Tu… l'aimes ? demanda-t-elle.

Il changea de position, relâcha la pression de sa main. Elle avait raison : ce garçon avait peur de perdre Zoya.

— Écoute-moi, elle est en danger. Toi aussi. Viens avec nous.

— Elle n'est pas à vous !

— Tu as raison, elle n'est pas à moi. Mais je tiens beaucoup à elle. Et si tu tiens à elle toi aussi, tu vas trouver un moyen de la faire sortir d'ici. Tu entends la différence entre ma voix et celle de

Fraera, non ? Tu entends que je me fais du souci pour Zoya ? Tu sais bien que ce n'est pas le cas de Fraera.

Le jeune garçon retira son couteau. Il semblait hésiter. Raïssa lut dans ses pensées.

— Reviens à Moscou avec nous. C'est grâce à toi que Zoya est heureuse, pas grâce à Fraera.

Il se releva d'un bond, quitta aussitôt la pièce, ferma la porte, la rouvrit. Se rappelant que la serrure ne marchait plus, il murmura :

— Dites que c'est vous qui avez essayé de la forcer. Sinon ils me tueront.

Il disparut.

— Attends ! cria Raïssa.

Il réapparut.

— Comment t'appelles-tu ?

Il hésita.

— Malysh.

*28 octobre*

LEO COMPTA AU MOINS TRENTE CHARS, une colonne qui pénétrait dans la capitale par les boulevards. Un tel déploiement de force à six heures du matin annonçait l'imminence d'une intervention soviétique à grande échelle. L'insurrection allait être écrasée.

Leo redescendit la colline, regagna en courant l'appartement de Karoly. Il monta les marches quatre à quatre jusqu'au dernier étage et ouvrit la porte. Assis à une table, Karoly était plongé dans la lecture d'un tract.

— Les Soviétiques ont envoyé plus de trente chars. Ils entrent dans la ville. Il faut retrouver Zoya et Raïssa au plus vite.

Karoly lui tendit le tract. Leo y jeta un coup d'œil agacé. Le texte était surmonté d'une photo de lui. Karoly traduisit :

— « Cet homme est un espion soviétique. Il se fait passer pour l'un des nôtres. Notifiez sa présence au poste révolutionnaire le plus proche. »

Leo reposa le tract.

— Si Fraera me cherche, ça prouve que Raïssa est entre ses mains.

— Et que tu n'es plus en sécurité dans les rues, ajouta Karoly.

Leo ouvrit la porte, prêt à partir.

— Personne ne se souciera d'un malheureux espion russe alors qu'il y a des chars soviétiques à tous les coins de rue.

La porte de l'appartement d'en face n'était pas entièrement fermée. Le visage du voisin apparut dans l'entrebâillement. Leurs regards se croisèrent. Puis l'homme referma sa porte.

*Même jour*

DEUX *VORYS* ENTRÈRENT DANS LA CHAMBRE DE RAÏSSA, l'entraînèrent par le bras dans le couloir, la conduisirent sur le balcon. La cour en contrebas était remplie de monde. Fraera était campée au milieu. À la vue de Raïssa, elle fit signe à ses hommes de s'écarter. Ils s'exécutèrent, laissant apparaître Leo et Karoly à genoux, poignets ligotés devant eux comme deux esclaves attendant d'être vendus. Zoya se trouvait dans la foule des badauds.

Leo se leva. Toutes les armes furent aussitôt braquées sur lui. D'un geste, Fraera ordonna qu'on les fasse disparaître.

— Laissez-le parler.

— On a peu de temps, Fraera. Il y a plus de trente T-34 dans la ville. Les Soviétiques vont écraser ce mouvement de résistance. Ils vont tuer tous les hommes, les femmes et les enfants qu'ils trouveront avec une arme. La victoire est impossible.

— Pas d'accord.

— Frol Panine se moque de toi. Ce soulèvement est fabriqué de toutes pièces. On t'utilise.

— Tu n'as rien compris, Leo. Personne ne m'utilise. C'est moi qui utilise Panine. Seule, je n'aurais jamais pu faire ça. Ma vengeance se serait arrêtée à Moscou. Au lieu de ne régler leur compte qu'à ceux qui m'ont arrêtée, comme je le croyais au départ, grâce à lui j'ai la possibilité de me venger du régime qui a détruit ma vie. Cette fois, c'est à l'Union soviétique même que je m'en prends.

— Bien sûr que non. Les Soviétiques peuvent se permettre de perdre une centaine de chars et un millier d'hommes. Pour eux ça ne changera rien.

— Panine a sous-estimé la haine qui anime ces gens.

— La haine ne suffit pas.

Fraera s'adressa à Karoly :

— Vous êtes son interprète ? Un arrangement trouvé par Frol Panine ?

— Oui.

— Vous aviez pour consigne de me tuer ?

Karoly réfléchit un instant.

— Oui, soit Leo, soit moi. Après le début du soulèvement.

Leo encaissa l'information. Fraera secoua la tête avec commisération.

— Tu n'as donc pas compris qui tu servais, Leo ? Que tu le veuilles ou non, tu es un assassin. C'est toi qui travailles pour Panine, pas moi.

— Je n'en savais rien.

— C'est toujours la seule chose que tu trouves à répondre… « Tu ne savais pas. » Je vais t'expliquer. Ce n'est pas moi qui ai déclenché cette insurrection. Je me suis bornée à donner un coup de pouce. Tu peux me tuer. Ça ne changera rien.

Leo se tourna vers Zoya. Elle avait un fusil en bandoulière, des grenades à la ceinture. Ses vêtements étaient déchirés, ses mains écorchées. Elle soutint son regard, les traits figés par la haine comme si elle redoutait de laisser transparaître une autre émotion. Le garçon qui avait assassiné le patriarche de l'Église orthodoxe était près d'elle. Ils se tenaient par la main.

— Si tu te bats, tu mourras.

Fraera interpella Zoya :

— Alors, Zoya, tu réponds quoi ? Leo te parle.

Zoya brandit son fusil vers le ciel.

— On se battra jusqu'au bout !

*Même jour*

RAÏSSA AURAIT VOULU DISCUTER, mais Leo semblait entièrement refermé sur lui-même. Il n'avait pas ouvert la bouche depuis qu'on les avait jetés dans cette cellule. À l'autre bout de la pièce, Karoly était étendu de tout son long sur la couverture, les yeux fermés. Il avait été blessé à la jambe lors de sa capture. Raïssa rompit le silence :

— Je te demande pardon, Leo.

Il leva les yeux vers elle.

— Je n'ai commis qu'une erreur, Raïssa. T'avoir caché la vérité au sujet de Zoya. J'aurais dû te dire qu'elle avait brandi un couteau quand je dormais.

Sans changer de position, Karoly intervint :

— Cette gamine que vous voulez sauver, elle vous a menacé avec un couteau ?

Il ouvrit un œil, regarda Raïssa, puis Leo.

Celui-ci baissa la voix, espérant empêcher Karoly de suivre la conversation.

— On ne pourra s'en tirer qu'en se faisant confiance l'un à l'autre.

Raïssa hocha la tête.

— La confiance ne suffira pas à nous sortir d'ici.

— Tu as une idée de la façon dont on peut libérer Zoya ?

— Elle est amoureuse.

Leo eut un mouvement de surprise.

— De qui ?

— D'un *vory*. Il est très jeune, à peu près le même âge qu'elle. Il s'appelle Malysh.

— C'est un assassin. Je l'ai vu tuer le patriarche. Il a étranglé un vieillard de soixante-quinze ans avec un fil de fer.

Karoly se redressa.

— Qui se ressemble s'assemble !

Raïssa prit les mains de Leo dans les siennes.

— Malysh est sans doute notre seul espoir.

*Même jour*

ZOYA FAISAIT LE GUET AU PIED D'UNE MAISON EN RUINE. Sous les tirs d'obus la façade s'était effondrée. L'adolescente était à plat ventre, fusil en joue, l'œil contre la lunette. Deux chars soviétiques étaient stationnés à l'entrée du pont Kossuth – le plus proche du Parlement –, attendant sans doute l'ordre de donner l'assaut, comme l'avait prédit Leo.

Jamais Zoya n'avait imaginé le revoir. Le souvenir de son visage l'empêchait de se concentrer, d'autant qu'elle se tortillait, en proie à une envie pressante. Les chars ne bougeant pas, elle posa son fusil et alla inspecter les ruines de la chambre. Sans façade, la pièce était entièrement visible de la rue. Seule la penderie dissimulerait Zoya aux regards sans l'obliger à quitter trop longtemps son poste. Elle se glissa à l'intérieur, ferma les deux portes, s'accroupit. Un sentiment de honte l'assaillit quand elle s'essuya avec la manche d'un manteau, réaction incongrue alors qu'elle s'apprêtait à abattre un homme. Après avoir tiré tant de coups de feu, il se pouvait même qu'elle ait déjà tué quelqu'un, bien qu'elle n'ait vu personne mourir ni tomber à terre. Prise d'un haut-le-cœur, elle ramassa une chaussure pour vomir dedans.

Tenant à peine sur ses jambes, elle sortit de la penderie, referma les portes. Son fusil était toujours là où elle l'avait laissé, sur un tas de briques. Claquant des dents, elle se réinstalla lentement. Un Soviétique blessé s'approcha des deux chars en titubant. Zoya le mit en joue. Elle ne voyait pas son visage, seulement l'arrière de son crâne, ses cheveux bruns. Peut-être ses collègues allaient-ils lui porter secours. Fraera lui avait appris que c'était eux la cible à abattre avant d'achever le soldat blessé.

Incapable d'aller plus loin, celui-ci s'écroula à quelques mètres du char. Zoya visa la tourelle, attendant de voir si les autres militaires mordraient à l'hameçon. Le char s'ébranla lentement, avança le plus près possible de l'homme. Ils allaient le secourir. La tourelle s'ouvrit lentement. Un soldat risqua un coup d'œil au-dehors, prêt à disparaître au premier coup de feu. Il finit par descendre à toute vitesse jusqu'au blessé. Zoya l'avait en ligne de mire. Si elle ne tirait pas, il aiderait son camarade à réintégrer l'intérieur du char, après quoi ils entreraient dans la ville, décimeraient d'autres familles innocentes, et elle aurait encore plus de remords. Elle était là pour se battre. C'étaient ses ennemis. Ils avaient tué des femmes et des enfants.

Alors qu'elle allait appuyer sur la détente, une main abaissa le canon. Malysh. Il s'allongea près d'elle, joue contre joue. Elle tremblait. Il lui prit le fusil des mains, contempla les deux chars. Zoya regarda par-dessus les gravats. Les chars s'ébranlaient de nouveau, mais pas en direction de la ville : ils retraversaient le pont.

— Où vont-ils ? demanda Zoya.

Malysh haussa les épaules.

— Aucune idée.

*Même jour*

LEO PASSA LA PIÈCE EN REVUE à la recherche d'une issue. Absorbé par son inspection de la porte, de la fenêtre, du plancher, il remarqua pourtant le calme relatif. Le fracas des déflagrations et des fusillades avait cessé. Des pas retentirent dans le couloir. La porte s'ouvrit. Fraera entra.

— Écoutez !

Dans la pièce voisine une radio était allumée à fond. Le présentateur parlait hongrois. Leo se tourna vers Karoly. Celui-ci tendit l'oreille. Fraera piaffait d'impatience.

— Traduction ! ordonna-t-elle.

Karoly consulta Leo du regard.

— Un cessez-le-feu a été déclaré. Les forces soviétiques se retirent de la ville.

*Même jour*

DEVANT LE SCEPTICISME AMBIANT, Fraera insista pour faire un tour triomphal de la ville. Raïssa, Leo et Karoly se mirent en route avec elle, accompagnés d'insurgés et de quelques *vorys*. Hormis Fraera et Malysh, Leo n'en compta que quatre, beaucoup moins qu'à Moscou. Certains avaient dû se faire tuer, d'autres abandonner Fraera : la vie d'un révolutionnaire n'avait rien à voir avec celle d'un tueur professionnel. Elle ne semblait pas s'en soucier et leur fit descendre l'avenue Sztálin aussi fièrement qu'elle aurait marché sur le tombeau de Staline. Raïssa était près de Leo et Karoly les suivait, ralenti par sa jambe blessée. À travers leur escorte armée, Leo apercevait Zoya, à l'extérieur du groupe. Elle restait près de Malysh. Si elle ignorait complètement Leo, de temps à autre Malysh foudroyait celui-ci du regard. Raïssa avait raison : à n'en pas douter ils étaient amoureux.

Leo ne croyait pas à la possibilité d'une victoire des Hongrois, même sur le papier. Il avait observé les insurgés armés de briques et de cocktails Molotov. Ils se battaient sans désemparer pour défendre leurs maisons et leur territoire. Mais, en tant qu'ancien soldat, Leo ne comprenait pas leur stratégie. Leur soulèvement était anarchique et improvisé. Par contraste, l'armée Rouge était la force militaire la plus puissante au monde, en hommes et en matériel. Panine et les autres conspirateurs entendaient bien maintenir cette suprématie. Jamais ils ne se résigneraient à perdre la Hongrie, même au prix d'un bain de sang. Et pourtant, rue après rue, Leo dut se rendre à l'évidence : il n'y avait plus trace d'une présence soviétique dans la ville. Aucun char ni aucun soldat en vue. La plupart des combattants hongrois avaient abandonné leurs positions.

Fraera s'immobilisa. Ils étaient devant un bâtiment administratif de taille moyenne, sans rien de remarquable. Une certaine agitation régnait à l'entrée, les gens entraient et sortaient. Karoly s'approcha de Leo en boitillant.

— C'est le quartier général de l'AVH.

— Et votre fils ?

— Il travaille ici. Les officiers ont dû s'enfuir dès le début des troubles.

Fraera surprit cet échange. Elle se détacha de sa garde rapprochée.

— Vous reconnaissez les lieux ? C'est le siège de la police secrète hongroise. Ses occupants l'ont abandonné et se cachent quelque part. Mais on les retrouvera.

Karoly dissimula tant bien que mal son appréhension.

— Maintenant que la ville est libérée, reprit-elle, cet immeuble est ouvert au public. Il n'y a plus de secrets d'État.

La plupart des insurgés restèrent dans la rue. Il y avait déjà trop de monde à l'intérieur. À la tête d'un petit groupe, Fraera franchit les portes, pénétra dans une cour intérieure. Des balcons pleuvaient des feuilles dactylographiées couvertes de cachets officiels – la bureaucratie de la terreur. La nuit tombait. Quelques lampadaires éclairaient faiblement la rue. Pour compenser, des bougies furent allumées et disposées par terre et sur les balcons. Les bureaux étaient remplis de simples citoyens occupés à lire des dossiers. À la lueur des bougies, page après page, ils prenaient connaissance des informations les concernant. À voir leurs yeux brillants de larmes, Leo n'avait pas besoin qu'on lui traduise le contenu de ces documents : le nom des amis et des proches qui les avaient dénoncés, les accusations portées contre eux. Autour de lui, tels mille miroirs brisés, la foi en l'espèce humaine volait en éclat.

— On descend, ordonna Fraera.

Contrairement aux bureaux grouillants de monde, l'escalier qui conduisait au sous-sol était désert. Une bougie à la main, ils entamèrent la descente. L'air était humide et froid. De même que Leo savait d'avance ce que contenaient tous ces dossiers, il se doutait de ce qu'il allait trouver dans les caves du bâtiment : les cellules où les suspects étaient interrogés et torturés.

Les murs ruisselaient d'une eau qui s'écoulait sur le sol en béton fissuré. On avait ouvert chaque cellule. Dans la première se trouvaient une table et deux chaises. La deuxième ne comportait qu'une évacuation d'eau. Leo ne quittait pas Zoya des yeux, navré de ne pouvoir l'éloigner de ce spectacle. Elle prit la main de Malysh. Leo serra les poings, se demandant combien de temps ils allaient devoir rester là. Contre toute attente, et malgré sa témérité apparente, Fraera semblait émue – sans doute au souvenir des tortures qu'elle-même avait subies après son arrestation. Elle poussa un soupir.

— Allons boire à la fin de tout ça.

Durant un instant, dans la pénombre, elle sembla s'humaniser.

Dans la cour intérieure de l'immeuble où elle vivait, elle organisa la première fête en l'honneur de la victoire, ouverte à tous. Pour l'occasion, elle fit apporter par caisses entières le whisky, les liqueurs et le champagne d'ordinaire réservés à l'élite, et auxquels beaucoup n'avaient jamais goûté. Leo suivait ces préparatifs, preuve de la bonne foi de Fraera. Pour lutter contre le froid, on fit un feu de joie avec du bois empilé à hauteur d'homme. Les flammes s'élevaient sur le ciel étoilé. Deux mannequins, représentations grossières de Staline et de son homologue hongrois Rákosi, furent revêtus d'uniformes récupérés sur les cadavres de soldats soviétiques. Depuis le balcon du dernier étage, Fraera prit soin de photographier les mannequins dévorés par les flammes.

Tandis qu'ils achevaient de se consumer, un orchestre tzigane arriva, avec des violons décorés de peintures naïves. Après quelques mesures à peine audibles, comme s'ils redoutaient de provoquer des tirs d'obus soviétiques, les violonistes oublièrent leurs appréhensions. La musique s'intensifia et s'accéléra, et les insurgés se mirent à danser.

Assis un peu en retrait, sous bonne garde, Leo et Raïssa regardaient Zoya s'enivrer, une coupe de champagne à la main et les joues de plus en plus rouges. Fraera buvait au goulot, ne partageant sa bouteille avec personne, mais elle gardait le contrôle de la situation. Surprenant le regard de Leo, elle s'approcha :

— Vous pouvez danser si vous en avez envie.

— Que comptes-tu faire de nous ?

— À vrai dire, je n'ai encore rien décidé.

Zoya invita Malysh. Devant ses réticences, elle le prit par la main et l'entraîna dans la ronde qui s'était formée autour du feu. Lui qu'elle avait vu escalader des gouttières avec l'agilité d'un chat était soudain paralysé par la timidité.

— Imagine qu'il n'y a que nous deux, murmura Zoya.

Ils se mirent alors à danser autour du feu comme s'ils étaient seuls au monde, le visage empourpré par la chaleur des flammes, tournant de plus en vite jusqu'à ce que la musique s'interrompe au milieu des applaudissements. Mais le monde continuait de tourner, et ils ne pouvaient se raccrocher que l'un à l'autre.

*30 octobre*

DU FEU DE JOIE NE RESTAIENT QU'UN TAS de braises rougeoyantes et des morceaux de bois calcinés. L'orchestre tzigane avait cessé de jouer. Les fêtards étaient rentrés chez eux – du moins ceux qui n'étaient pas ivres morts. Malysh et Zoya étaient pelotonnés sous une couverture près des braises. Karoly chantonnait une mélodie inconnue, complètement soûl après avoir réclamé de l'alcool pour atténuer sa douleur à la jambe. Fraera, elle, semblait en pleine forme, comme après une nuit de repos.

— À quoi bon essayer de dormir dans un appartement plein de monde ? demanda-t-elle.

Obligés de la suivre, Leo, Raïssa et Karoly quittèrent la cour intérieure, traversèrent le Danube et montèrent lentement vers leur destination : les villas des ministres sur les pentes verdoyantes de Buda. Malysh et Zoya les accompagnaient, ainsi que les *vorys* et Zsolt Polgar. Du haut de la colline des Roses ils virent le soleil se lever sur la ville.

— Pour la première fois depuis dix ans, Budapest se réveille libre, déclara Fraera.

Ils atteignirent une demeure entourée de hauts murs devant laquelle des sentinelles montaient la garde. Fraera se tourna vers son interprète :

— Ordonne-leur de rentrer chez eux. Dis-leur que cette villa appartient désormais au peuple.

Zsolt Polgar s'approcha des grilles et traduisit ces propos. Après avoir assisté aux combats, sans doute ces hommes étaient-ils arrivés à la même conclusion que Fraera : ils protégeaient les privilèges d'un régime moribond. Ils ouvrirent les grilles, prirent leurs affaires et partirent. Zsolt revint, l'air enchanté :

— Les sentinelles disent que cette villa appartenait à Rákosi.

Karoly prit la parole d'une voix pâteuse, s'adressant à Leo :

— La résidence privée de mon ancien patron, leader déchu du pays. C'est ici qu'on l'appelait pour lui demander : « Vous voulez qu'on pisse dans la bouche du suspect ? Vous voulez écoutez le bruit que ça fait ? — Oui, disait-il, je veux tout entendre. »

Ils pénétrèrent dans le jardin impeccablement entretenu.

Fraera fumait une cigarette qu'elle avait roulée elle-même. À l'odeur, Leo devina qu'elle contenait des stupéfiants. La consommation d'amphétamines expliquerait son énergie féroce. Ses yeux aux pupilles dilatées étaient noirs comme deux flaques de pétrole. Du temps où il travaillait pour le MGB, Leo avait lui-même pris de ces substances quand il devait passer la nuit à arrêter et interroger des suspects. Elles exacerbaient l'agressivité, rendaient inaccessible au raisonnement et d'une inébranlable assurance.

Brandissant les clés prises dans la guérite des sentinelles, Fraera gravit les marches de la villa et ouvrit la porte d'entrée. Elle s'inclina devant Malysh et Zoya :

— Un jeune couple a besoin d'une maison !

Malysh rougit. Zoya sourit en entrant, et l'écho de ses exclamations résonna dans la salle de réception :

— Il y a une piscine !

Celle-ci était recouverte d'un film de protection jonché de feuilles mortes. Zoya trempa son index dans l'eau.

— Elle est froide.

On avait coupé le chauffage. Les fauteuils en tek étaient empilés dans un coin. Le vent faisait rouler un ballon de plage multicolore.

L'intérieur luxueux était à l'abandon. La poussière s'accumulait dans la cuisine, inutilisée depuis le départ de Rákosi, contraint de s'exiler en Union soviétique après le rapport Khrouchtchev. L'équipement dernier cri venait de l'étranger. Les placards étaient remplis de verre de cristal et de vaisselle en porcelaine. Plusieurs bouteilles de vin français attendaient d'être débouchées. Fascinés par le contenu du réfrigérateur, essayant d'identifier les produits couverts de moisissure, Leo et Zoya se retrouvèrent côte à côte. Depuis sa capture, jamais Leo n'avait approché sa fille de si près.

— Zoya...

Fraera ne lui laissa pas le temps de terminer :

— Zoya !

Obéissante, l'adolescente s'éloigna.

Leo la suivit au salon. Face à lui, sur un immense tableau accroché au mur, Staline le fixait tel un dieu surveillant ses sujets. Fraera sortit son couteau, le tendit à Zoya.

— Maintenant, plus personne ne pourra te dénoncer.

Brandissant le couteau, Zoya grimpa sur une chaise, les yeux à la hauteur du cou de Staline. Parfaitement placée pour lui mutiler le visage, elle restait immobile.

— Arrache-lui les yeux ! cria Fraera. Qu'il soit aveugle ! Rase-lui la moustache !

Zoya redescendit, lui tendit le couteau.

— Je n'en ai pas... vraiment envie.

Fraera passa de l'euphorie à l'agacement :

— Tu n'en as pas envie ? On ne se débarrasse pas comme ça de sa colère. Ce n'est pas un caprice. Rien à voir avec l'amour. Elle ne disparaît pas d'une minute à l'autre. On la garde en soi à jamais. Il a assassiné tes parents.

Zoya haussa le ton à son tour :

— Je ne veux pas y penser tout le temps !

Fraera la gifla. Leo s'approcha. Fraera dégaina son pistolet et le lui pointa sur le torse sans cesser de parler à Zoya :

— Tu as déjà oublié tes parents ? Tu crois que c'est aussi facile ? Qu'est-ce qui a changé ? Malysh t'a embrassée ? C'est ça ?

Fraera alla vers l'adolescent, l'empoigna, posa les lèvres sur les siennes. Il se débattit, mais elle ne lâcha pas prise. Enfin elle s'écarta.

— C'est bon, mais je ne suis pas rassasiée.

Elle visa Staline entre les yeux et fit feu une fois, puis deux, puis trois, vidant son chargeur sur le portrait. À chaque impact, le tableau tremblait. La dernière balle tirée, Fraera jeta le pistolet au visage de Staline. L'arme retomba bruyamment sur le sol. Fraera essuya la sueur sur son front avant d'éclater de rire.

— Il est l'heure d'aller au lit…

La phrase était pleine de sous-entendus. Fraera poussa Malysh et Zoya ensemble.

Leo se réveilla en sursaut, secoué par un *vory*.

— On s'en va.

Sans un mot d'explication, Leo, Raïssa et Karoly durent se lever. Enfermés dans une salle de bains en marbre, ils avaient dormi sur des serviettes éponge, deux heures tout au plus. Fraera les attendait dehors, près des grilles. Malysh et Zoya étaient avec elle. Tout le monde avait l'air épuisé, sauf elle, dopée par les amphétamines. Elle désigna un point en contrebas, à proximité du centre-ville.

— Il paraît qu'on a retrouvé les officiers de l'AVH qui avaient disparu. Ils se cachaient au siège du Parti depuis le début.

Le visage de Karoly s'éclaira. Sa fatigue parut s'envoler.

Il leur fallut une heure pour descendre la colline, retraverser le fleuve et rejoindre la place de la République où se trouvait le siège du Parti. Il y avait des coups de feu, de la fumée. L'immeuble était assiégé. Des chars tombés aux mains des insurgés mitraillaient la façade. Deux camions brûlaient. Les vitres avaient été soufflées ; des briques et des blocs de béton s'abattaient sur la chaussée.

Fraera s'avança sur la place, s'abritant derrière une statue pour éviter les balles qui sifflaient au-dessus d'elle, tirées depuis les toits. Les autres attendaient plus loin. Soudain la fusillade cessa. Un homme sortit de l'immeuble, brandissant un drapeau blanc de fortune pour tenter d'avoir la vie sauve. Il fut aussitôt abattu. À peine s'était-il écroulé que les premiers insurgés se ruèrent vers le siège du Parti.

Profitant de cette accalmie, Fraera fit traverser la place à son petit groupe. Un attroupement se forma devant l'entrée du bâtiment, près des camions encore fumants. Fraera rejoignit les insurgés, entourée de Leo et des autres. Sous un camion gisaient les cadavres calcinés de plusieurs soldats. La foule attendait qu'on lui livre les officiers de l'AVH. Elle n'était pas seulement composée de combattants : il y avait des photographes, des reporters étrangers, appareil photo autour du cou. Leo jeta un coup d'œil à Karoly. L'espoir de retrouver son fils avait fait place à une expression terrifiée : il souhaitait que Viktor soit n'importe où sauf là.

Le premier officier fut traîné dans la rue, un tout jeune homme. Alors qu'il avait les mains en l'air, une rafale le faucha. Un deuxième officier apparut. Leo ne comprit pas ce qu'il disait, mais à l'évidence il suppliait qu'on l'épargne. Il fut abattu au beau milieu d'une phrase. Un troisième sortit en courant et, à la vue des cadavres de ses collègues, tenta de regagner l'intérieur. Karoly s'élança. C'était son fils.

Furieux que l'officier tente de se soustraire à leur justice, des combattants l'empoignèrent et le rouèrent de coups tandis qu'il se cramponnait aux portes de l'immeuble. Karoly écarta Leo pour continuer sa route, se fraya un passage parmi les insurgés, prit son fils dans ses bras. Sous le choc, celui-ci fondit en larmes, espérant que son père le protégerait d'une manière ou d'une autre. Karoly interpella la foule. Le père et le fils ne restèrent pas plus de quelques secondes ensemble : Karoly fut entraîné et plaqué au sol, contraint de voir son fils aux mains des insurgés qui lui arrachaient son uniforme, lui déchiraient sa chemise. Les chevilles ligotées, Viktor fut emmené vers les arbres de la place.

Leo se tourna vers Fraera pour défendre la cause du jeune homme, mais Zoya, plus rapide, avait déjà pris les mains de celle-ci dans les siennes.

— Arrêtez-les, je vous en supplie.

Fraera s'accroupit comme une mère expliquant quelque chose à son enfant.

— C'est ça, la colère.

Sur ces mots, elle sortit son appareil photo.

Karoly s'échappa et suivit son fils en boitant. En pleurs, il vit les insurgés le pendre par les pieds à une branche, encore vivant, le visage violacé, les veines saillantes. Au moment où il tenait les épaules de Viktor pour le soutenir, quelqu'un lui enfonça la crosse d'un fusil en plein visage. Il tomba face contre terre. On versait de l'essence sur son fils.

Leo se précipita vers un *vory* absorbé par la scène. Il lui donna un coup de poing en pleine gorge, lui coupant le souffle, et s'empara de son fusil. Un genou en terre, il tira dans la foule.

Il devait réussir : il n'y aurait pas de seconde chance. On mettait le feu à l'essence. Le fils de Karoly s'embrasa, hurlant et tremblant de tous ses membres. Leo, son fusil en joue, attendit que la foule se disperse. Il tira de nouveau. La balle toucha le jeune homme en pleine tête. Il s'immobilisa. Les insurgés se retournèrent, dévisagèrent Leo. Fraera braqua son arme sur lui.

— Lâche ce fusil.

Leo s'exécuta.

Karoly se releva, le corps de son fils dans les bras, s'efforçant d'éteindre les flammes comme s'il pouvait encore le sauver. Lui aussi brûlait à présent. Indifférent aux cloques rougeâtres qui se formaient sur ses mains, il se cramponnait à son fils alors que ses propres vêtements s'embrasaient. Leur soif de vengeance assouvie, les insurgés le regardaient brûler en hurlant son chagrin. Leo aurait voulu crier à l'aide, demander à quelqu'un d'intervenir. Enfin, un homme entre deux âges mit son fusil en joue et abattit Karoly d'une balle dans la tête. Son cadavre bascula sur le brasier, sous celui de son fils. Tandis qu'ils se consumaient ensemble, la plupart des badauds se hâtèrent de disparaître.

*Même jour*

DE RETOUR DANS L'APPARTEMENT envahi par des *vorys* mal remis de leurs excès de boisson et par des étudiants hongrois euphoriques, Malysh battit en retraite dans la cuisine où il se fit un lit sous la table. Il prit les mains de Zoya dans les siennes. Comme rescapée d'un naufrage dans une mer glaciale, elle ne cessait de trembler. Quand Fraera entra dans la pièce, il sentit le corps de Zoya se raidir comme à l'approche d'un prédateur. Fraera avait un pistolet dans une main et une bouteille de champagne dans l'autre. Les yeux injectés de sang, les lèvres crevassées, elle s'accroupit.

— Ce soir, il y a une fête sur une place du centre-ville. Il y aura des milliers de gens. Des fermiers apporteront la nourriture. On fera rôtir des cochons à la broche.

— Zoya n'est pas bien, répliqua Malysh.

Fraera palpa machinalement le front de l'adolescente.

— Il n'y aura ni policiers ni ministres, rien que les citoyens d'une nation enfin libre, et nous n'aurons plus peur. Il faut qu'on y aille tous.

Dès que Fraera eut quitté la pièce, Zoya se remit à trembler, ayant contenu ses émotions le temps de l'échange. Les soldats qui gisaient dans les rues, les cadavres couverts de chaux vive étaient des uniformes plus que des hommes, des symboles de l'envahisseur. Quant aux Hongrois qui avaient péri, avec leurs tombes jonchées de fleurs ils incarnaient une résistance héroïque. Tous, morts ou vivants, symbolisaient quelque chose. Mais Karoly était d'abord et avant tout un père, et cet officier pendu par les pieds, son fils.

— On va s'enfuir cette nuit, murmura Malysh à l'oreille de Zoya. Je ne sais pas où on ira, mais on s'en sortira. Je sais comment survivre : je ne sais même pratiquement rien faire d'autre, sauf tuer.

Zoya réfléchit quelques instants.

— Et Fraera ?

— Impossible de la prévenir. On attend que tout le monde soit parti à cette fête et on s'en va. Qu'est-ce que tu en dis ? Tu viens avec moi ?

Zoya dormait d'un sommeil agité. Elle voyait en rêve l'endroit où ils vivraient, une ferme isolée, loin, dans un pays libre, cachée en pleine forêt. Ils n'auraient pas beaucoup de terres, juste de quoi se nourrir. Il y aurait une petite rivière, ni trop rapide ni trop profonde, où ils pourraient pêcher, se baigner. Elle ouvrit les yeux. L'appartement était plongé dans la pénombre. Se demandant combien de temps elle avait dormi, elle jeta un coup d'œil à Malysh. Elle remarqua le baluchon qu'il avait préparé, devina qu'il contenait des vêtements, de la nourriture, de l'argent. Il avait dû y mettre la dernière main pendant qu'elle dormait. En quittant la cuisine, ils ne virent personne dans la salle commune. Tout le monde était à cette fête. Ils descendirent rapidement l'escalier, arrivèrent dans la cour. Zoya s'attarda, pensant à Leo et à Raïssa, enfermés au dernier étage.

Une voix s'éleva dans le passage sans lumière :

— Ils seront sûrement touchés quand je leur dirai que tu as hésité, que tu as eu une pensée pour eux avant de t'enfuir.

Fraera sortit de l'ombre. Zoya mentit spontanément :

— On part à la fête.

Fraera hocha la tête.

— Et dans ce baluchon, il y a quoi ?

Malysh s'avança.

— Vous n'avez plus besoin de nous.

Zoya ajouta :

— Vous parlez sans arrêt de liberté. Alors laissez-nous partir.

Fraera opina de la tête.

— La liberté est un combat. Je vous laisse une chance. Blessez-moi et vous serez tous deux libres : une simple écorchure, une coupure, une entaille, rien de plus. Une goutte de mon sang.

Malysh hésita. Fraera s'approcha.

— Vous ne pouvez pas me faire une coupure sans un couteau.

Le garçon sortit le sien, écarta Zoya. Sans arme, Fraera s'approchait toujours. L'adolescent s'accroupit, prêt à bondir.

— Je croyais que tu avais compris, Malysh. Les sentiments sont une faiblesse. Regarde ta nervosité. Pourquoi ? Parce que tu as trop à perdre, la vie de Zoya et la tienne : votre rêve de vivre ensemble fait de toi un peureux. Il te rend vulnérable.

Malysh se jeta sur elle. Elle esquiva la lame, lui saisit le poignet, lui donna un coup au visage. Il s'écroula. Elle s'était emparée du couteau et se pencha sur lui :

— Tu me déçois tellement.

Leo se tourna vers la porte. Malysh entra le premier, suivi de Zoya, le couteau sous la gorge. Fraera abaissa la lame, poussa l'adolescente à l'intérieur.

— À votre place, je ne me réjouirais pas trop. Je les ai surpris alors qu'ils tentaient de s'enfuir ensemble, trop heureux de vous laisser ici sans même vous dire au revoir.

Raïssa se leva.

— Rien de ce que tu peux raconter ne change nos sentiments pour Zoya.

— C'est pourtant vrai, ironisa Fraera. Quoi que fasse Zoya, qu'elle vous menace d'un couteau pendant votre sommeil, s'enfuie ou se fasse passer pour morte, vous continuez à croire qu'elle finira par vous aimer. C'est une sorte de fanatisme sentimental. Tu as raison, Raïssa : je ne peux rien y changer. J'ai tout de même quelque chose à dire qui risque de changer tes sentiments pour Malysh.

Elle s'interrompit.

— Malysh est ton fils, Raïssa.

## *Même jour*

LEO ATTENDIT QUE RAÏSSA LA CONTREDISE. Lorsqu'elle finit par prendre la parole, ce fut pour annoncer doucement :

— Mon fils est mort.

Fraera se tourna vers Leo en gesticulant avec son couteau, fière des secrets qu'elle détenait :

— Raïssa a donné naissance à un fils conçu pendant la guerre, résultat de la récompense accordée aux soldats qui avaient risqué leur vie : le droit de s'offrir toutes les femmes qu'ils voulaient. Ils l'ont violée plusieurs fois, fabriquant ce bâtard de l'armée Rouge.

Raïssa parla d'une voix sourde, mais qui ne tremblait pas :

— Peu m'importait qui était le père. Cet enfant était à moi, pas à lui. J'avais juré de l'aimer, bien qu'il ait été conçu dans les pires circonstances.

— À ceci près que tu l'as mis à l'orphelinat.

— J'étais malade, à la rue. Je n'avais rien, pas même de quoi me nourrir.

Raïssa n'avait pas encore croisé le regard de Malysh. Fraera hocha la tête, l'air écœuré :

— Jamais je n'aurais abandonné mon enfant, quelles que soient les circonstances. Il a fallu me l'arracher pendant mon sommeil.

Raïssa semblait épuisée, incapable de se défendre.

— J'avais promis de revenir le chercher. Dès que j'irais mieux, dès que la guerre serait finie, que j'aurais un toit.

— Mais quand tu es retournée à l'orphelinat, on t'a dit que ton fils était mort. Et comme une idiote, tu les as crus. Le typhus, c'est ça ?

— Oui.

— Ayant l'expérience des mensonges qu'on raconte dans les orphelinats, j'ai vérifié. Une épidémie de typhus a bien tué un grand nombre d'enfants. Beaucoup ont toutefois survécu en prenant la fuite. Ces fuyards ont été comptabilisés parmi les victimes. Or les enfants qui s'enfuient des orphelinats deviennent souvent pickpockets dans les gares.

Son passé entièrement réécrit, Malysh réagit pour la première fois :

— C'est la fois où je vous ai volé de l'argent, dans cette gare ?

Fraera acquiesça de la tête.

— Je cherchais ta trace. Je voulais te laisser croire que notre rencontre était l'effet du hasard. Je comptais me servir de toi pour me venger de la femme qui était tombée amoureuse de l'homme que je haïssais le plus. Mais je me suis attachée à toi. Très vite je t'ai considéré comme un fils. J'ai modifié mes plans. J'ai décidé de te garder. De même que je me suis attachée à Zoya et que j'ai décidé de la garder près de moi. Aujourd'hui, vous avez tous deux rejeté cet amour. À la plus infime provocation, tu t'es jeté sur moi avec un couteau. En vérité, si tu avais refusé, je vous aurais laissés partir tous les deux.

Fraera se dirigea vers la porte, s'arrêta, se retourna.

— Tu as toujours voulu fonder une famille, Leo. Maintenant tu en as une. Je te la laisse. Ce sera une vengeance plus cruelle que toutes celles que j'aurais pu imaginer.

*Même jour*

RAÏSSA SE TOURNA VERS L'INTÉRIEUR DE LA PIÈCE. Debout, Malysh lui faisait face, les bras et le torse couverts de tatouages. L'air méfiant, sur ses gardes, il ne manifestait ni révolte ni indifférence. Zoya prit la parole la première :

— Peu importe qu'il soit ton fils. Parce que en fait il ne l'est pas vraiment, il ne l'est plus : tu l'as abandonné, ce qui signifie que tu n'es pas sa mère. Et je ne suis pas non plus ta fille. Il n'y a rien à ajouter. On n'est pas une famille.

Malysh posa la main sur son bras. Elle y vit un reproche.

— Raïssa n'est pas ta mère, répéta-t-elle, au bord des larmes. On peut encore s'enfuir.

Malysh opina du chef :

— Rien n'a changé.

— Promis ?

— Promis.

Il s'approcha de Raïssa, les yeux rivés au sol.

— Que ce soit vrai ou pas, je m'en moque, mais j'ai besoin de savoir.

La question était faussement désinvolte, tentative puérile pour cacher sa vulnérabilité. Sans attendre la réponse de Raïssa, il ajouta :

— À l'orphelinat je m'appelais Feliks. Mais c'est eux qui m'avaient appelé comme ça. Ils rebaptisaient tout le monde avec des noms faciles à mémoriser. Je n'ai jamais connu mon vrai prénom.

Il compta sur ses doigts.

— J'ai quatorze ans. Ou peut-être treize. Je ne connais pas ma date de naissance. Alors je suis votre fils ou pas ?

— Quels souvenirs gardes-tu de l'orphelinat ? demanda Raïssa.

— Il y avait une cour avec un arbre au milieu. On jouait là. L'orphelinat était près de Leningrad, à la campagne. C'est bien celui-là, avec l'arbre au milieu de la cour ? Celui où vous avez laissé votre fils ?

— Oui, dit Raïssa.

Elle s'approcha de lui.

— Que t'a-t-on dit sur tes parents, à l'orphelinat ?

— Qu'ils étaient morts. J'ai toujours cru que ma mère était morte.

— Il n'y a rien à ajouter, conclut Zoya.

Elle entraîna Malysh à l'autre bout de la pièce, le fit asseoir. Raïssa et Leo restèrent debout près de la fenêtre. Leo ne posa aucune question, attendant que Raïssa soit prête. Enfin elle murmura, détournant le visage pour ne pas voir Malysh :

— J'ai abandonné mon enfant, Leo. C'est la plus grande honte de ma vie. Je ne voulais plus jamais en parler, et pourtant j'y pense tous les jours.

Leo se tut quelques instants.

— Et Malysh... ?

Raïssa baissa encore la voix.

— Fraera avait raison. Il y a bien eu une épidémie de typhus. Beaucoup d'enfants sont morts. Mais quand je suis retournée à l'orphelinat, mon fils était toujours là. Il était mourant et ne m'a pas reconnue. Il ne savait pas qui j'étais. Mais je suis restée près de lui jusqu'à sa mort. Je l'ai enterré. Malysh n'est pas mon fils, Leo.

Raïssa croisa les bras, perdue dans ses pensées. Passant en revue les événements, elle émit une hypothèse :

— Fraera a dû retourner là-bas pour retrouver la trace de mon fils en 1953 ou 1954, après sa libération. Les registres devaient être incomplets. Elle n'a pas pu apprendre la vérité. Elle n'avait aucun moyen de savoir quand mon fils était mort. Elle a trouvé un jeune garçon à peu près du même âge, qu'elle comptait utiliser pour se venger de moi. Sans doute y a-t-elle renoncé par amour pour Malysh. Ou parce qu'elle se demandait si je croirais ce mensonge.

— Ce n'est peut-être qu'une tentative désespérée pour nous faire du mal.

— Et pour faire du mal à Malysh.

Leo réfléchit.

— Pourquoi ne pas dire la vérité à Malysh ? Fraera le manipule lui aussi.

— Quel effet aura la vérité sur lui ? Il risque de mal la prendre. Il peut croire que je le rejette, que je cherche des raisons pour ne pas l'accepter comme mon fils. Or s'il veut que je l'aime, Leo, s'il a besoin d'une mère...

En bonne manipulatrice, Fraera apporta une unique et gigantesque assiette de ragoût fumant. Ils n'avaient qu'une solution : s'asseoir autour en tailleur et manger ensemble. Zoya refusa d'abord de partager ce repas et resta à l'écart. Mais, voyant la nourriture refroidir alors que la chaleur était sa principale qualité, elle rejoignit les autres à contrecœur et mangea avec eux, au son des fourchettes qui heurtaient l'assiette chaque fois qu'ils prenaient un morceau de viande ou un légume.

— Zoya m'a dit que vous étiez enseignante, déclara Malysh.

Raïssa acquiesça.

— Je ne sais ni lire ni écrire, mais j'aimerais bien apprendre, poursuivit-il.

— Je peux t'aider, si tu veux.

Avec un hochement de tête, Zoya s'adressa à Malysh en ignorant Raïssa :

— Je peux t'apprendre. Tu n'as pas besoin d'elle.

L'assiette de ragoût était presque vide. Ils n'allaient pas tarder à repartir chacun dans un coin de la pièce. Leo saisit l'occasion :

— Elena aimerait que tu rentres à la maison, dit-il à Zoya.

L'adolescente s'arrêta de manger mais ne répondit pas.

— Je ne veux pas te tourmenter. Elena t'aime énormément. Elle voudrait bien que tu reviennes.

Leo ne donna pas plus de détails, adoucissant la vérité.

Zoya se leva, laissa tomber sa fourchette et s'éloigna. Elle resta debout à fixer le mur, avant de s'étendre sur une couverture dans un coin, de dos. Malysh alla s'asseoir près d'elle, la main posée sur son épaule.

Leo se réveilla en grelottant. Il était très tôt. Raïssa et lui étaient blottis l'un contre l'autre dans leur coin, Malysh et Zoya dans l'angle opposé. La veille, Fraera s'était absentée : un insurgé hongrois leur avait apporté à manger. Leo avait remarqué un changement. Une certaine gravité régnait dans l'appartement. On n'entendait plus ni hourras ni toasts en l'honneur de la victoire.

Il se leva, s'approcha de la petite fenêtre, essuya la buée. Dehors il neigeait, pour la première fois dans Budapest libérée. Ce qui aurait dû donner l'impression d'une ville en paix, toute blanche et calme, ne fit qu'accroître son sentiment de malaise. Il ne voyait pas d'enfants en train de jouer, pas la moindre bataille de boules de neige. Il n'y avait ni insouciance ni cris de joie. Les rues étaient totalement désertes.

*4 novembre*

QUELQUE PART DANS LE CIEL au-dessus de l'appartement un bourdonnement s'intensifia, suivi par une détonation assourdissante. Un avion à réaction venait de les survoler. Réveillé en sursaut, Leo se redressa. La pièce était plongée dans l'obscurité. Il se leva, alla à la fenêtre. Raïssa s'éveilla à son tour.

— Qu'y a-t-il ?

Avant que Leo ait pu répondre, plusieurs séries d'explosions retentirent en différents endroits de la ville. Aussitôt, Raïssa, Malysh et Zoya se levèrent et le rejoignirent à la fenêtre.

— Ils sont revenus, annonça Leo.

Il y avait un certain affolement dans les pièces voisines, des bruits de pas sur le toit : les insurgés arrachés au sommeil se hâtaient de reprendre leurs positions. Leo aperçut un char dans la rue. La tourelle pivota avant de viser les tireurs sur le toit.

— Écartez-vous !

Leo repoussa les autres vers le fond de la pièce. Pendant une fraction de seconde, ce fut le silence, puis une explosion retentit. Leurs pieds décollèrent du sol ; le toit s'effondra, entraînant le mur du fond et plusieurs poutres. Seule une petite partie de la pièce resta debout derrière un monceau de gravats. Le visage couvert d'un pan de sa chemise pour pouvoir respirer, Leo s'assura que tous étaient toujours vivants.

Raïssa empoigna l'extrémité d'une poutre brisée, s'en servit comme bélier pour enfoncer la porte. Leo vint lui prêter main-forte.

— Par ici ! leur cria Malysh.

Une brèche ouverte au pied du mur permettait d'accéder à la pièce voisine. À plat ventre, redoutant que le toit achève de s'effondrer, ils rampèrent jusqu'au couloir entre les décombres. Il n'y avait aucun garde, aucun *vory*. L'appartement était désert. Ouvrant la porte qui donnait sur le balcon, ils virent des occupants de l'immeuble fuir leur logement : beaucoup restaient groupés, incapables de décider s'il valait mieux s'aventurer dans la rue ou s'ils étaient plus en sécurité dans la cour.

Malysh disparut à l'intérieur. Leo l'appela. L'adolescent revint avec des cartouches, plusieurs grenades et un fusil. Raïssa hocha la tête et tenta de le désarmer.

— Ils vont te tuer.

— Ils nous tueront de toute façon.

— Je refuse que tu emportes cet arsenal.

— Si on veut quitter la ville, on va en avoir besoin.

Raïssa échangea un regard avec Leo.

— Donne-moi ce fusil, dit-il à Malysh.

Le jeune homme le lui tendit à contrecœur. Une explosion à proximité mit un terme à la discussion.

— On a peu de temps devant nous.

Leo scruta le ciel. Entendant le bourdonnement des avions à réaction, il entraîna tout le monde vers l'escalier. Toujours pas trace des *vorys*. Ou bien ils se battaient, ou bien ils avaient pris la fuite. Dans la cour, Leo et les siens se mêlèrent à la foule terrifiée et se dirigèrent vers la rue.

— Leo !

Il leva les yeux. Fraera était debout sur le toit, une mitrailleuse dans les bras. Prisonniers de la foule, ils n'avaient aucune chance de rejoindre la rue sans être abattus.

— Tout est fini, Fraera ! cria Leo. Tu n'avais aucune chance de gagner ce combat.

— Je l'ai déjà gagné !

— Regarde autour de toi !

— Je n'ai pas gagné avec un fusil, mais avec ceci.

Elle désigna l'appareil photo qui pendait à son cou.

— Panine voulait démontrer la force de son armée. Je l'ai laissé faire. Qu'il écrase cette ville et la remplisse de civils morts !

Je veux que le monde entier voie la vraie nature de notre pays. Plus de secrets ! Plus personne ne croira jamais aux bonnes intentions de notre mère patrie ! Voilà ma vengeance.

— Partons.

— Tu ne comprends toujours pas, Leo. J'aurais pu te tuer cent fois. Mais la vie est un châtiment pire que la mort. Rentrez à Moscou, tous les quatre, avec un fils recherché pour meurtre amoureux de votre fille pleine de haine. Essayez donc de former une famille.

Leo se détacha du groupe.

— Je regrette ce que je t'ai fait subir, Fraera.

— À vrai dire, Leo… je n'étais rien avant de te haïr.

Il se tourna vers le passage donnant sur la rue, s'attendant à recevoir une balle dans le dos. Aucun coup de feu ne claqua. Une fois sur le trottoir, il jeta un coup d'œil derrière lui. Fraera avait disparu.

*Même jour*

À L'INTÉRIEUR D'UN CAFÉ EN RUINE, les deux mains enveloppées dans une nappe pour se protéger des éclats de verre, Leo se fit tout petit, attendant le passage des chars. Il releva la tête, jeta un coup d'œil par la vitrine brisée. Les blindés étaient au nombre de trois, leurs tourelles pivotant à droite et à gauche en direction des façades, à la recherche d'une cible. L'armée Rouge n'envoyait plus de T-34 isolés et vulnérables. Cette fois il s'agissait d'énormes T-54. Pour autant que Leo pouvait en juger, les Soviétiques avaient changé de stratégie. Ils déployaient des divisions entières, une force disproportionnée : pour chaque balle tirée, l'immeuble entier était détruit. Les chars n'intervenaient que pour finir le travail.

Il avait fallu deux heures à Leo et aux siens pour parcourir moins d'un kilomètre en s'abritant à chaque carrefour ou presque. À l'approche de l'aube, l'obscurité ne les protégeait plus, et leur progression était encore ralentie dans une ville soumise à une destruction systématique. Désormais, ils n'étaient pas plus en sécurité à l'intérieur. Les chars tiraient des obus capables de traverser trois pièces avant d'exploser au cœur du bâtiment qui s'effondrait sur ses occupants.

Devant ce déploiement de force, Leo finissait par se demander si la décision initiale des Soviétiques de battre en retraite n'était pas délibérée. Non seulement elle affaiblissait la position des réformistes, mais de plus elle illustrait l'inefficacité des vieux blindés, tenus en échec par une simple foule en colère. À présent des chars dernier cri paradaient dans les rues de Budapest comme dans un film de propagande. À Moscou, une conclusion s'imposerait : tout projet de réduction de l'équipement militaire conventionnel était inopportun. Il fallait au contraire augmenter les dépenses dans ce domaine. La force de l'Union soviétique en dépendait.

Leo surprit un éclair orange qui contrastait avec la grisaille des décombres et du petit jour. Sur le trottoir d'en face, trois jeunes gens fabriquaient des cocktails Molotov. Il leur fit signe pour tenter d'attirer leur attention. Leurs explosifs ne serviraient à rien, les circuits de refroidissement des T-54 étant moins exposés que ceux des T-34. Face à la toute nouvelle génération de blindés, les bombes artisanales étaient inutiles. L'un des combattants aperçut Leo et, se méprenant sur ses intentions, leva le poing par solidarité.

Ils coururent vers le dernier tank, lancèrent leurs explosifs et atteignirent leur cible, embrasant l'arrière des T-54. Des flammes s'élevèrent. Les trois hommes s'enfuirent, se retournant pour guetter une explosion qui n'aurait jamais lieu. Les flammes restèrent sans effet sur le blindage. Les mutins accélérèrent l'allure pour aller s'abriter. Leo se baissa. Le char obliqua et fit feu. Les murs du café tremblèrent ; la vitrine acheva de voler en éclats, laissant entrer la poussière et la fumée. Invisible derrière ce nuage, Leo recula en toussant et rampa jusqu'à la cuisine au milieu de la vaisselle cassée. Raïssa, Zoya et Malysh étaient accroupis derrière le fourneau.

— Impossible de traverser la rue.

Malysh désigna le toit :

— Et par là ? On pourrait progresser à plat ventre.

Leo réfléchit.

— S'ils nous voient ou nous entendent, ils tireront quand même. Il sera beaucoup plus difficile de fuir, là-haut. On sera prisonniers.

— On l'est déjà ici, fit observer Raïssa.

À l'étage, deux fenêtres éclairaient le palier : la première donnait sur l'avenue principale, la seconde sur une ruelle trop étroite pour un T-54. Leo l'ouvrit, étudia la façade : ni gouttière ni la moindre aspérité où poser les pieds, aucun moyen d'accéder facilement au toit. Malysh se donna une claque sur la jambe.

— Je voudrais jeter un coup d'œil.

Leo le laissa grimper sur l'appui de la fenêtre. Évaluant brièvement les risques en cas de chute, Malysh se suspendit d'un bond au rebord du toit, les jambes dans le vide. Leo s'approcha, mais l'adolescent refusa toute aide :

— Ça va aller.

Un pied après l'autre, il se hissa sur le toit.

— Au tour de Zoya, dit-il.

Raïssa contemplait la ruelle en contrebas : une quinzaine de mètres les séparaient du sol.

— Attends.

Elle prit les nappes qui enveloppaient les mains de Leo, les noua ensemble et passa cette corde de rappel improvisée autour de la taille de Zoya. L'adolescente n'apprécia pas :

— Tu sais, je me débrouille sans toi depuis des mois.

Raïssa l'embrassa sur la joue.

— Raison de plus pour ne pas mourir maintenant.

Zoya fronça les sourcils afin de réprimer un sourire.

Debout sur l'appui de la fenêtre, Leo la souleva. Elle se suspendit elle aussi au rebord du toit.

— Lâchez-moi, que je puisse prendre de l'élan !

Leo obéit sans enthousiasme et elle se hissa sur le toit. Malysh l'aida à se rétablir. Les deux nappes étaient tendues à craquer.

— J'y suis.

Raïssa laissa Zoya tirer vers elle la corde improvisée. À son tour elle emprunta le même chemin. Leo fut le dernier à grimper.

Les pans du toit formaient une étroite crête sur laquelle Malysh et Zoya étaient assis à califourchon, Raïssa juste derrière eux. Leo les rejoignit tant bien que mal, délogeant une tuile qui glissa bruyamment avant de tomber dans le vide. Une fraction de seconde plus tard, elle s'écrasa dans la ruelle. Ils se figèrent tous les quatre, tapis contre le toit. Si une tuile tombait de l'autre côté, sur l'avenue, les chars qui patrouillaient repéreraient leur présence.

Leo regarda autour de lui. Partout s'élevaient des colonnes de fumée. Les obus avaient crevé les toits. Plusieurs immeubles avaient fait place à des trous béants. Des Mig survolaient la ville à basse altitude, attaquant leurs cibles en piqué. Même sur un toit on n'était pas à l'abri.

— Dépêchons-nous, dit Leo.

À quatre pattes, loin des dangers de la rue, ils purent au moins reprendre leur progression.

Devant eux les toits s'interrompirent : ils arrivaient au bout du pâté de maisons.

— On va devoir descendre, traverser et remonter de l'autre côté, déclara Malysh.

Les tuiles se mirent à vibrer. Leo descendit au bord du toit et inspecta l'avenue : quatre chars passaient en contrebas. L'un après l'autre, ils obliquèrent dans une rue perpendiculaire. Au grand désespoir de Leo, le quatrième s'immobilisa. Il semblait surveiller le carrefour. Il allait falloir le contourner.

Alors qu'il s'apprêtait à remonter avec ces mauvaises nouvelles, quelque chose bougea à la fenêtre de l'appartement du dessous. Se tordant le cou, il vit deux femmes y accrocher le nouveau drapeau hongrois. Le char avait repéré ces protestataires. Leo se précipita vers le faîte du toit en gesticulant :

— On s'en va ! Tout de suite !

Ils s'éloignèrent le plus possible de l'avenue.

La portion de toit qu'ils venaient de laisser derrière eux fut soufflée par une explosion. Une pluie de gravats s'abattit dans l'avenue. Par ricochet, toutes les tuiles glissèrent sous leurs pieds. Malysh, qui était le plus près du vide, perdit l'équilibre. Zoya lui envoya leur corde de rappel. Il la saisit au moment où les tuiles tombaient du toit en avalanche, et lui avec.

Il entraîna Zoya dans sa chute, qui chercha quelque chose à quoi se raccrocher. Leo lui tendit le bras, mais ne put qu'attraper au vol la corde improvisée. Il réussit à les immobiliser : Zoya au bord du toit, Malysh suspendu dans le vide. Si le char repérait celui-ci, il ferait feu, les tuant tous quatre. Leo tira sur la corde. Raïssa se pencha vers l'adolescent :

— Ta main !

La prenant dans la sienne, elle aida Malysh à remonter et l'allongea près d'elle. Leo se laissa rouler au bord du toit, jeta un coup d'œil au char. La tourelle pivotait dans leur direction.

— Debout !

Ils traversèrent le toit vers l'appartement en ruine. L'obus tomba derrière eux, là où Malysh avait dérapé – à l'angle de l'immeuble. Projetés en avant, ils atterrirent à quatre pattes. Sonnés, toussant à cause de la poussière, ils découvrirent un spectacle de désolation : deux trous béants, comme si un monstre géant avait mordu le bâtiment en deux endroits.

Leo étudiait l'appartement dévasté. Le premier obus avait défoncé le toit, réduisant les deux étages à un seul. Ils pouvaient prendre appui sur les poutres brisées pour descendre. Il passa en premier, espérant que dans le char on les croyait morts. Parmi les débris du plafond, une main couverte de poussière : celle de la femme qui avait accroché le drapeau à sa fenêtre. Pas le temps de s'attarder. Il cherchait une issue. L'escalier se trouvait au fond. Il tira sur ce qui restait d'une porte pour y accéder, mais tomba sur un tas de gravats. Devant l'appartement, les yeux fixés sur l'avenue, Raïssa se mit à crier :

— Ils font demi-tour !

Le char revenait. Pris au piège, ils n'avaient aucun endroit où se cacher, aucune possibilité de fuir.

Leo entreprit de dégager l'escalier, seul moyen de s'en sortir. Zoya et Raïssa vinrent l'aider. Malysh avait disparu. Il avait dû s'enfuir pour sauver sa peau – *vory* jusqu'au bout. Leo jeta un coup d'œil par-dessus son épaule. Le char prenait position au pied de l'immeuble, prêt à tirer un troisième obus. Il recommencerait jusqu'à ce que les deux bâtiments soient détruits. Prisonniers de cet appartement en ruine, entre des murs de brique et une cage d'escalier impraticable, il ne leur restait qu'une solution : sauter dans la rue en contrebas.

Leo prit Zoya et Raïssa par le bras et s'approcha du bord du toit. Il s'immobilisa et vit Malysh, qui avait réussi à descendre jusque dans la rue. Il fonçait droit sur le char, une grenade à la main.

Il la dégoupilla, escalada l'avant de l'engin, grimpa sur le canon. La tourelle se dressa pour l'empêcher d'atteindre l'orifice. Mais Malysh était trop rapide, trop agile : les jambes enserrant le canon, il grimpait toujours. La tourelle s'ouvrit. Un officier allait l'abattre avant qu'il ait pu lancer sa grenade.

Leo sortit son pistolet, tira sur l'officier, les balles ricochant sur le blindage. L'homme battit en retraite, referma la tourelle. Malysh atteignit l'orifice, y lâcha sa grenade et se laissa tomber sur la chaussée.

La grenade explosa, puis, une fraction de seconde plus tard, l'obus à l'intérieur de la tourelle – explosion beaucoup plus violente qui ébranla tout le char. Malysh fut soulevé, projeté au sol. De la fumée s'échappait de la tourelle, mais personne ne sortit du blindé.

Zoya était parvenue à descendre le long de l'immeuble et courut aider le garçon à se relever. Elle souriait. Leo les rejoignit.

— Il ne faut pas rester ici, dit-il.

Une tache rouge sombre s'élargissait sur la chemise de Malysh.

Leo s'agenouilla, déchira la chemise de l'adolescent. Une entaille grande comme le pouce lui barrait le ventre – une plaie béante, avec une ligne noirâtre au milieu. Leo examina le dos de Malysh, ne trouva pas d'autre blessure.

*Même jour*

MALYSH DANS LES BRAS, Leo se rua à l'intérieur de l'hôpital numéro 2, Zoya et Raïssa à ses côtés. Pour y arriver, ils avaient couru dans les rues, au risque de tomber sur des chars en patrouille. Plusieurs tourelles les avaient mis en joue, mais sans faire feu. L'entrée de l'hôpital était remplie de blessés, certains soutenus par des amis ou des proches, d'autres couchés à même le sol. Il y avait du sang sur les murs, sur le carrelage, partout. À la recherche d'un médecin ou d'une infirmière, Leo aperçut une blouse blanche. Tant bien que mal il se fraya un passage. Entouré de patients auxquels il ne pouvait accorder plus de quelques secondes, le médecin examinait les blessures, dirigeait les blessés vers le service compétent, n'acceptant que les cas les plus graves. Les autres restaient dans le couloir.

Leo attendit son tour. Enfin le médecin palpa le visage de Malysh, lui posa la main sur le front. L'adolescent respirait difficilement. La chemise servant de pansement était à présent trempée de sang. Le docteur l'enleva, se pencha. Il entrouvrit la plaie qui se remit à saigner. Il vérifia le dos de Malysh sans rien trouver. Pour la première fois il échangea un regard avec Leo. Il ne dit rien, se contenta d'un vague hochement de tête avant de s'éloigner.

Zoya prit Leo par le bras.

— Pourquoi ils ne s'occupent pas de lui ?

Ancien soldat, Leo avait déjà vu ce genre de blessure, ce sang noirâtre : Malysh avait été atteint au foie par des éclats d'obus. Au front, personne n'y survivait. Cet hôpital ne valait guère mieux. Ils ne pouvaient rien faire.

— Dis, pourquoi on ne le soigne pas ?

Leo n'avait rien à répondre.

Zoya se rua dans la foule, empoigna le bras du médecin pour le ramener vers Malysh. Les autres patients la rabrouèrent. Il fallut qu'elle se fasse bousculer et insulter pour consentir à lâcher prise. Elle s'écroula alors, perdue au milieu d'une forêt de jambes. Raïssa l'aida à se relever.

— Pourquoi ils ne font rien pour lui ?

Elle fondit en larmes, caressa le visage de Malysh. Les yeux rouges, l'air implorant, elle fixa Leo :

— Je vous en supplie. Je ferai tout ce que vous voudrez. Je serai votre fille. Je serai heureuse. Ne le laissez pas mourir.

Malysh entrouvrit la bouche. Leo s'approcha, tendit l'oreille.

— Pas… ici.

Leo le porta jusqu'à l'entrée parmi les blessés en sang, franchit les portes de l'hôpital, chercha un endroit où ils pourraient être seuls. Près d'un parterre aux fleurs desséchées et au sol gelé, Leo s'assit, cala Malysh contre ses jambes. Zoya s'installa près de lui. Elle prit la main de l'adolescent dans la sienne. Raïssa resta debout, marchant de long en large.

— J'arriverai peut-être à trouver un analgésique ?

Leo secoua la tête. Après douze jours de combats, l'hôpital n'en aurait plus.

Très calme, Malysh semblait lutter contre le sommeil. Ses yeux s'ouvraient, se refermaient. Il croisa le regard de Raïssa.

— Je sais que…

Sa voix était à peine audible. Raïssa dut s'asseoir près de lui pour l'entendre. Il reprit :

— Fraera a menti… Je sais… que vous n'êtes pas… ma mère.

— Rien ne m'aurait fait plus plaisir que d'être ta mère.

— Et moi j'aurais aimé… être votre fils.

Malysh ferma les yeux, détourna le visage, blottit sa tête contre Zoya. Elle s'était allongée près de lui, comme s'ils étaient tous deux sur le point de s'endormir. Elle le serra contre elle.

— Je t'ai parlé de la ferme où on vivra tous les deux ? murmura-t-elle.

Malysh ne répondit pas. Il ne rouvrit pas les yeux.

— Elle se trouve près d'une forêt pleine de baies sauvages et de champignons. Il y a une rivière, et l'été on s'y baignera… On sera très heureux ensemble.

*Même jour*

DEBOUT SUR CE QUI RESTAIT DU TOIT, Fraera ne tirait plus à la mitrailleuse mais photographiait les ruines : des clichés qui seraient bientôt reproduits dans le monde entier. Peu lui importait si sa dernière pellicule n'était jamais développée. Elle avait déjà accumulé plusieurs centaines de photos, leur avait fait quitter clandestinement la ville par l'intermédiaire de reporters étrangers, de proches des dissidents et des insurgés. Ses clichés de civils morts et d'immeubles détruits seraient publiés des années durant avec la mention : « Source anonyme ».

Sans doute pour la première fois depuis qu'on lui avait arraché son fils, sept ans plus tôt, elle se retrouvait seule : plus de Malysh sur ses talons, plus d'hommes sous ses ordres. Le gang qu'elle avait mis des années à former s'était dispersé. Les derniers *vorys* avaient pris la fuite. Son groupuscule d'insurgés n'existait plus. Beaucoup d'entre eux étaient morts au cours du premier assaut de la matinée. Elle avait photographié leurs cadavres. Zsolt Polgar, son interprète, lui était resté fidèle jusqu'au bout. Elle s'était trompée sur son compte. Il était mort pour la cause qu'il défendait. Elle avait photographié son agonie avec un soin particulier.

Il lui restait trois clichés à prendre. Au loin un avion à réaction décrivit un cercle, se rapprocha. Elle brandit son appareil. Le Mig descendit en piqué. Tout autour, les tuiles volèrent en éclats. Fraera attendit que l'avion soit presque au-dessus. Tandis que le toit explosait, que des fragments de tuiles lui lacéraient le visage et les mains, elle ne doutait pas que sa dernière photo serait la meilleure de toutes.

# DEUX SEMAINES PLUS TARD

## Union soviétique
## Moscou

*19 novembre*

PREMIER JOUR DE TRAVAIL : Leo avait les mains blanches de farine et les joues rougies par la chaleur du four. Alors qu'il sortait une nouvelle fournée, Filipp l'appela :

— Un visiteur pour vous, Leo.

Toujours tiré à quatre épingles, Frol Panine fit son entrée dans la boulangerie. Il inspecta les locaux avec une jovialité condescendante. Leo lui fit l'article :

— Il n'y a aucune commande qu'on ne puisse satisfaire : seigle aux graines de coriandre ou sucré au miel ; casher ou sans huile...

Il prit un pain encore chaud, le rompit, l'offrit à Panine qui l'accepta et mordit dedans. L'homme qui l'avait trahi, qui avait collaboré avec ses ennemis, n'affichait ni gêne ni remords et mastiquait avec gourmandise.

— Très bon.

Il posa le pain, frotta ses mains l'une contre l'autre pour enlever la farine et s'assura que Filipp était trop loin pour l'entendre :

— Personne ne veut revenir au stalinisme, Leo. Il n'y aura plus d'arrestations massives. Les camps ferment. Les salles de torture sont désaffectées. Le changement est en marche. Il se poursuivra mais en secret, sans autocritique publique. On ira de l'avant... sans regarder en arrière.

Leo ne pouvait s'empêcher de l'admirer malgré tout. Panine aurait pu veiller à ce qu'il ne revienne jamais de Budapest, mais un pragmatisme pur et dur présidait à toutes ses décisions. Il ne faisait rien par méchanceté ou dépit. Après l'échec de l'insurrection et la mort de Fraera, Leo ne comptait plus, on pouvait donc le laisser en vie.

— Qu'attendez-vous de moi, Frol ? Vous avez gagné.

— Disons plutôt que nous avons tous gagné.

— Pas moi. Voilà longtemps que j'ai perdu. J'essaie juste de ne pas perdre davantage.

— Quoi que vous puissiez penser de moi, Leo, j'ai toujours pris mes décisions ...

Leo l'interrompit.

— Dans l'intérêt du plus grand nombre ?

Panine confirma d'un signe de tête, ajoutant :

— Je voudrais que vous travailliez pour moi. On a besoin d'hommes comme vous.

— D'hommes comme moi...

Leo laissa la phrase en suspens.

— Vous comptez rouvrir une brigade criminelle ? demanda-t-il.

— C'est prématuré.

— Le moment venu, je serai là.

Panine sourit.

— En train d'enfourner du pain de seigle aux graines de coriandre ? Très bien. J'espère pouvoir vous être utile un de ces jours.

C'était sa façon à lui de présenter des excuses – en secret. Leo accepta ce geste de bonne volonté :

— Il y a une chose que vous pourriez faire pour moi.

*Même jour*

À LA RÉCEPTION DU CONSERVATOIRE DE MOSCOU, Leo demanda à voir Piotr Orlov, l'un des jeunes violonistes les plus prometteurs du pays. On lui indiqua une salle de répétitions. Orlov, entre vingt-cinq et trente ans, ouvrit la porte capitonnée à double battant.

— Oui ? dit-il sèchement.

— Je suis Leo Demidov. Frol Panine m'a assuré que vous pourriez m'aider.

À la mention de ce nom, le violoniste devint plus aimable.

La salle de répétitions était exiguë. Elle ne contenait qu'un pupitre et un piano droit. Orlov tenait son violon par le manche. Son archet attendait sur le pupitre, à côté d'un morceau de colophane.

— Que puis-je pour vous ?

Leo ouvrit son porte-documents, en sortit une feuille de papier. Le trou noirâtre en son centre avait été fait sept ans plus tôt par un cierge dans l'église de Lazare. Tandis que la feuille se consumait, Leo avait soudain changé d'avis. Il l'avait posée sur le sol dallé, étouffant les flammes d'un coup de talon. Cette partition noircie – tout ce qui restait de l'œuvre du compositeur arrêté – avait été archivée dans le dossier de Lazare, preuve de ses activités contre-révolutionnaires.

Orlov alla vers le pupitre, étudia les quelques notes qui avaient survécu.

— Je ne sais pas lire une partition, expliqua Leo. J'ignore donc si celle-là permet de se faire une idée de l'œuvre complète. J'aurais voulu que vous me la jouiez, si toutefois c'est possible.

Orlov cala son violon sous son menton, prit son archet, se mit à jouer. Leo n'avait aucun goût pour la musique. Il s'attendait à quelque chose de lent et de triste. Or ce morceau, rapide et entraînant, lui plut beaucoup.

Il lui fallut quelques instants pour s'apercevoir que le musicien ne pouvait pas jouer si longtemps à partir des quelques notes de la partition. Gêné, il attendit poliment qu'Orlov s'interrompe.

— C'est un morceau très populaire, l'un de ceux qu'on entend le plus en ce moment.

— Vous devez faire erreur. On croyait cette partition perdue. Le compositeur est mort avant qu'elle ait pu être jouée.

Orlov n'en revenait pas.

— Cette pièce a été jouée pas plus tard que la semaine dernière. Le compositeur est vivant.

Dans le couloir d'un immeuble résidentiel, Leo frappa à une porte. Un long moment s'écoula avant qu'un homme entre deux âges vienne ouvrir : un domestique dans un uniforme noir impeccable.

— En quoi puis-je vous aider ?

— Je viens voir Robert Meshik.

— Vous avez rendez-vous ?

— Non.

— Il ne reçoit personne sans rendez-vous.

Leo tendit la partition noircie.

— Moi, il me recevra.

L'homme s'exécuta à contrecœur.

— Attendez là.

Quelques minutes plus tard il revint les mains vides.

— Suivez-moi, je vous prie.

Il guida Leo jusqu'à un studio situé au fond d'un appartement cossu. Robert Meshik était debout près de la fenêtre, la partition à la main.

— Vous pouvez nous laisser, dit-il au domestique.

L'homme se retira.

— Vous avez réussi dans la vie, fit observer Leo.
Meshik poussa un soupir.
— D'un certain point de vue, je suis soulagé. Voilà des années que j'attendais le moment où quelqu'un se présenterait avec l'original et démasquerait l'imposture.
— Vous connaissiez le compositeur ?
— Kirill ? Oui, nous étions amis. Les meilleurs amis du monde. Nous répétions ensemble. J'étais jaloux de lui. C'était un génie. Pas moi.
— C'est vous qui l'avez dénoncé ? demanda Leo.
— Non, jamais de la vie. J'avais trop d'amitié pour lui. C'est la vérité, mais rien ne vous oblige à me croire. Quand on l'a arrêté, bien sûr, je n'ai rien fait. Rien dit. Lui et son professeur ont été envoyés en camp de travail. À la mort de Staline, j'ai tenté de les retrouver. On m'a dit qu'ils n'avaient pas survécu. Je les ai pleurés. J'ai eu l'idée de transcrire un morceau de Kirill, pour honorer sa mémoire. Ses compositions avaient été perdues, mais ce n'était pas grave : je les avais entendues tant de fois. Elles faisaient partie de moi. J'y ai apporté quelques modifications mineures. Ce morceau a rencontré un grand succès.
— Mais vous n'avez jamais parlé de son origine ?
— J'ai pris goût aux éloges. Depuis, j'ai transcrit tous les morceaux dont j'ai gardé le souvenir, avec quelques variations, en les faisant passer pour mes propres compositions, et j'en ai tiré profit. Kirill n'avait pas de famille, savez-vous ? Absolument aucune. Personne n'avait entendu parler de lui. Personne ne connaissait l'existence de sa musique, sauf son professeur. Et moi.
— Il y avait quelqu'un d'autre.
— Qui ?
— L'épouse d'un prêtre.
— C'est grâce à elle que vous m'avez retrouvé ?
— Oui, d'une certaine façon.
Il y eut un silence.
— Vous allez m'arrêter ?
Leo secoua la tête.
— Je n'ai pas ce pouvoir.
Meshik eut l'air perplexe.
— Alors, dès demain je révélerai la vérité à tout le monde.

Leo traversa la pièce, regarda par la fenêtre la neige qui s'était mise à tomber. Des enfants s'amusaient.

— Qu'allez-vous dire ? Que l'État a assassiné un génie et que vous avez volé sa musique ? Qui vous saura gré de cet aveu ? Qui a envie de l'entendre ?

— Que me conseillez-vous de faire ?

La neige commençait à blanchir le sol.

*Même jour*

PERCHÉE SUR LE TOIT DE L'IMMEUBLE de Leo et de Raïssa, Zoya grelottait sous la neige. Chaque jour depuis son retour elle grimpait jusque-là pour contempler la ville. Il n'y avait plus de toits défoncés, plus de coups de feu, plus de tuiles s'entrechoquant au passage des chars. Elle avait le sentiment de ne se trouver ni à Moscou ni ailleurs, mais dans les limbes. L'impression d'être chez elle qu'elle avait à Budapest ne devait rien à la ville elle-même ni à la révolution mais tout à Malysh. Il lui manquait, à moins que ce ne soit une partie d'elle-même qu'elle avait perdue. Il lui avait fait oublier le poids de la solitude, et à présent celui-ci pesait plus que jamais sur ses épaules.

Ils avaient enterré Malysh à la périphérie de Budapest. Elle avait refusé de laisser son corps à l'hôpital, perdu parmi tous les autres morts, sans famille ni amis pour le pleurer. Leo avait franchi avec lui les barrages dressés par les Soviétiques. Après avoir creusé la terre gelée, ils l'avaient inhumé au pied d'un arbre, à l'écart de la route où passaient les chars et les camions. Elle s'était servie du couteau de Malysh pour graver son prénom sur le tronc de l'arbre. Se rappelant qu'il ne savait pas lire, elle avait tracé un cœur autour.

Au début, quand Zoya montait sur le toit, Raïssa la rejoignait aussitôt, de peur sans doute qu'elle ne se jette dans le vide. Ayant compris que c'était surtout un lieu de méditation, Raïssa et Leo la laissaient désormais y passer des heures sans intervenir. Elle ramassa une poignée de neige et la regarda fondre au creux de sa paume.

Occupée à débarrasser la table après le dîner, Raïssa se retourna. Debout dans l'embrasure de la porte, Zoya grelottait, les cheveux couverts de flocons de neige. Raïssa prit ses mains dans les siennes.

— Tu es gelée. Tu ne veux pas manger ? Je t'ai mis ton dîner au chaud.

— Elena est couchée ?

— Oui.

— Et Leo ?

— Pas encore rentré.

Elena avait quitté l'hôpital, guérie par le retour miraculeux de Zoya. Celle-ci avait pleuré de honte à la vue de sa sœur. Elena n'avait plus que la peau sur les os. Sans qu'on le lui dise, Zoya avait compris que sa petite sœur n'aurait pas survécu beaucoup plus longtemps. Au comble du bonheur, Elena n'avait posé aucune question, indifférente aux événements et à ce qui les avait provoqués. Sa famille était en vie.

Raïssa s'agenouilla devant Zoya :

— Confie-toi.

Une clé tourna dans la serrure. Leo fit son entrée, les joues rouges et l'air gêné.

— Désolé…

— Tu arrives à temps pour lire leur histoire aux filles, répondit Raïssa.

Zoya secoua la tête.

— Je peux vous parler d'abord ? À tous les deux ?

— Évidemment.

Leo alla dans la cuisine, tira deux chaises, s'assit près de Zoya.

— Qu'est-ce qui ne va pas ?

— Je n'ai jamais rien caché à Elena. Depuis mon retour, elle est si heureuse que je ne veux pas gâcher sa joie. Je ne veux pas lui raconter ce qui s'est passé. Ni lui dire la vérité : lui avouer que je l'ai laissée toute seule.

Elle fondit en larmes.

— Mais si je lui avoue, est-ce qu'elle me pardonnera ?

Malgré son envie de le faire, Leo n'osa pas la prendre dans ses bras.

— Elle t'aime énormément, dit-il.

Zoya leva les yeux vers lui, puis vers Raïssa.

— Mais est-ce qu'elle me pardonnera ?

Ils se tournèrent tous les trois vers la porte. Elena était là, en chemise de nuit. Rentrée depuis une semaine seulement, elle avait déjà repris du poids et des couleurs.

— Qu'y a-t-il ?

Zoya s'approcha d'elle.

— J'ai quelque chose à te dire.

Leo se leva.

— Et si je vous racontais d'abord une histoire ?

Elena sourit.

— Une que tu as inventée ?

Leo fit oui de la tête.

— Une que j'ai inventée.

Zoya sécha ses larmes et prit la main de Leo.

## *Remerciements*

Suzanne Baboneau chez Simon & Schuster UK, et Mitch Hoffman chez Grand Central Publishing, sont tout simplement les meilleurs éditeurs dont un auteur puisse rêver. J'ai énormément de chance. Et je leur suis immensément reconnaissant.

Je remercie en particulier Eva-Marie Hippel, chez Dumont, une excellente amie douée d'un grand sens du détail. Merci également à Jonny Geller chez Curtis Brown et à Robert Bookman chez CAA de leur infaillible soutien. Robert Bookman a un don pour mettre les gens en relation : grâce à lui j'ai fait la connaissance de Michael Korda dont le formidable ouvrage, *Journey to a Revolution : A Personal Memoir and History of the Hungarian Revolution of 1956* (HarperCollins, 2006) m'a été extrêmement utile. J'ai apprécié que Michael prenne le temps de répondre à mes questions.

J'ai oublié quel auteur a parlé du besoin pour un écrivain d'avoir des lecteurs en qui il ait toute confiance – peut-être tous les auteurs en parlent-ils. Pour ma part, deux d'entre eux, Ben Stephenson et Alex Arlango, ont toute mon amitié. Merci à eux.

## *Pour en savoir plus*

Les ouvrages mentionnés à la fin d'*Enfant 44* ont également joué un rôle capital dans l'écriture de ce livre et ont inspiré l'essentiel de mes recherches. En outre, *Khrushchev : The Man and His Era* (Simon & Schuster, 2003), la biographie de William Taubman s'est révélée indispensable.

J'ai déjà mentionné le livre autobiographique de Michael Korda sur la révolution hongroise. Deux autres ouvrages ont représenté d'importantes sources d'inspiration : *Budapest 1956 : les douze jours qui ébranlèrent l'empire soviétique* (Calmann-Lévy, 2006) de Victor Sebestyen, et *The Hungarian Revolution of 1956 : Reforms, Revolt and Repression, 1953-1963*, édité par Gyorgy Litvan (traduit par Janós M. Bak et Lyman H. Legters, Longman, 1966).

J'aimerais décerner une mention spéciale à l'autobiographie de Michael Krupa : *Shallow Graves in Siberia* (Minerva Press, 1997). C'est un récit extraordinaire, profondément émouvant : il m'a rappelé que l'oppression, si pesante soit-elle, finit toujours par être vaincue.

J'ai une immense dette envers tous ces auteurs. J'ajoute que toute erreur ne peut être que de mon fait.

*Collection Belfond noir*

BALDACCI David
*L'Heure du crime*

BARCLAY Linwood
*Cette nuit-là*

BLANCHARD Alice
*Le Bénéfice du doute*
*Un mal inexpiable*

BYRNES Michael
*Le Secret du dixième tombeau*

CLEEVES Ann
*Des vérités cachées*
*Morts sur la lande*
*Noire solitude*

COBEN Harlan
*Ne le dis à personne*
*Disparu à jamais*
*Une chance de trop*
*Juste un regard*
*Innocent*
*Promets-moi*
*Dans les bois*
*Sans un mot*

CRAIS Robert
*L.A. Requiem*
*Indigo Blues*
*Un ange sans pitié*
*Otages de la peur*
*Le Dernier Détective*
*L'Homme sans passé*
*Deux minutes chrono*
*Mortelle protection*
*À l'ombre du mal*

EASTERMAN, Daniel
*Minuit en plein jour*
*Maroc*

EISLER Barry
*La Chute de John R.*
*Tokyo Blues*
*Macao Blues*
*Une traque impitoyable*
*Le Dernier Assassin*

ELTON Ben
*Amitiés mortelles*

EMLEY Dianne
*Un écho dans la nuit*
*À vif*

FORD G.M.
*Cavale meurtrière*

GLAISTER Lesley
*Soleil de plomb*

GRINDLE Lucretia
*Comme un cri dans la nuit*

GRIPPANDO James
*Le Dernier à mourir*

HARRISON Colin
*Havana Room*
*Manhattan nocturne*
*La nuit descend sur Manhattan*

HYDE Elisabeth
*La Fille du Dr Duprey*

MCDONALD Craig
*La Tête de Pancho Villa*

REICH Christopher
*La Loi des dupes*

RIGBEY Liz
*L'Été assassin*
*La Saison de la chasse*

SANDFORD John
*Une proie mortelle*
*La Proie de l'aube*
*La Proie cachée*

SCOTTOLINE Lisa
*Une affaire de persécution*
*Une affaire de succession*

SHEEHAN James
*Le Prince de Lexington Avenue*
*La Loi de la seconde chance*

SMITH Tom Rob
*Kolyma*

UNGER Lisa
*Cours, ma jolie*
*Sans issue*
*Mémoire trouble*

WALLIS MARTIN J.
*Le Poids du silence*
*Descente en eaux troubles*
*Le Goût des oiseaux*
*La Morsure du mal*

*Composition et mise en pages :* Facompo, Lisieux

Achevé d'imprimer au Canada
sur les presses de Imprimerie Lebonfon Inc.